11772A

EDUARD MÖRIKE   WERKE UND BRIEFE

EDUARD MÖRIKE

WERKE UND BRIEFE

ACHTER BAND

ERSTER TEIL

ERNST KLETT VERLAG

STUTTGART

HISTORISCH-KRITISCHE GESAMTAUSGABE

IM AUFTRAG DES KULTUSMINISTERIUMS BADEN-WÜRTTEMBERG

UND IN ZUSAMMENARBEIT

MIT DEM SCHILLER-NATIONALMUSEUM MARBACH A.N.

HERAUSGEGEBEN VON

HANS-HENRIK KRUMMACHER HERBERT MEYER

BERNHARD ZELLER

ACHTER BAND

ÜBERSETZUNGEN

ERSTER TEIL

TEXT

HERAUSGEGEBEN VON ULRICH HÖTZER

CLASSISCHE BLUMENLESE

VORREDE

Ist es nur überhaupt billig und wünschenswerth, auch einem nicht
gelehrten Publicum die Erzeugnisse antiker Poesie so nahe als möglich
zu bringen, und ihm Geschmack für diese reine und gesunde Nahrung
zu erwecken, so wird man in der gegenwärtigen, auf ein bequemes
Verständniß eingerichteten Blumenlese, zu welcher sich einige Freunde der alten Literatur mit dem Herausgeber verbanden, keinen un-
willkommenen Beitrag zu Erreichung dieses Zweckes erblicken. Wir
haben zu ihrer richtigen Beurtheilung Einiges voranzuschicken.

Man findet hier nur wenige ganz neue Übertragungen, und zwar
aus dem einfachen Grunde, weil wir nicht gemeint seyn konnten, das
schon vorhandene Gute und Vortreffliche durch Neues zu überbieten.
Indessen haben wir uns wegen eines besondern Verfahrens hierbei zu
rechtfertigen. Es erscheinen nämlich die ausgewählten Stücke bei
Weitem nicht alle ganz in der Gestalt, in welcher sie der eine und der
andere Übersetzer gegeben; vielmehr hat man mit einer großen Anzahl derselben den Versuch gemacht, verschiedene Übersetzungen in
einander zu verarbeiten, auch vieles Eigene hinzugebracht. Daß dabei
den gediegenen geistreichen Männern gegenüber, deren Arbeiten dieß
Buch beinahe seinen ganzen Werth verdankt, irgend ein anmaßlicher
Gedanke habe mitunterlaufen können, diese Lächerlichkeit soll uns
Niemand zutrauen. Wenn wir eines Theils dasjenige, was uns da und
dort besonders eingeleuchtet hat, aushoben, so sind wir weit entfernt,
damit ein entscheidendes Urtheil aussprechen zu wollen; wie wir denn
selbst bei hundert Stellen zwischen zwei und mehreren Übertragungen, wovon jede augenscheinlich ihre besonderen Vorzüge hatte, mit
unsrer Wahl im Zweifel waren. Andern Theils aber war die leztere
weit mehr durch den speciellen Zweck dieser Sammlung, als durch
unsern subjectiven Beifall bedingt, und sehr häufig geschah es, daß

während ein ganzes Gedicht, eine einzelne Stelle, wie sie von einem Übersetzer gegeben war, uns für uns selber nichts zu wünschen übrig ließ, dennoch die Rücksicht auf den weiteren Leserkreis, dem diese Blumenlese bestimmt ist, eine Veränderung oder Vertauschung anrieth, wo ein fremdartiger Ausdruck, eine dem Laien ungewohnte Wortstellung umgangen werden konnte u. dergl. Übrigens wird, wie wir zuversichtlich glauben, auch ein feineres Auge nicht etwa eine Ungleichheit der Manier, oder sonst eine unschickliche Spur jener Behandlung in den betreffenden Stücken wahrnehmen, man wird darin einen stetigen, lebendigen Hauch nicht vermissen.

Wir führen hiemit die Verdeutschungen an, deren wir uns beim ersten Bändchen, entweder auf die angegebene Weise, oder ganz unverändert, bedienten.

Homerische Hymnen von *Schwenck* und *Voß*. – *Kallinus* und *Tyrtäus* von *Weber, Jakobs, Bach*. – *Theognis* von *Weber*. – *Theokrit* von *Bindemann, Voß, Witter, Naumann*. – *Bion* und *Moschus* von *Voß, Jakobs, Naumann*. – *Catull* (dem man im zweiten Theile nochmals begegnen wird) von *Ramler*. – *Horaz* von *Binder, Ramler, Gehlen, Scheller*. – *Tibull* von *Strombeck* und *Voß*; hie und da mit Zuziehung einer ältern, anonym erschienenen Übersetzung, einer Jugendarbeit des nachmaligen Grafen *Reinhard*. Neu sind, außer einigen Kleinigkeiten, die gereimten Nachbildungen aus Horaz, womit Prof. *L. Bauer* in Stuttgart uns beschenkte.

Wie weit wir nun den ersten Forderungen, die man an eine Übersetzung macht, in Vereinigung jener verschiedenen Kräfte mit unsern eigenen, nachgekommen sind, möge das Büchlein selbst beweisen. Nur was die Metrik anbelangt, wird hier ein Wort nicht überflüssig seyn. Wir fanden hierin die vorhandenen Arbeiten nicht alle nach gleich strengen Grundsätzen behandelt. Unter denen, die sich eine größere Freiheit gestatten, behaupten gleichwohl einige ihren eigenthümlichen Rang, und man konnte, sofern man Vortheil von ihnen ziehen wollte, an den Sylben nicht allzuviel rücken. Wir müssen überdieß bekennen, daß manche dieser kleinen Sünden unmittelbar auf unsre Rechnung kommen. Was wir deßhalb zu unsern Gunsten anzuführen hätten, versteht sich allenfalls von selbst, wiewohl wir die bekannten Entschuldigungsgründe nicht alle geradezu gut heißen mögen. Allerdings läßt sich der Deutsche die antiken Verse, insonderheit die epi-

schen und elegischen, wie sie im Allgemeinen bei uns gedeihen wollen, noch immer wohl gefallen; allein es müßte sonderbar zugehen, wenn sich die seltne Kunst, die wir bei Jakobs, Schwenck, Weber u. A. auch in dieser Beziehung bewundern, nur in dem Ohr des Philologen gel-
5 tend machen sollte. Man mag sich gern zum Troste sagen, daß selbst Voß, der Vater, in seinen schönsten Leistungen sich gegen den verpön-ten Trochäus nicht eben feindselig erwies; doch die Berufung auf ein solches Beispiel würde man zur Noth demjenigen erlauben, der es ihm noch in ganz andern Dingen nachthäte. Indessen gibt es eine Men-
10 ge von Fällen, wo sich die Unvollkommenheit des Verses durch die Natur der Sprache genugsam entschuldigt; und wir haben nur darum keine umfassenden, durchweg consequenten Gesetze in diesem Ge-biet, weil ihre strenge Beobachtung auch dem Geschicktesten unmög-lich bliebe. Dem sey nun, wie ihm wolle, wir unsererseits bekennen
15 uns zufrieden, wenn man uns in dieser Rücksicht nicht allzu lässig findet.

Was die Auswahl der Gedichte selbst betrifft, die für den ersten Theil durchaus von dem Herausgeber besorgt wurde, so wird die Frage nach dem Sittlichen, wie billig, nicht die lezte seyn. Der Samm-
20 ler ist sich bewußt, hierin überall redlich abgewogen zu haben, und wenn man gleichwohl über einige wenige Stücke zweifelhaft wäre, so kann er nur daran erinnern, daß wir, um uns des Schönen bei den Alten zu freuen, unsere sittlichen Begriffe nicht mit den ihrigen ver-mengen dürfen.

25 Einleitungen und Anmerkungen, meist den verschiedenen Erklä-rern entnommen, bieten dem Kundigen nichts Neues, da dieses auch keineswegs in unsrer Aufgabe lag. Ein Theil derselben mußte in einen kleinen Anhang bei dem zweiten Bändchen verwiesen werden, worin das meiste Mythologische, auch einiges Allgemeine aus der alten Geo-
30 graphie und die Bezeichnung einiger Versmaße mitgetheilt wird. Das zweite Bändchen aber, mit welchem die Sammlung geschlossen ist, soll zeitig nachfolgen.

INHALTS-VERZEICHNISS

* Die Besitzer der *Welcker*'schen Ausgabe, deren Ordnung man, mit wenigen Versetzungen, bei dieser Auswahl folgte, werden sich mittelst derselben leicht zurecht finden.

THEOKRIT

BION UND MOSCHUS

BION

HOMERISCHE HYMNEN

EINLEITUNG

Homeros, dessen Name jederzeit das Höchste in der Poesie bezeichnete, gilt für den ältesten Dichter der Griechen. Sein Leben fällt etwa
in die Zeit von 1000–950 vor Chr. Er soll bei Smyrna, am Flusse Meles,
geboren seyn und einen gewissen Mäon zum Vater gehabt haben. Bekanntlich aber rühmten sich nicht weniger als sieben Städte, vorzüglich Chios, ihn hervorgebracht zu haben. Ohne Zweifel lebte er in
Ionien. Der Sage nach war er blind, was man wohl zugeben könnte,
sofern von seinem reiferen Lebensalter die Rede seyn sollte. Ihm werden die beiden großen Heldengedichte, die Ilias und Odyssee, zugeschrieben, über deren Entstehung jedoch die Ansichten verschieden
sind. Sie wurden für die Nation ein Codex alles Großen, Edlen und
Schönen, woran Jung und Alt sich bilden und erbauen konnte. Man hat
ferner ein komisches Epos und eine Anzahl Epigramme unter seinem
Namen, was aber Beides späteren Ursprungs ist; und endlich eine
Reihe *Hymnen*, wovon ein Theil ein sehr hohes Alter beurkundet, ohne
daß jedoch eine derselben eigentlich Homerisch wäre. Sie scheinen
bei festlichen Anlässen vor dem Vortrag anderer Gedichte abgesungen
worden zu seyn.

I

HYMNUS

AUF DEN DELISCHEN APOLLON

Denken und nimmer vergessen Apollon's will ich, des Schützen,
Den zum Palaste des Zeus eingeh'nd die Unsterblichen fürchten;
Und sie erheben sich alle sogleich, wiebald er herankommt,
Flugs von den Sitzen zumal, da den glänzenden Bogen er spannet.
5 Leto bleibet allein bei dem donnererfreuten Kronion,
Welche die Senn' ihm sofort abspannt und den Köcher verschließet,
Und von den mächtigen Schultern herab ihm dann mit den Händen
Nehmend den Bogen, ihn hängt an die Säul' in des Vaters Gemache,
Auf an den goldenen Pflock; ihn führet sie aber zum Throne.
10 Nektar gibt ihm sodann in der goldenen Schale der Vater,
Bringend dem Sohn ihn zu, und die anderen Seligen setzen
Sich dann wiederum hin, und es freut sich die heilige Leto,
Daß sie den bogenbewehrten, den mächtigen Sohn sie geboren.

(CHOR)

Heil dir, selige Leto, die herrliche Kinder geboren,
15 Phöbos Apollon, den König, und Artemis, die das Geschoß freut,
In Ortygia sie, doch ihn in der felsigen Delos,
An den gewaltigen Berg und den Kynthischen Hügel gelehnet,
Neben dem Palmbaum, an des Inopos strömenden Wogen.

Wie doch soll ich dich preisen, den vielfach preislichen Herrscher?
20 Denn allwärts dir, Phöbos, erschallt vieltöniger Jubel,
Auf rindweidenden Triften des Vestlands, wie auf den Inseln;
Dir sind alle die Warten geliebt und die spitzigen Kuppen

Hoher Gebirg', und hinab in das Meer sich ergießende Ströme,
Und zu dem Meere gesenkte Gestad' und die Buchten der Salzfluth.
Sing' ich, wie Leto zuerst dich gebar zu der Freude der Menschen,   25
Hin zu des Kynthos Berge gelehnt in der felsigen Insel,
Delos, der meerumwogten? es rauscheten dunkele Wellen
Rings an das Land von dem Hauch scharfwehender Winde getrieben;
Von woher du entsprossen den sämmtlichen Menschen gebietest.
    Wie viel Kreta in sich faßt und das Volk von Athenä,   30
Und Eiland Ägina, und segelberühmt Euböa.
Ägä, Eiresiä auch, und nahe dem Meer Peparethos,
Ferner der Thrakische Athos und Pelion's ragende Häupter,
So wie die Thrakische Samos und Ida's schattige Berge,
Skyros auch und Phokäa, mit Kane's hohem Gebirge,   35
Imbros, die trefflich bebaute sodann und die neblige Lemnos,
So wie die herrliche Lesbos, der Sitz des Äolischen Makar,
Chios sodann, die der Inseln gesegnetste lieget im Meere,
Ferner der zackige Mimas, und Korykos' ragende Häupter,
Klaros, die glänzende dann, und Äsagea's hohes Gebirge,   40
Und die bewässerte Samos, und Mykale's ragende Häupter,
Auch Miletos, und Koos, die Stadt der Meropischen Menschen;
Und die erhabene Knidos und Karpathos windumwehet,
Naxos und Paros auch und die felsumstarrte Rhenäa:
Diese betrat allsammt Leto, mit dem Bogner in Wehen,   45
Ob wohl eines der Länder dem Sohn Wohnstätte verliehe.
Aber sie fürchteten sich und bebeten; keins von denselben
Wagte den Gott zu empfangen, wie fruchtbar immer es wäre,
Ehe bevor nach Delos die heilige Leto gekommen;
Und sie befragend begann sie zu ihr die geflügelten Worte: 50
    »Delos, wenn du fürwahr doch ein Wohnsitz wolltest dem Sohne
Phöbos Apollon seyn, und den herrlichen Tempel empfangen!
Nicht ja wird dich berühren ein Anderer, oder dich ehren,
Reich nicht wirst du an Stieren, so däucht mir's, oder an Schafen,
Noch auch bringest du Wein, noch sprossest du Pflanzen in Unzahl,   55
Hättest du aber den Tempel des fernhinschießenden Phöbos,
Brächten fürwahr dir alle die Menschen zumal Hekatomben,
Kommend zusammen hieher, und es dampfte der Opfergeruch stets.«

Sprach's, und es freute sich Delos und sagt' antwortend zu jener:

60 »Leto, herrlichste Tochter o du des erhabenen Köos!

Willig und gern wohl nähm' ich den fernhinschießenden König

Auf zur Geburt, denn schrecklich verhaßt ja bin ich den Menschen

Sicherlich; so doch könnt' ich geehrt wohl werden vor allen.

Dieß doch fürcht' ich, o Leto! und will dir's nimmer verhehlen;

65 Denn man sagt, daß Phöbos Apollon werde gewaltig

Stolz von Gemüth, und werde mit Macht obherrschen den Göttern,

So wie den sterblichen Menschen der nahrungspendenden Erde.

Drum denn fürcht' ich es sehr in dem Geist und in dem Gemüthe,

Daß er, sobald nur erst er des Helios Strahlen erblickt hat,

70 Möge die Insel verachten, dieweil ich felsig von Grund bin,

Und in die Tiefe des Meeres, verkehrt, mich stoßen mit Füßen.

Mir dann werden beständig um's Haupt die unendlichen Wogen

Spülen, und *er* geht fort in ein anderes Land, wo es gut ihm

Däucht sich den Tempel zu gründen und heilige Waldbaumhaine.

75 Doch die Polypen, die werden ihr Bett, und die dunkelen Robben

Wohnungen machen in mir sorglos, aus Mangel an Leuten.

Aber es sey, wenn du wagst, mit gewaltigem Eid mir zu schwören,

Daß er zuerst allhier sich den herrlichen Tempel errichte,

Um ein Orakel zu seyn für die Sterblichen, aber hernachmals

80 Auch bei den anderen Menschen, dieweil vielnamig derselbe.«

Sprach's, und es schwur nun Leto der Götter gewaltigen Eidschwur:

»Deß sey Zeuge die Erd' und der wölbende Himmel da droben,

So wie das Wasser der Styx, das hinabrollt, welches der größte

Und der entsetzlichste Eid auch ist für die seligen Götter.

85 Ja, traun hier wird immer des Phöbos Opferaltar seyn,

Und der geweihte Bezirk, und er wird dich ehren vor allen.«

Als sie geschworen jedoch und den Eidschwur hatte geendet,

Freute sich Delos sehr der Geburt des gewaltigen Bogners.

Doch neun Tag' und Nächte sofort ward über Erwarten

90 Leto von Wehn durchzuckt; und es waren die Göttinnen alle

Dort mit einander versammelt, die edelsten, Rheia, Dione,

Themis Ichnäa sodann, und die stöhnende Amphitrite,

So wie die übrigen außer der lilienarmigen Here;

Nur war nicht zu erschaun die entbindende Eileithyia;

Denn *die* saß im Olympos, in goldene Wolken gehüllet, 95
Here's Willen zufolge, der Königin, welche sie abhielt,
Ganz voll Eifer und Neid, weil Leto, die herrlichgelockte,
Sollte den mächtigen Sohn, den untadlichen, jetzo gebären.
   Jene nun sandten die Iris vom trefflich gebodmeten Eiland,
Eileithyia zu holen, ein Halsband dieser versprechend, 100
Ganz aus goldenen Fäden geknüpft, neun Ellen an Länge;
Und sie zu rufen geheim vor der lilienarmigen Here,
Daß sie dieselbe nicht wieder vom Gang abwende mit Worten.
Als sie nun Alles vernommen, die windschnelleilende Iris,
Eilte sie fort und den trennenden Raum durchschritt sie geschwinde. 105
Doch nachdem zum Olympos, der Himmlischen Sitz, sie gekommen,
Rief sie der Eileithyia sogleich dort aus dem Palaste
Her vor die Thür, und begann die geflügelten Worte zu dieser,
Alles genau, wie's ihr die olympischen Göttinnen hießen.
Und sie beredete *der* nun das Herz in der Tiefe des Busens. 110
Und sie begaben sich fort, gleich schüchternen Tauben dahinziehnd.
   Als nun Delos betrat die entbindende Eileithyia,
Kam das Gebären die Göttin nun an, und sie wollte gebären.
Und mit den Armen umschlang sie die Palm' und stüzte die Kniee
Auf den erschwellenden Rasen, und unter ihr lachte die Erde. 115
Und er entwand sich an's Licht, und die Göttinnen jauchzten zusammen.
Siehe, da wuschen, o Phöbos, mit lieblichem Wasser dich jene
Sauber und rein, und sie wickelten dich in ein schneeiges Linnen,
Fein und neu, und sie schlangen ein goldenes Band um dasselbe.
Doch nicht säugte die Mutter den goldenen Phöbos Apollon, 120
Sondern es reicht' ihm Nektar und süßes Ambrosia Themis
Mit den unsterblichen Händen sogleich, und es freute sich Leto,
Daß sie den bogenbewehrten, den mächtigen Sohn sie geboren.
   Doch, nachdem du, o Phöbos, ambrosische Speise genossen,
Wollte die goldene Schnur dich zappelnden nicht mehr halten, 125
Noch dich hemmen ein Band, und es lösten sich alle die Schleifen.
Und alsbald sprach so zu den Göttinnen Phöbos Apollon:
   »Mir sey theuer die Cither, zusammt dem gekrümmeten Bogen,
Und ich verkünde den Menschen des Zeus untrüglichen Rathschluß.«

130 Also sprach er, und schritt nun auf der geräumigen Erde,
Phöbos, der Schütze, der lockenumwallete; aber es staunten
Alle die Göttinnen sehr; und Delos wurde von Golde
Rings umblüht, wie der Gipfel des Bergs von der blühenden Waldung.
Doch du, Fürst Ferntreffer, mit silbernem Bogen, Apollon,
135 Wandeltest jezt bald hin zu den zackigen Höhen des Kynthos,
Bald auch schweiftest du rings zu den Völkern und Meereilanden.
Du hast viele der Tempel und viel baumprangende Haine;
Aber an Delos erfreust du das Herz, o Phöbos, am meisten,
Wo in den langen Gewanden die Jonier kommen zusammen
140 Dir, mit den Kindern zugleich und den züchtigen Ehegemahlen,
Welche mit Faustkampf dich, und mit Reihntanz und mit Gesängen
Feiernd ergötzen allda, wann Wettstreit ihnen bestellt ist.
Ja für Unsterbliche hielte, für stets unalternde diese,
Wer hinkäme zur Zeit, wo die Jonier wären versammelt;
145 Denn er erblickte von Allem den Reiz, und ergözte die Seele,
Schauend die Männer zumal und die schönumgürteten Frauen,
So wie die hurtigen Schiff' und die vielerlei Schätze derselben.
Dann dieß Wunder so groß, deß Ruhm niemalen vergehn wird,
Delische Jungfrau, dienend dem fernhinschießenden Gotte,
150 Welche, sobald sie zuerst den Apollon singend gefeiert,
Weiter von Leto sodann, und von Artemis, die das Geschoß freut
Lobpreis sangen, ein Lied auf Männer und Frauen aus alter
Zeit anstimmen sofort, die versammelten Menschen entzückend.
Sie auch können die Stimm' und das Cymbelgetöne von allen
155 Menschen geschickt nachahmen, und selbst glaubt jeder zu sprechen
Da, so schön stimmt ihnen der holde Gesang zu einander.

Aber wohlan, sey mir sammt Artemis gnädig Apollon;
Seyd mir gegrüßt, Jungfraun, und auch in künftigen Tagen
Denkt mein, wann euch einer der erdebewohnenden Menschen
160 Kommend hieher ausfraget, ein weitumreisender Fremdling:
»Jungfrau, sagt, wer ist's, der euch als süßester Sänger
Weilet dahier, und an dem ihr zumeist euch freuet vor allen?«
Dann antwortet ihm alle zusammt mit den freundlichen Worten:
»Blind ist dieser, und wohnt in dem Felseilande von Chios,

29

Dessen Gesänge die ersten genannt sind unter den Menschen.«   165
Eueren Ruhm hinwieder verbreiten wir, wo wir nur irgend
Hin auf Erden gelangen in menschenbewohnete Städte;
Die dann werden es glauben, dieweils auch selber ja wahr ist.
Ich doch höre zu preisen den Fernhintreffer Apollon,
Ihn mit dem Silbergeschoß, nie auf, den Leto geboren.   170

II

AUF APHRODITE

Aphrodite, die schöne, die züchtige, will ich besingen,
Sie mit dem goldenen Kranz, die der meerumflossenen Kypros
Zinnen beherrscht, wohin sie des Zephyros schwellender Windhauch
Sanft hintrug auf der Woge des vielaufrauschenden Meeres,
5 Im weichflockigen Schaum; und die Horen mit Golddiademen
Nahmen mit Freuden sie auf, und thaten ihr göttliche Kleider
An, und sezten ihr ferner den schön aus Golde gemachten
Kranz auf's heilige Haupt, und hängten ihr dann in die Ohren
Blumengeschmeid aus Erz und gepriesenem Golde verfertigt.
10 Aber den zierlichen Hals und den schneeweißstrahlenden Busen
Schmückten mit goldener Ketten Geschmeide sie, welche die Horen
Selber geschmückt, die mit Gold umkränzeten, wann zu der Götter
Anmuthseligem Reih'n und dem Vaterpalaste sie gingen.
Doch nachdem sie den Schmuck an dem Leib ihr fertig geordnet,
15 Führten sie drauf zu den Göttern sie hin, die sie freudig empfingen,
Reichend zum Gruße die Hand, und ein jeglicher fühlte Verlangen,
Sie zur Gemahlin zu haben, und heim als Braut sie zu führen,
Höchlich bewundernd die schöne Gestalt der bekränzten Kythere.

Heil, schönblickende dir, holdselige! Aber im Kampf hier
20 Lasse den Sieg mir werden, und segne du meinen Gesang jezt!
Aber ich selbst will deiner und anderen Liedes gedenken.

III

AUF DIONYSOS

Von Dionysos sing' ich, der herrlichen Semele Sohne,
Jetzo, wie er erschien am Gestad' ödwogender Meerfluth,
Auf vorspringendem Ufer, dem Jüngling gleichend von Ansehn,
Welcher heranreift; und es umwallten ihn herrliche Locken
Dunkelen Haars, und es hüllte der Purpurmantel die starken   5
Schultern ihm ein. Bald kamen jedoch auf trefflichem Schiffe
Schnell Seeräuber, Tyrrhener, in purpurdunkeler Meerfluth
Segelnd heran; doch führte Verderben sie; aber sie winkten,
Jenen erblickend, einander und lauerten; dann ihn ergreifend
Brachten sie hurtig ihn hin auf's Schiff, sich im Innersten freuend,   10
Denn sie vermutheten, daß er vom göttlichen Stamme der Herrscher
Sey, und sie trachteten ihn mit beschwerlichen Fesseln zu binden.
Aber das Band hielt nicht, und weit von den Händen und Füßen
Fielen die Wieden ihm weg; doch *er* mit lachendem Blick im
Dunkelen Aug' saß da; und der Steuerer, solches gewahrend,   15
Rief gleich seinen Gefährten, und redete folgende Worte:
    »Ihr Unseligen, was doch fesselt ihr diesen, den starken
Gott da? Nimmer vermag ja das stattliche Schiff ihn zu tragen.
Denn Zeus, oder Apollon mit silbernem Bogen ja ist es,
Oder Poseidon auch; da nicht er den sterblichen Menschen   20
Gleich ist, sondern den Göttern, olympischer Häuser Bewohnern.
Aber wohlan, entlassen wir ihn denn gleich an das dunkle
Land; und erhebet die Hand nicht gegen ihn, daß er im Zorn nicht
Stürmende Wind' uns mög' und gewaltige Wetter erregen.«
    Sprach es; der Führer jedoch schalt ihn mit den finsteren Worten: 25
»Schau *du* nur nach dem Wind! und die Taue zusammengenommen,
Auf mit dem Segelgewand! für *den* doch werden wir sorgen.
Nach Ägypten gelangt er, so hoff' ich es, oder nach Kypros,

Oder zu Hyperboreern, und weiterhin; aber am Ende
30 Wird er uns wohl die Verwandten und sämmtlichen Schätze gestehen,
Wie auch seine Geschwister; dieweil ihn ein Gott uns gegeben.«
　　Sprach es, und stellte den Mast und that auseinander das Segel.
Wind nun blies in die Mitte des Segelgewands, und das Tauwerk
Spannten sie vest; bald aber begaben sich seltsame Dinge.
35 Nämlich es rieselte erst in dem hurtigen, dunkelen Schiffe
Lieblicher Wein jezt hin, süßhauchender, und es erhub sich
Göttlicher Duft; doch Schrecken ergriff, wie sie's sahen, die Schiffer.
Und bald breiteten bis zu dem äußersten Rande des Segels
Hier und dort Weinreben sich aus, und Trauben die Fülle
40 Hingen herab; um den Mast auch rankete dunkeler Epheu,
Sprossend mit Blüthen empor, und es keimt' anmuthige Frucht dran;
Alle die Bänke bekamen Umwindungen; jene befahlen
Aber, es sehend, dem Steurer sofort, an das Ufer zu fahren
Gleich mit dem Schiff; Dionysos jedoch ward jetzo zum grausen
45 Leu'n an dem Ende des Schiffs und brüllete, doch in der Mitte
Schuf er ein Bärthier, rauch und zottelig, Wunder verrichtend.
Dieß stand gierig nun auf; doch dort auf der äußersten Bank stand
Graunvoll schielend der Leu; und bang zu dem Hinterverdeck flohn
Jene, zum Steurer, hin, der begabt mit gesundem Verstand war,
50 Tretend in Angst um denselben; geschwind doch stürzte der Löwe
Drauf und packte den Führer; und *sie*, um dem Tod zu entrinnen,
Stürzten zumal, wie sie's sahen, hinaus in die heilige Meerfluth,
Wo zu Delphinen sie wurden; des Steurers jedoch sich erbarmend,
Hielt er denselben zurück, und er macht' ihn glücklich und sagte:
55 　　»Sey nur, Steurer, getrost, der du lieb mir bist in dem Herzen;
Wiss', ich bin Dionysos, der lärmende, welchen geboren
Semele, Kadmos' Tochter, dem Zeus in Umarmung gesellet.« –

Sey mir gegrüßt, o Sprößling der Semele! Nimmer geziemt's ja,
Daß man süßen Gesang anordne, deiner vergessend.

33

IV

AUF DEMETER

Von der umlockten Demeter, der heiligen, heb' ich Gesang an,
Von ihr selbst und der Tochter der herrlichen, die Aïdoneus
Einst entführt; ihm gab sie der donnernde Herrscher der Welt, Zeus,
Als, von Demeter entfernt, von der goldenen, früchtebegabten,
Sie mit Okeanos' Töchtern, den tiefgegürteten, spielte,   5
Und sich Blumen gepflückt, Safran und Violen und Rosen,
Auf weichschwellender Au, Schwertlilien und Hyakinthos,
Auch Narkissos, welchen zur Täuschung der rosigen Jungfrau
Gäa gesproßt, Zeus' Willen gemäß, Polydektes zu Liebe,
Blühend, ein herrlich Gewächs, zur Bewunderung Allen zu sehen,   10
So den unsterblichen Göttern zumal, wie den sterblichen Menschen;
Auf von der Wurzel auch stiegen der schimmernden Kronen ihm hundert,
Daß von dem Balsamduft ringsum der gewölbete Himmel
Lachte, die Erde zugleich und das salzige Meeresgewässer.
Jene von Staunen erfüllt nun streckete hurtig die Hände   15
Nach dem ergötzlichen Spiel; doch auf that flugs sich die weite
Erd' in der Nysischen Flur, und es stürmet' heraus Polydegmon,
Mit den unsterblichen Rossen, der Sohn des erhabenen Kronos.
Schnelle sie raubend, wie sehr sie sich sträubt', auf dem goldenen Wagen
Führt' er die Jammernde fort, und sie schrie laut auf mit der Stimme,   20
Rufend zu Vater Kronion empor, zu dem Höchsten und Stärksten.
Und der Unsterblichen keiner, und keiner der sterblichen Menschen
Hörte der Jungfrau Ruf, und der schönen Gespielinnen keine,
Außer des Perses Tochter allein, die zärtlichgesinnte,
Hekate, hört's in der Grotte, die weißumschleierte Göttin;   25
Helios ferner, der König, der strahlende Sohn Hyperion's,
Als zu dem Vater Kronion sie rief; der aber befand sich
Von den Unsterblichen fern in gebetdurchhalletem Tempel,

Herrliche Opfer empfangend vom sterblichen Menschengeschlechte.
30 Also führte die Sträubende dort auf den Rath des Kroniden
Weg ihr leiblicher Öhm, der gewaltige Fürst Polydegmon,
Mit den unsterblichen Rossen, des Kronos herrlicher Sprößling.
   Während das Erdreich nun und den sternigen Himmel die Göttin
Schauete noch, und des Meers fischwimmelndes, weites Gewoge,
35 So wie des Helios Licht, und noch sie die theuere Mutter
Hoffte zu sehn, und die Schaaren der ewiglebenden Götter,
Sänftigte Hoffnung noch ihr Herz, obgleich sie betrübt war.
Und es erschallten die Gipfel der Berg' und die Tiefen des Pontos
Von der unsterblichen Stimm', und die würdige Mutter vernahm sie.
40 Schmerz durchzuckte die Brust ihr im Innersten, und sie zerriß sich
Um die ambrosischen Locken den Hauptschmuck ganz mit den Händen,
Dann mit dunkelem Schleier umhüllte sie beide die Schultern,
Und eilt' über das Land und die See wie ein Vogel im Fluge,
Suchend umher; doch war kein einziger, der ihr Gewißheit
45 Meldete, weder von Göttern, noch auch von den sterblichen Menschen;
Noch kam irgend ein Vogel heran als kündender Bote.
   Schon neun Tag' umschweifte die heilige Deo den Erdkreis
Ringsum, haltend in Händen die hellauflodernden Fackeln;
Nie mit Ambrosiakost und lieblichem Tranke des Nektars
50 Labte die Traurige sich, noch gab sie die Glieder dem Bad hin.
Als ihr aber zum zehnten die leuchtende Eos erschienen,
Nahete Hekate ihr, mit der strahlenden Fackel in Händen,
Und ihr Kunde zu melden begann sie und redete also:
   »Heilige, Zeitigerin reichglänzender Gaben, Demeter,
55 Wer von den Himmlischen oder den sterblichgeborenen Menschen
Raubte Persephone weg, und kränkte dich tief in dem Herzen?
Denn ich hörte das Schrein, doch nicht mit den Augen ersah ich
Wer es gethan; dort aber der Gott, der sagt es dir wahrhaft.«
   So sprach Hekate da; doch nichts antwortete Rheia's
60 Tochter, der lockigen, ihr; sie stürmete aber mit dieser
Schleunig hinweg, in den Händen die hellauflodernden Fackeln.
Jetzo dem Helios nah', der auf Götter und Menschen herabschaut,
Traten sie vor das Gespann, und es fragte die herrliche Göttin:

»Höre, bei Theia! mich an, o Helios! wenn ich dir jemals
Ob durch Wort, ob Werke das Herz in dem Busen erfreuet: 65
Das ich gebar, mein Kind, das geliebteste, herrlich von Ansehn,
Heftiges Rufen vernahm ich den Äther hindurch von der Tochter,
Gleich als zwänge man sie; doch sah ich es nicht mit den Augen.
Aber du schauest ja über die sämmtliche Erd' und die Meerfluth,
Hoch von dem heiligen Äther herab mit den leuchtenden Strahlen;   70
Sag' es in Wahrheit, mein lieb Töchterchen, ob du gesehn hast,
Wer sie, entfernt von mir, hat wider ihr Wollen gewaltsam
Raubend entführt, von den Göttern, den himmlischen, oder den Menschen.«
    Sprach's; es erwiderte aber darauf der Hyperionide:
»Tochter der lockigen Rheia, Demeter, erhabene Herrin,   75
Kund sey dir's; denn innig verehr' ich dich, und es erbarmt mich
Dein, die der Gram um die Tochter so tief beugt; keiner von allen
Hat deß Schuld, als einzig der Wolkenversammler Kronion,
Der sie dem Aïdes schenkte, dem leiblichen Bruder, zum holden
Ehegemahl; und dieser entführte sie dir in die dunkle   80
Nacht mit den Rossen hinunter, die lautaufschreiende raubend.
Doch den gewaltigen Zorn nun sänftige; nimmer geziemt dir's
Rastlos Groll zu bewahren umsonst; kein schimpflicher Eidam
Ist dir unter den Göttern der mächtige Fürst Aïdoneus,
Er, dein leiblicher Bruder und Blutsfreund; auch ja gewann er   85
Königesehre durch's Loos, wie zuerst dreifältig getheilt ward;
Deren Beherrscher zu seyn ward ihm, bei denen er wohnet.«
    Redete so; und die Rosse ermuntert' er; unter dem Zuruf
Zogen den hurtigen Wagen sie schnell wie geflügelte Vögel.
Aber es tobte der Schmerz nur grimmiger ihr in dem Busen,   90
Schwer ihm zürnend anjetzo dem schwarzumwölkten Kronion
Eilte sie, ganz von der Götter Verein aus dem weiten Olympos
Scheidend hinweg, zu den Städten und blühenden Fluren der Menschen,
Lange die göttliche Bildung verheimlichend; keiner der Männer
Kannte sie sehend, und keine der tiefgegürteten Frauen,   95
Ehe bevor sie betrat des verständigen Keleos Wohnung,
Der damals in Eleusis, der opferumdufteten, herrschte.
    Neben den Weg nun sezte sie sich, Gram tragend im Herzen,
Bei dem Parthenischen Brunn, wo die Stadt sich holet das Wasser,

100 Nieder im Schatten, (es wuchsen des Ölbaums Äste darüber,)
Gleichend von Ansehn einer Betageten, die vom Gebären
Fern schon ist, und den Gaben der lieblichen Aphrodite,
So wie die Ammen der Kinder gesetzausübender Fürsten
Sind, wie die Schaffnerin ist in den hallenden Königspalästen.

105 Sie nun erblickten des Eleusinischen Keleos Töchter,
Welche zum lieblichen Born hereileten, Wasser zu holen
Heim in den ehernen Krügen zum theueren Vaterpalaste.
Vier, gleich Göttinnen schön, jungfräuliche Blüthe bewahrend,
Demo, Kallidike auch, und Kleisidike war es, die holde,

110 So wie Kallithoë, welche die älteste war von den Schwestern.
Und sie erkannten sie nicht; schwer kennet die Götter ein Mensch ja;
Nah ihr traten sie nun, die geflügelten Worte beginnend:
    »Wer und woher doch bist du, o Weib, von der Zahl der Betagten?
Was doch hältst du dich fern von der Stadt, und gehst zu den Häusern

115 Nicht, wo Frauen genug in schattiger Kühle der Wohnung,
Solche, wie du jezt bist, und jüngere, leben gemeinsam,
Die wohl gerne mit Wort und mit That dir Liebes erzeigten?«
    Redeten so, und es sprach antwortend die heilige Göttin:
»Töchterchen, wer auch irgend ihr seyd von den blühenden Frauen,

120 Seyd mir gegrüßt! euch will ich es kund thun; nicht ungeziemend
Ist's, auf euere Fragen die Wahrheit euch zu verkünden.
Deo, so heißt mein Nam', ihn gab mir die theuere Mutter.
Jetzo von Kreta über den mächtigen Rücken des Meeres
Kam ich daher, nicht mit Willen; es führten mich aber gezwungen

125 Männer hinweg mit Gewalt, seeräubrische; diese nun endlich
Lenkten das hurtige Schiff gen Thorikos, wo die gesammten
Weiber an's Land ausstiegen sofort, und die Räuber mit ihnen;
Und sie bestellten das Essen am Hinterverdecke des Schiffes;
Aber mir sehnte das Herz sich nicht nach lieblicher Speise,

130 Sondern geheim fortrennend indeß auf der Veste des Landes
Floh ich hinweg von den schnöden Gebietern, damit sie durch mich nicht
Sollten sich Vortheils freuen, mich ungekaufte verkaufend.
Also gelangt' ich Verirrte zulezt hieher, und ich weiß nicht,
Was für ein Land dieß ist, und welcherlei Menschen darin sind.

135 Doch euch mögen die Götter, olympischer Höhen Bewohner,

Jugendgemahle verleihen, und daß ihr Kinder gebäret,
Wie es die Eltern sich wünschen; dagegen erbarmet euch, Jungfraun,
Meiner mit gütigem Herzen, o Töchterchen, bis ich gelange
In die Behausung von Mann und Frau, wo ich ihnen die Arbeit
Thue mit Sorgfalt, was es für ältere Weiber zu thun gibt.   140
Wohl ja ein Kind, das eben zur Welt kam, würd' ich im Arme
Schön aufziehn als Wärtrin, und Obacht haben im Hause;
Und ich besorgte das Lager der Herrschaft auch in dem Innern
Ihres Gemachs, und lehrte die Weiber die Fraunarbeiten.«

    Redete so; doch hurtig erwiderte dieser die Jungfrau   145
Drauf, die Kallidike, unter des Keleos Töchtern die schönste:
    »Mütterchen, was uns die Götter verleih'n, das müssen wir Menschen
Tragen, wie sehr's auch kränkt; weit mächtiger sind sie wie wir ja.
Dieß doch will ich dir Alles verkündigen, und dir die Männer
Sagen in unserer Stadt, bei welchen die Herrschergewalt ist,   150
Und die dem Volk vorstehen, und unserer Stadt Ringmauern
Schirmen mit ihren Beschlüssen und gradausgehendem Rechte.
Dieß ist erstlich der weise Triptolemos, zweitens Diokles,
Polyxeinos sodann, und der edele Fürst Eumolpos,
Dolichos ferner, und endlich der treffliche Vater von uns auch.   155
Diesen zumal nun walten Gemahlinnen herrschend im Hause,
Deren gewiß nicht eine, sogleich beim ersten Erblicken,
Dein Aussehen verachtend, die Wohnung würde dir weigern;
Sondern sie nähmen dich auf; denn traun, gottähnlich ja bist du.
Willst du jedoch, so verweile, damit wir zum Hause des Vaters   160
Kehren zurück, und dieß Metaneira, unserer Mutter,
Alles genau und treulich verkündigen, ob sie vielleicht dich
Heißet zu uns eingehn, nicht Obdach suchen bei Andern.
Ihr ist aber ein Knäbchen, in späteren Jahren geboren,
In dem vortrefflichen Haus, das ersehnte, innig geliebte: 165
Wenn du ihr das aufzögst, und es käm' in die Jahre des Jünglings,
Da wohl möchte dich manche fürwahr von den sämmtlichen Weibern
Preisen beglückt, so reichlich belohnte sie dir die Erziehung.«

    Sprach's, und es nickte die Göttin; doch jetzo die blinkenden Eimer
Füllten am Brunnen die Mädchen und trugen sie stattlichen Ganges.   170
Und zu des Vaters Palast schnell kamen sie, sagten der Mutter

Hurtiglich, wie sie es sahen und höreten; diese befahl nun
Ihnen, geschwind hingehnd um gewaltigen Lohn sie zu rufen.
Jene sogleich, wie die Kälbchen, wie Hirsch' in den Tagen des Frühlings
175 Springen umher auf der Wiese, gesättiget reichlich mit Futter,
Also, den Saum aufhebend der zierlichen feinen Gewänder,
Hüpften die Jungfraun fort auf dem Fahrweg, und um die Schultern
Flatterten ihnen die Locken, der Safranblüthe vergleichbar.
Und an dem Weg noch, so wie zuvor, die erhabene Göttin
180 Fanden sie dort, und führten zum theueren Vaterpalast sie
Heim dann; hinter denselben jedoch, Gram tragend im Herzen,
Schritt sie, von oben bis unten verhüllt, und der dunkele Peplos
Wallte herab bis rings um die herrlichen Füße der Göttin.
Bald nun kamen sie hin zu des göttlichen Keleos Wohnung,
185 Gingen die Halle hindurch, wo die würdige Mutter derselben
Saß, dicht neben der Pfoste des wohlgebühneten Saales,
Haltend ihr Kind am Busen, das blühende; diese nun liefen
Hin, doch jene betrat mit dem Fuße die Schwell', und zur Decke
Ragte das Haupt, und sie füllte mit göttlichem Glanze die Thüre.
190 Ehrfurcht aber ergriff und erbleichende Angst Metaneira;
Und sie erhub sich vom Sessel und nöthigte jene zum Sitzen,
Aber Demeter, die Zeitigerin reichglänzender Gaben,
Wollte sich nicht hinsetzen alldort auf den schimmernden Sessel;
Sondern sie blieb demüthig, die herrlichen Augen gesenket,
195 Bis den gezimmerten Stuhl nun Iambe, die sinnige Magd, ihr
Hatte gestellt, und darüber ein schneeiges Vließ ihr gebreitet.
Sitzend darauf nun hielt mit der Hand sie den Schleier vor's Antlitz;
Lang so blieb sie verstummt und in Gram dort sitzen am Platze,
Keiner der Frauen begegnend mit freundlichen Worten, noch Werken,
200 Sondern sie saß, nicht lächelnd, der Speis' und des Tranks sich enthaltend
Stille, von Sehnen verzehrt um die schöngegürtete Tochter,
Bis mit neckischen Mienen Iambe, die sinnige Magd, nun
Allerlei Muthwill treibend die Heilige, Hehre, vermochte,
Heiter zu schaun und zu lachen und fröhlich zu seyn in dem Herzen;
205 Die auch später dem Herzen der Himmlischen theuer geblieben.
  Jezt bot ihr den Pokal voll lieblichen Weins Metaneira
Dar; doch sie winkt' ihn hinweg: denn ihr nicht, sprach sie, geziem' es

Purpurnen Wein zu genießen, und hieß ihr dagegen zum Tranke
Wasser und Gerste zu reichen, vermischt mit dem zarten Poleie.
Die nun macht' es und reicht' es der Himmlischen, wie sie befohlen.   210
Also empfing ihr Geweihtes zuerst die erhabene Deo.
Und es begann Metaneira, die köstlich gegürtete Fürstin:
    »Heil dir, o Weib! nicht, dünkt mich, von niedrigen Eltern entstammst du,
Sondern von edlen gewiß; denn Anmuth wohnet und Sitte
Dir in den Augen, wie nur bei den rechtaustheilenden Herrschern.   215
Was uns aber die Götter verleihn, das müssen wir Menschen
Tragen, wie sehr's auch kränkt, da das Joch uns liegt auf dem Nacken.
Doch da du hier nun bist, soll Alles dir seyn, wie es mir ist.
Aber dieß Knäbchen erziehe, das spät und ganz unverhofft mir
Haben die Götter geschenkt und das mir so innig erwünscht ist.   220
Wenn du mir dieß aufzögst, und es käm' in die Jahre des Jünglings,
Da wohl möchte dich manche fürwahr von den sämmtlichen Weibern
Preisen beglückt, so reichlich belohnt' ich dir die Erziehung.«
    Ihr antwortete aber die schönumkränzte Demeter:
    »Dir auch, o Weib, viel Heil! und segnende Gnade der Götter!   225
Ja, dein Knäbchen, ich nehm' es und pflege dir's, wie du verlangest,
Gern. Ihm solle, so hoff' ich, durch mangelnde Sorge der Wärtrin
Keine Bezauberung schaden und keins von den bösen Gewächsen,
Da mir ein Mittel dagegen bekannt, weit stärker wie Waldkraut,
Und ich den trefflichsten Schutz vor der bösen Bezauberung kenne.«   230
    Also redete sie, und nahm's an den duftigen Busen,
In den unsterblichen Arm; da freute sich herzlich die Mutter.
So denn pflegte dieselbe des Keleos lieblichen Sprößling,
Ihn, den Demophoon, den Metaneira hatte geboren,
Sorgsam in dem Palast; und er wuchs wie ein Gott in die Höhe,   235
Nichts von Speise genießend, gesäugt nicht, sondern Demeter
Rieb mit Ambrosia ihn, wie ein götterentsprossenes Knäbchen,
Sanft mit dem Mund anhauchend dabei und ihn hegend am Busen;
Nachts doch steckte sie gleichwie den Holzbrand ihn in das Feuer,
Ganz vor den Eltern geheim; doch selbigen war es ein Wunder,   240
Wie er so rasch aufwuchs, und den Himmlischen ähnlich zu schaun war.
Ja sie macht' ihn gewiß zum Unsterblichen, frei von dem Alter,
Wenn nicht einst Metaneira, bethört in dem Wahne des Herzens,

Während der Nacht auflauernd, hervor aus ihrem Gemache

245 Schauete; laut auf schrie sie zumal und schlug an die Hüften,

Wegen des Kindes entsezt, und war voll Schrecken im Herzen;

Und sie erhub wehklagend sogleich die geflügelten Worte:

»Dich, o Demophoon, birgt in gewaltigem Feuer die Fremde,

Theueres Kind, und bereitet mir Weh und unendlichen Jammer!«

250 Also rief sie voll Schmerz, und die herrliche Göttin vernahm sie.

Aber erzürnt dann legte die schönumkränzte Demeter

Ihr lieb Kind, das ganz unverhofft im Palast sie geboren,

Mit den unsterblichen Händen sogleich hinweg auf den Boden

Aus dem umhüllenden Feuer, im Innersten heftig erzürnet;

255 Und sie begann alsbald zu der herrlichen Metaneira:

»Thörichte Menschen, ihr ganz Blödsinnigen! weder des Guten

Schickung, weder des Bösen erkennet ihr, wann sie herannaht.

So hast du dir anjezt durch Thorheit mächtig geschadet.

Denn dieß zeuge mir Styx, der Unsterblichen heiliger Eidschwur:

260 Ja, unsterblich fürwahr, und frei von dem Alter für immer

Hätt' ich den Sohn dir gemacht, und ihm ewige Ehre verliehen;

Jezt doch geht's nicht, daß er dem Tod und den Keren entrinne;

Unvergängliche Ehre nur bleibet ihm, weil er gesessen

Hat auf unseren Knie'n und in unseren Armen geschlummert.

265 Siehe, Demeter bin ich, die gepriesene, welche den Göttern

So wie den Menschen zur Wonne gereicht und zum Segen vor allen.

Aber wohlan, mir baue den mächtigen Tempel, und drinnen

Einen Altar dieß Volk, in der Nähe der Stadt und der Mauer,

Über Kallichoros-Quell, dort auf dem erhabenen Hügel.

270 Ich will selber euch lehren die Orgien, daß ihr sodann mir

Heiliger Weise die Opfer begehnd das Gemüth aussühnet.«

Also sagte die Göttin, und wandelte Größ' und Gestalt um,

Streifend das Alter sich ab, und rings umhauchte sie Schönheit.

Anmuthsvoller Geruch von dem süßdurchdufteten Peplos

275 Füllte die Luft, und der Glanz vom unsterblichen Leibe der Göttin

Strahlete weit; und Locken wie Gold umblühten die Schultern.

Und es erfüllte das Haus Lichtglanz, wie vom Strahle des Blitzes;

Und sie begab sich hinweg. Doch *ihr* dort wankten die Kniee.

Lang dann blieb sie verstummt und starrete, ja sie gedachte

Nicht von dem Boden zu nehmen das spätergeborene Knäblein. 280
Aber die Schwestern vernahmen die klägliche Stimme desselben;
Und von dem Lager geschwind aufsprangen sie; eine sogleich nun
Nahm in die Arme das Kind, und legt' es sofort an den Busen;
Feuer beschickte die zweite, geschwind dort rannte die dritte,
Wegzugeleiten die Mutter vom duftdurchwalleten Saale. 285
Aber das zappelnde Kind dann wuschen sie, ringsherstehend,
Ihm liebkosend zumal, doch nicht zu besänftigen war es;
Denn weit schlechtere Ammen und Wärt'rinnen pflegten es jetzo.
    Sie nun sühnten die Nacht hindurch die erhabene Göttin,
Ganz durchschüttelt von Angst; doch gleich beim Erscheinen des Frühroths 290
Sagten dem Keleos sie, dem gewaltigen, Alles genau an,
Wie es die Göttin befohlen, die schönumkränzte Demeter.
Dieser versammelte gleich unzählbares Volk zu dem Markte,
Und der umlockten Demeter den stattlichen Tempel zu bauen
Hieß er sie, und den Altar dort auf dem erhabenen Hügel. 295
Jene bewilligten schnell, und gehorsam seiner Ermahnung
Baueten sie nach Geheiß, und das Werk, durch göttliche Huld, wuchs.
Aber nachdem sie vollendet, und Rast nun hatten der Arbeit,
Gingen sie heim insgesammt. Doch die goldumlockte Demeter,
Dort einnehmend den Sitz, von den Seligen allen gesondert 300
Blieb sie, verschmachtend in Gram um die schöngegürtete Tochter.
    Aber ein schreckliches Jahr nun schuf sie dem Menschengeschlechte
Auf vielnährender Erde, das gräulichste: nichts von dem Samen
Sproßte das Land empor; denn sie, die Demeter, verbarg ihn.
Und umsonst zog viele gebogene Pflüge das Rindvieh, 305
Und umsonst ward viel in das Erdreich Gerste gestreuet.
Ja nun hätte sie gänzlich der redenden Menschen Geschlechter
Aus durch schrecklichen Hunger getilgt, und der Gaben und Opfer
Herrliche Ehre geraubt der olympischen Häuser Bewohnern,
Wenn nicht Zeus es bedacht, und es wohl in dem Herzen erwogen. 310
Iris, die goldenbeschwingte, zuvörderst entsandt' er, zu rufen
Sie, die umlockte Demeter, begabt mit der herrlichsten Bildung,
Daß zu den Schaaren sie käme der ewiggeborenen Götter.
    Sprach's; und jene gehorchte dem schwarzumwölkten Kronion,
Zeus, und den trennenden Raum durchlief sie geschwind mit den Füßen. 315

Aber sofort nach Eleusis, der duftenden Stadt, nun gekommen,
Fand sie daselbst im Tempel die schwarzumhüllte Demeter,
Und sie begann so redend zu ihr die geflügelten Worte:
»Höre, Demeter, es ruft dich Zeus, der das Ewige denket,
320 Hin zu den Schaaren zu kommen der ewiggeborenen Götter.
Geh' denn, laß mein Mahnen von Zeus nicht ohne Erfüllung!«
Also sprach sie und bat; doch nicht ließ die sich bereden.
Hierauf sendete Zeus die unsterblichen, seligen Götter
Alle sofort zu derselben; und die, hingehnd nach einander,
325 Riefen sie denn, und boten ihr viel hochherrliche Gaben
Und was für Ehren sie selbst nur wählete unter den Göttern.
Aber es konnte nicht Einer das Herz und die Seele bewegen
Der im Busen Erzürnten, und standhaft wies sie es All' ab.
Denn nicht werde, so sprach sie, zum duftumwallten Olympos
330 Jemals eher sie gehn, und Frucht entsenden dem Erdreich,
Ehe bevor sie mit Augen gesehn ihr liebliches Mägdlein.
Als nun solches vernommen der donnernde Herrscher der Welt, Zeus,
Schnell zum Erebos schickt' er den goldstabführenden Hermes,
Daß er, den Aïs beredend mit sanfteinschmeichelnden Worten,
335 Möge vom nächtlichen Dunkel die heilige Persephoneia
Führen herauf an das Licht zu den Seligen, daß mit den Augen
Möge die Mutter sie sehn, und sodann ablassen vom Zorne.
Hermes aber gehorcht', und sogleich in die Schlünde der Erde
Stürmt' er hinunter mit Eile, den Sitz des Olympos verlassend.
340 Dort nun fand er den König im Inneren seines Palastes,
Hin aufs Polster gelehnt mit der züchtigen Ehegemahlin,
Die nach der Mutter begehrend sich härmete, über den Rathschluß
Ewiger Götter empört und ihn unablässig verwünschend.
Nah nun tretend hinzu sprach also der Argostödter:
345 »Aïdes, dunkelgelockter, den Untergegangnen gebietend,
Vater Kronion hieß mich die herrliche Persephoneia
Führen zu ihnen hinauf aus dem Erebos, daß mit den Augen
Möge die Mutter sie sehn und von Zorn und schrecklicher Rachsucht
Dann ablassen den Göttern, dieweil sie Entsetzliches aussinnt,
350 Daß sie die schwachen Geschlechter der irdischen Menschen vertilge,
Bergend den Samen im Land, und die Ehrengeschenke der Götter

43

Richtend zu Grund; und sie heget Erbitterung, und zu den Göttern
Gehet sie nicht, nein, fern in dem weihrauchduftenden Tempel
Sizt sie, jetzo die felsige Stadt Eleusis bewohnend.«

    Sprach's, und es lächelt', erheiternd die Stirne, der Todtenbeherrscher,   355
Fürst Aïdoneus, und er gehorchte des Königes Zeus Wort.
Hurtig befahl er sodann der verständigen Persephoneia:

   »Gehe, Persephone, hin zu der schwarzumhülleten Mutter,
Freundlichen Sinn und ein sanftes Gemüth in dem Busen bewahrend,
Und nicht hege du gar so über die Maßen den Unmuth;   360
Nicht ja bin ich ein schlechter Gemahl dir unter den Göttern,
Der ich ein leiblicher Bruder von Zeus bin; denn so du hier bist,
Wirst du von Allem Gebieterin seyn, was lebet und webet,
Und in dem Kreise der Götter die herrlichste Würde besitzen.
Die dich beleidigen, werden bestraft seyn immer und ewig,   365
Welche das Herz nicht werden mit heiligen Opfern dir sühnen,
Thuend nach heiligem Brauch, und geziemende Gaben dir weihend.«

    Sprach's, und es freuete sich die verständige Persephoneia,
Und sprang rasch in der Freude vom Bett auf; jener nun aber
Gab ihr heimlich zu kosten den lieblichen Kern der Granate,   370
Ab nach der Seite sie wendend; damit sie für immer nicht bleibe
Dort bei der züchtigen Mutter, der schwarzumhüllten Demeter.
Drauf dann holt' er und schirrt' an den goldenen Wagen im Hofe
Seine unsterblichen Rosse, der mächtige Fürst Aïdoneus.
Und sie bestieg das Geschirr, und der tapfere Argostödter,   375
Neben derselben den Zaum und die Peitsch' in den Händen regierend,
Jagt' aus dem Hof des Palastes, und gern hinflogen die Rosse.
Rasch unermeßliche Wege vollbrachten sie; weder die Meerfluth,
Weder der Ströme Gebraus, noch grasige Bergthalgründe
Hinderten, noch auch Höhen, den Flug der unsterblichen Rosse;   380
Sondern darüber hinweg durchrannten sie schneidend die Lüfte.
Doch alldort, wo Demeter, die schönumkränzte, verweilte,
Hielt er sie an vor dem Tempel, dem duftigen; die, es erblickend,
Sprang gleich wie die Mänad' in dem wälderbedeckten Gebirge.
Auch Persephone drüben, sobald sie das herrliche Antlitz   385
Sah der geliebtesten Mutter, herab von dem glänzenden Wagen
Stürzte sie sich, ihr entgegen, und schlang inbrünstig die Arme

Ihr um den göttlichen Hals; sie aber, die hohe Demeter,
Bebete, küssend ihr Kind, und sie sprach die geflügelten Worte:
390 »Töchterchen, hast du mir nicht dort unten bei Aïdes etwa
Speise versucht? O sprich! und verhehle mir ja nicht die Wahrheit!
Wo du nicht solches gethan, so würdest du nimmer ihn schauen,
Sondern bei mir und dem Vater, dem schwarzumwölkten Kronion,
Würdest du wohnen, von allen geehrt den unsterblichen Göttern.
395 Aßest du aber, dann wieder hinabgehnd, wirst du beständig
Wohnen die dritte der Horen des Jahrs in den Schlünden der Erde,
Doch zwei andre bei mir und den übrigen himmlischen Göttern.
Wann alsdann das Gefild mit den duftenden Blumen des Lenzes
Tausendfältig erblüht, dann kommst du vom nächtlichen Dunkel
400 Wieder herauf, ein Wunder den Göttern und sterblichen Menschen.«
  Also die Göttin; doch jene verstummt' und es füllten sich ihre
Augen mit Thränen alsbald; da schaute die hohe Demeter
Böses im Geist und sie sagte sogleich die geflügelten Worte:
  »Wohl! ich merk', ich verstehe; so hat er es wahrlich vollendet!
405 Sage, mit was für Betrug Polydegmon aber dich täuschte?«
  Dieser erwiderte aber die schöne Persephone also:
»Dir ja will ich, o Mutter, in Wahrheit Alles erzählen:
Als mir Hermes kam, der gesegnende, hurtige Bote,
Hin von dem Vater Kronion gesandt und den anderen Göttern,
410 Mich aus dem Erebos holend, auf daß du, mich nun mit den Augen
Schauend, den Göttern von Zorn ablassest und schrecklicher Rachsucht,
Sprang ich geschwind in der Freude vom Bett auf; jener nun aber
Brachte mir heimlich bei den Granatkern, lieblich zu kosten;
Und ihn nöthigt' er mich ganz gegen den Willen zu essen.
415 Wie er jedoch mich raubend Kronion's verständigem Rath nach,
Meines Erzeugers, hinab mich geführt in die Schlünde der Erde,
Will ich dir sagen und Alles verkündigen, wie du es fragest.
Sieh, wir spielten zusammen auf lieblicher Wiese, wir Mädchen,
Phaino, Leukippe sodann, und Elektra auch und Ianthe,
420 Melite ferner, Iache, Kalliroë auch und Rhodeia,
Tyche, Melobosis dann und Okyroë, rosig von Antlitz,
Auch Chryseïs, Akaste, Admete, nebst Ianeira,
Rhodope, Pluto auch, und die anmuthvolle Kalypso,

45

Styx, und Urania dann, mit der reizenden Galaxaure.
Wir nun spielten, und pflückten die lieblichen Blumen mit Händen,   425
Herrlichen Safran, nebst Schwertlilien, und Hyakinthos
Unter einander, und Rosen und Lilien, Wunder zu schauen,
Auch Narkissos, welchen im Unmaß sproßte das Erdreich.
Ich nun pflückte vor allen mit Lust; doch es riß sich der Boden
Auf, und heraus fuhr plötzlich der mächtige Fürst Polydegmon.   430
Dann in die Erde mich führt' er hinab in dem goldenen Wagen,
Die ich genug mich sträubt', und ich schrie hellauf mit der Stimme.
Dieß, obgleich mit Betrüben, erzähl' ich dir Alles getreulich.«
     Also den Tag hindurch ganz eintrachtsvoll bei einander,
Füllten sie eine der andern das Herz und die Seele mit Freude,   435
Sich umfassend in Lieb'; und es ruhte vom Grame der Busen,
Fröhlichen Muth nur empfingen und gaben sie eine der andern.
Hekate auch naht' ihnen die weißumschleierte Göttin,
Und sie umschlang herzinnig die heilige Tochter Demeter's;
Seitdem Dienerin ihr und Begleiterin war sie beständig.   440
     Doch als Botin entsandte der donnernde Herrscher der Welt, Zeus,
Rheia, die schönumlockte, zur schwarzumhüllten Demeter,
Heim sie zu führen zum Götterverein, und versprach ihr zu geben
Ehren, so viel sie sich wählt' in dem Kreis der unsterblichen Götter.
Und er gewährte der Tochter, von jeglichem Jahre den dritten   445
Theil nur unten zu seyn in dem nächtlichen Dunkel der Erde,
Aber die zwei bei der Mutter sodann und den übrigen Göttern.
     Also Zeus, und willig gehorchte die Göttin dem Auftrag.
Stürmenden Schwunges entfuhr sie den Felsenhöhn des Olympos,
Kam nach Rharion dann, dem gesegneten Schooße des Feldes,   450
Ehmals, doch nicht jezt ein gesegnetes, sondern geruhig
Lag es, gewächslos, da, und hielt das Getreide verborgen,
Nach Demeters Willen, der herrlichen; aber hernachmals
Sollt' es geschwind sich bedecken mit hoch aufschießenden Halmen,
In dem erwachenden Lenz, und es sollten gedrängete Schwaden   455
Starren von Ähren im Feld und sofort in Garben geschnürt seyn.
Dorthin kam sie zuerst aus der luftigen Öde des Äthers.
O wie vergnügt einander sie sahn, und sich labten die Herzen!
Doch es begann zu derselben die weißumschleierte Rheia:

460 »Komm, mein Kind, dich berufet der donnernde Herrscher der Welt, Zeus,
Daß zu der Götter Vereine du gehst, und versprach dir zu geben
Ehren, so viele du wählst in dem Kreis der unsterblichen Götter;
Und er gewähret der Tochter von jeglichem Jahre den dritten
Theil nur unten zu seyn in dem nächtlichen Dunkel der Erde,
465 Aber die zwei bei der Mutter sodann, und den übrigen Göttern;
Also bestimmt er das Loos mit gewährendem Winke des Hauptes.
Auf denn, gehe, mein Kind, in Gehorsam; nimmer auch zürne
Gar so über die Maßen dem schwarzumwölkten Kronion,
Aber die nährende Frucht laß gleich jezt wachsen den Menschen.«
470 Sprach's, und willig gehorchte die schönumkränzte Demeter.
Schnell dann schickte die Frucht sie hervor aus scholligen Fluren.
Und dicht starrte von Blättern umher und von Blüthen das ganze
Erdreich; aber sie selbst ging hin und zeigte den Herrschern,
Ihm, dem Triptolemos, so wie dem reisigen Fürsten Diokles,
475 Auch dem Eumolpos, und Keleos endlich, dem Führer des Volkes,
Heiliger Opfer Gebrauch und lehrte sie alle die hohen
Orgien, die zu verletzen durchaus nicht, oder zu hören,
Oder zu plaudern erlaubt; denn sehr hemmt Scheu vor den Göttern.
– Seliger, wer das schaute der sterblichen Erdebewohner!
480 Wer theilhaftig der Weihn, wer's nicht ist, nicht zu vergleichen
Ist ihr Loos, auch selber im Tod, in dem schaurigen Dunkel. –
Doch nachdem sie es Alles, die heilige Göttin, geordnet,
Wandelte sie zum Olymp, zu der anderen Götter Versammlung.
Allda wohnen sie nun bei dem donnernden Herrscher Kronion,
485 Heilig und hehr. O fürwahr ein Gesegneter ist, wen jene
Freundlichen Sinns liebhaben, der sterblichen Erdebewohner!
Schnell ja senden sie dem in die stattliche Wohnung den Hausfreund
Plutos, welcher die Habe den sterblichen Menschen verleihet.

Aber wohlan, o Herrin der duftumwallten Eleusis,
490 Und der umflutheten Paros, und felsigen Insel von Antron,
Heilige, Zeitigerin reichglänzender Gaben, o Deo,
Du und die Tochter zugleich, die herrliche Persephoneia,
Schenkt mir in Huld für meinen Gesang anmuthiges Leben!
Doch ich selbst will deiner und anderen Liedes gedenken.

ANMERKUNGEN

Zu Hymne I

Vers 16. *Ortygia* war, nach der verbreitetsten Ansicht, ein Name der Insel *Delos* (im Ägäischen Meere), auf welcher Latona die Diana und den Apollo (jene zuerst) als Zwillinge geboren. Ursprünglich aber ist damit die kleine, an der Sicilischen Küste gelegene, Insel gemeint, welche in der Folge einen Theil der Stadt Syrakus ausmachte. Delos nämlich erschlich die Ehren des wahren Ortygia durch die Priester.

V. 17. Der Delische Berg *Kynthos* (Cynthus) soll unbedeutend seyn, so wie auch V. 18 der *Inopos* nur ein Bach.

V. 20 folgg. Hier ist Apollo als Pfleger der Heerden, als Segner der Bergtriften und der Jagd, so wie als Beschützer der Seefahrenden bezeichnet.

V. 27. *Es rauscheten* u. s. w.; vor Freude.

V. 30–44. *Kreta*, Insel im mittelländischen Meere; – *Ägina*, zwischen Attika und dem Peloponnes; – *Euböa*, große Insel im Ägäischen Meere; – *Ägä*, Stadt auf Euböa; – *Eiresiä*, Insel im Thermaischen Meerbusen (bei Macedonien und Thessalien); – *Peparethos*, Insel im Ägäischen Meere; – *Athos*, hoher Berg in Thracien (Macedonien); – *Pelion*, Berg in Thessalien; – *Samos* (Samothrace), Insel des Äg. Meers gegen die Thracische Küste; – *Ida*, Berg bei Troja; – *Skyros*, Insel im Äg. Meere; – *Phokäa*, Seestadt Äoliens (in Kleinasien) mit dem Vorgebirge *Kane*; – *Imbros, Lemnos, Lesbos, Chios*, Inseln des Äg. Meers; – *Makar*, König auf der Insel Lesbos, ein Sohn des Äölus, von dem der Völkerstamm der Äoler und viele Helden ihre Abkunft herleiten; – *Mimas*, Berg auf der Erythräischen Halbinsel, Chios gegenüber; – *Korykos*, hohes Vorgebirg in Ionien; – *Klaros*, Stadt bei Kolophon in Ionien, wo Apollo ein Heiligthum und berühmtes Orakel hatte und wovon er der Klarische heißt; – *Äsagea*, Berg in Kleinasien; – *Samos*, Insel bei der Ionischen Küste; – *Mykale*, Berg ebendaselbst; – *Milet*, Stadt in Karien; – *Koos* (Kos), Insel des Äg. Meers bei Karien mit gleichnamiger Stadt. Die Koer aber heißen *Meropen* von ihrem Könige Merops; – *Knidos*, Stadt in Karien; – *Karpathos*, Insel zwischen Kreta und Rhodos; – *Naxos*, die größte der Cykladischen Inseln; – *Paros*, Nachbarin von Naxos; – *Rhenäa*, Insel, liegt Delos so nahe, daß Polykrates, Tyrann von Samos, sie durch eine goldene Kette soll haben mit Delos verbinden lassen, um sie dem Apollo zu weihen.

V. 47. *Sie fürchteten* dem Gott zu mißfallen, weil sie nicht fruchtbar genug wären.

V. 57. *Hekatombe*, eigentlich ein Opfer von hundert Stieren, überhaupt ein feierliches Opfer.

—

V. 60. *Köos*, ein Titane.

V. 80. *Vielnamig*; er bekommt viele Beinamen von den Orten, wo er verehrt werden wird: Delius, Pythius, Klarius u. s. w.

V. 92. *Themis* heißt die Ichnäische, von Ichnä, einer Thessalischen Stadt, wo sie einen Tempel hatte. – *Stöhnend*; von den Tönen des bewegten Meeres hergenommenes Beiwort.

V. 114. Der *Palmbaum*, an welchem sich die Göttin hielt, wurde von nun an als Heiligthum hoch verehrt. Vrgl. *Theognis* Trinklieder, Nr. 2.

V. 120. *Den goldenen*; mit goldenem Geräthe versehenen.

V. 121. Daß *Themis* ihn pflegt, bezieht sich auf das Orakelsprechen des Apollo; sie hatte vor ihm das Orakel zu Delphi inne.

V. 136. d. h. zu den Völkern des Vestlands und zu Inselbewohnern.

V. 139 folgg. Zum Beweis, daß schon in alten Zeiten große festliche Zusammenkünfte der Ionier und benachbarten Inselbewohner auf Delos stattgefunden, führt Thucydides (geb. 470 vor Chr.) unsern Hymnus an, indem er denselben ohne Weiteres dem Homer zuschreibt.

V. 154–55. *Cymbeln*; eigentlich eine Art von Castagnetten, welche zum Tanz geschlagen wurden. Wahrscheinlich hatte der Chor, welcher bei dem Delischen Feste Latona's Irrzüge sang, die Eigenthümlichkeiten der verschiedenen von ihr besuchten Völker pantomimisch darzustellen.

V. 164. S. Einleit.

Zu Hymne II

V. 2. *Kypros*, die Insel Cypern im mittelländischen Meere.

V. 19. *Kampf*, Sängerkampf.

Zu Hymne III

V. 7. Die *Tyrrhener*, Etrusker, Tusker, als Seefahrer, auch als Freibeuter bekannt, sollen ehmals ihre Herrschaft von den Alpen bis zur Sicilischen Meerenge erstreckt haben; nachher waren sie durch die Apenninen, den Fluß Macra, das Tyrrhenische Meer und den Tiber begränzt.

V. 29. *Hyperboreer*, ein Volk, das man sich am westlichen und nördlichen Ende der Erde gedacht. (S. im Anh. Allgem. Weltk.)

Zu Hymne IV

Diese Hymne ward für die Eleusinien, d. h. zur Feier des mysteriösen Gottesdienstes der Ceres, die einen Tempel zu Eleusis, einer namhaften Stadt in Attika, hatte, gedichtet, nachdem die Eumolpiden (s. V. 154 Anm.) dem alten Feste der Saatgöttin tiefern Sinn in räthselhaften Gebräuchen untergelegt hatten. – Die Mysterien zerfielen in die kleinen und großen, wovon leztere die eigentliche Geheimlehre umfaßten. Nur Einzelne wurden eingeweiht; bei Todesstrafe durften sie nichts von dem Unterricht aussagen. Man vermuthet, es habe derselbe in philosophischer Ausdeutung der von dem Volk geglaubten Mythen bestanden, so daß die Priester geläuterte Religionsbegriffe mitgetheilt hätten. – Das Fest selber ward im August neun Tage lang (worauf sich V. 47 bezieht) gefeiert. Der Weg von Athen nach Eleusis, auf welchem der Zug ging, hieß die heilige Straße. – Der Zweck unserer Hymne ist, zugleich mit den würdigsten der allmälig entstandenen Sagen und Wahrzeichen die neuen Geheimnisse wie göttliche Überlieferungen zu beglaubigen. Der Verfasser ist um 660 vor Chr. zu setzen, also nicht Homer, wohl aber ein Homeride, wenn man darunter einen geistvollen Sänger in Homers Tonweise versteht. Denn unhomerisch ist die Darstellung nur da, wo der priesterliche Zweck den Ton der Legende anstimmen hieß.

V. 4. *Goldene*, eigentlich mit goldenem Schwert, nach Heroen-Art.

V. 6–8. *Violen*, Märzveilchen sowohl als Levkojen und Goldlack. – *Hyakinthos* heißt gewöhnlich die violblaue, ins Purpurne spielende Schwertlilie, dann auch mehrere Iris-Arten, später sogar eine Art Rittersporn. – *Narkissos*, unsere weiße Tazette mit gelblichem Honigkelch; hier ein großer Busch. – *Zur Täuschung*, um Proserpina von den Gespielinnen wegzulocken.

V. 9. *Polydektes* und *Polydegmon*, der Vielaufnehmende, Beiname Pluto's, weil er alle Gestorbenen aufnahm.

V. 17. *Die Nysische Fl.*; auf einem fruchtbaren Abhange des Helikon, mit dem Bergflecken Nysa in Böotien.

V. 19. *Wagen*; dergleichen Vulcan aus ätherischem Golde und andern Metallen voll hebender Kraft zur Fahrt über Wasser und Luft für die Götter bereitete.

V. 24. *Perses' T.* s. Hekate im Anhang. – Die *zärtlichges.*, als Jugendpflegerin.

V. 25. *Grotte*, ihr Heiligthum, ohne Zweifel bei Nysa. – *Weißumschleiert*; die Haare waren mit einem Schleier vestgebunden, dessen Enden vor dem Gesicht herabhingen.

V. 26. *Helios* und *Hyperion* s. Sol im Anh.

V. 27. Jupiter hatte sich absichtlich vom Olymp in einen volkreichen *Tempel* entfernt, um sie nicht zu hören.

V. 33–35. Die Fahrt ging nach Westen zum gewöhnlichen Eingang in das Todtenreich.

V. 58. *Der Gott*; sie zeigt hiebei nach dem Alles sehenden Sonnengott, an welchen Ceres im Schmerz gar nicht gedacht hatte.

V. 64. Sie beschwört ihn als Mutter bei seiner eigenen Mutter *Theia*.

V. 85. *Er*, gleich dir, von Saturn und Rhea stammend.

V. 86. Die Theilung der Herrschaft *durch's Loos* zwischen Jupiter, Neptun und Pluto.

V. 96. *Keleos* (Celeus), wahrscheinlich Erbkönig, dem mehrere Fürsten oder Edle in Rath und Gericht zugeordnet waren.

V. 99. *Der Parthenische*, d. h. Jungfrauenbrunnen (weil Jungfrauen Blumen dort suchten).

V. 126. *Thorikos,* Flecken in Attika am Meer, nordwärts von Sunium.

V. 153. *Triptolemos,* ist bald ein jüngerer Bruder, bald ein älterer Sohn des Celeus. Übrigens s. im Anh.

V. 154. *Eumolpos,* war aus Thracien eingewandert; bei seinem Geschlecht, den Eumolpiden, blieb die Besorgung des Eleusinischen Dienstes.

V. 182. *Peplos,* ein langes Gewand, bes. Oberkleid.

V. 188. *Decke,* eigentlich Tragbalken, des nicht sehr hohen Frauengemachs.

V. 195. *Den gezimmerten,* d. h. einen schlichten Stuhl.

V. 202–205. *Iambe* (womit das sogenannte iambische Sylbenmaß zusammen-hängt), ist von den Neckereien hergenommen, welche wie bei andern Festen, so namentlich bei dem Eleusinischen vorfielen, besonders zwischen dem Zug und den Zuschauern, wenn der erstere auf die Brücke des Cephissus gekommen war; die Beiworte »heilige, hehre«, gebraucht die Magd selbst komisch. – *Die auch später,* nämlich bei dem Feste, von einer lustigen Person vorgestellt.

V. 211. Durch Empfangung des Mischtranks nahm Ceres die heilige Ehre in Besitz, daß nämlich zum Gedächtnisse hinfort die Geweihten auch nach der Faste mit solchem Tranke sich erquickten.

V. 217. *Das Joch* der Nothwendigkeit.

V. 267–70. Der uralte *Tempel,* den der Sage nach schon Celeus auf Befehl der Ceres, und wie man jetzo hinzudichtete, zu mystischen Gebräuchen, erbaut hatte, stand im Osten von Eleusis gegen Athen hin, am Rharischen Gefilde, auf einem Hügel über dem Brunnen *Kallichoros,* d. h. Schönreigenbrunn. (So hieß er ehe der Tempel ihn heiligte, von Reigentänzen der Eleusinischen Jugend, nach späterer Sage, weil dort zuerst die Eleusinierinnen die Göttin mit Reigen und Gesang ver-ehrt.) Nachdem den Tempel, welchen der Dichter sah, die Perser verbrannt hat-ten, ward auf derselben Stelle ein größerer und prachtvollerer erbaut, dessen In-neres zu beschreiben Pausanias aus Religionsfurcht ablehnte. – *Orgien,* geheim-nißvolle Religionsgebräuche.

V. 273. Die Göttinnen erhöhen ihre Schönheit durch ambrosisches Öl oder die Schönheitssalbe. (Wie hoch also verherrlicht Anakreon die Rose mit dem Lobe »der Götter Anhauch«!)

V. 311. *Goldenbeschw.,* hier nicht mit eigentlichen Flügeln, sondern durch die Schwungkraft der gewöhnlichen Hephästischen Goldsohlen beflügelt. (Erst später erhielten die Götter zum Theil eigentliche Flügel.)

V. 329. *Duftumwallt,* von aufsteigendem Weihrauch und anderen Opfer-düften.

V. 344. *Argostödter,* Mercur.

V. 370. Das Schicksal wollte, daß Proserpina, wofern sie von den Erzeugnissen des Erebus nur das Mindeste genoß, ein Drittel des Jahres dort ausharren müsse. Der *Granat*apfel war, wie der vielkörnige Mohn, Sinnbild der Fruchtbarkeit. Ein Ausleger verbindet mit lezterer Idee die der Liebe, und vermuthet, daß wenn Pluto der Proserp. die Granate zu kosten gab, dieß ursprünglich bedeute, er habe Liebe mit ihr gepflogen und sie durch den Ehebund an sich gefesselt.

51

Von V. 385–392 ist der griechische Text defect und hier frei ergänzt. Ebenso V. 401–404.

V. 396. Je *die dritte* der Jahrszeiten; von der Saat bis zur Blumenzeit.

V. 419–424 werden lauter Töchter des Oceanus aufgeführt.

V. 450. *Rharion*, Gefild in der Nähe von Eleusis, wo nach späterer Sage Tripto- 5
lem zuerst Frucht gesät haben soll.

V. 479. Welcherlei Schau den Eingeweihten beselige, sagt Isokrates mit Pindar und Sophokles so deutlich, als es vor Ungeweihten geschehen durfte. Es war die neu gereifte Vernunftwahrheit, daß der Mensch, durch Cultur über das Thier er- haben, nach dem Tode fortdaure, und, wenn er hier von anhaftender Thierheit 10 sich gereinigt, dort eingehe zu wahrhaftem Leben der Glückseligkeit, sonst aber zu allem Unheil. Hiezu kam noch die Lehre von einem einzigen Gott, dessen Unend- lichkeit durch die vielfachen Götter des Volks versinnbildlicht sey.

V. 483. Auf dem Olympus empfängt Ceres, die bisherige Ackergöttin, der Erdherrschaft höheres *Ehren*amt (s. V. 326. 444, in dem Sinne wie V. 86), und mit 15 der himmlischen Königin Rhea und der unterirdischen Proserpina in eine drei- fache Naturgottheit vereint, Antheil an der Weltherrschaft; Hekate aber, als Mit- walterin in den drei Bezirken der Natur, schließt sich mit vorzüglicher Geflissen- heit an die Herrscherin der Unterwelt (V. 440).

KALLINUS UND TYRTÄUS

EINLEITUNG

Kallinos, ein uralter griechischer Dichter aus Ephesus, nahezu bis an
das Homerische Zeitalter reichend, wird als Erfinder der elegischen
Poesie angenommen, welche bei ihm, so wie nachher noch bei *Tyrtäus*,
einen kriegerischen Charakter hatte. Er erlebte einen Einfall der Cim-
merier, jenes nordwestlichen Volkes vom äußersten Erdrande. Sie hatten bereits Sardes verheert und bedrohten seine Vaterstadt. Bei dieser
Gelegenheit dichtete er den hier mitgetheilten Kriegsgesang voll
bündiger Kraft, das einzige größere Stück, was sich von ihm erhalten
hat.

Tyrtäos war nach der gewöhnlichen Angabe ein Athener, und die
Zeit seiner Blüthe wird durch den zweiten Messenischen Krieg – 685
bis 668 vor Chr. – bestimmt. Als in diesem Kriege, so berichtet uns
Pausanias, wegen eines Feldherrn, der dem großen Aristomenes die
Wage hielte, die Sparter das Orakel angegangen, dieses aber sie an die
Athener gewiesen, sandten leztere, die dem Gebote des Gottes nachkommen, aber den Lacedämoniern auch nicht einen leichten Sieg gönnen wollten, den *Tyrtäus*, der Knaben das ABC lehrte, ein lahmer stil-
ler Mann war, dem man nicht viel Geist zutraute. Was er aber durch
Waffen nicht leisten konnte, das leistete er mit der Rede und begeisterte durch seine kriegerischen Gesänge Sparta's Jugend zum Kampf,
stärkte, als trotzdem die Schlacht am Male des Ebers verloren gegangen war, den gesunkenen Muth, und gewann, da jezt die Wendung
der Dinge günstig geworden, den größten Einfluß daheim wie im Felde. – – (Einige sehen ein bloßes Mährchen in dieser Erzählung, das die
Selbstgefälligkeit der Athener auf Kosten der Spartaner ausgeheckt.)
Tyrtäus ward für seine Verdienste um Sparta mit dem Bürgerrechte

begabt, auch späterhin verordnet, daß im Felde vor dem Zelte des Königs die Elegieen desselben in aller Krieger Gegenwart vorgelesen wurden, wie überhaupt seine Gesänge sich bis auf die spätesten Zeiten im Munde der Spartischen Jugend erhielten, über Tisch aber von derselben in die Runde gesungen wurden. 5

KRIEGSLIEDER

I

Bis wann meint ihr zu ruhn? Wann, Jünglinge, werdet den Muth ihr
    Kräftigen? Schämet ihr euch vor den Umwohnenden nicht,
Also schlaff, wie ihr seyd? Ihr wähnt im Frieden zu ruhen,
    Während doch ringsumher waltet der Krieg durch das Land.
5 Auf! und wider den Feind! mit dem mächtigen Schild ihm entgegen!
    Und eu'r leztes Geschoß werft, wann das Leben entfleucht!
Denn preiswürdig ja ist's und verherrlicht den Mann, zu verfechten
    Sein heimathliches Land, Kinder und jugendlich Weib
Gegen den Feind. Einst nahet das Ende sich, wann es die Moire
10 Über den Menschen verhängt: Grade denn stürmet dahin,
Hochher schwingend den Speer und ein muthiges Herz an die Tartsche
    Vest angedrängt, wann des Kampfs blutig Gewirr sich erhebt!
Denn zu entfliehen dem Todesgeschick ward unter den Männern
    Keinem bestimmt, wenn auch schon Göttern entsproßte sein Stamm.
15 Oftmals blutigen Schlachten entflohn und dem Lanzengesause
    Kehrt er zurück und daheim bringt ihm die Moire den Tod.
Aber nicht ihn, traun, liebet das Volk, ihn sehnt es zurück nicht,
    Doch fällt jener, da klagt Niedrer und Hoher um ihn.
Denn es verlanget die Bürger zusammt nach dem tapferen Manne,
20 Sank er, und lebend erscheint göttlicher Helden er werth.
Gleich wie ein schützender Thurm ja stehet er ihnen vor Augen,
    Denn was für Viele genügt, hat er als Einer gethan.

Kallinus

II

Ja, ruhmwürdig erlag, wer ein tapferer Mann bei der Streiter
    Vordersten fiel, in dem Kampf schirmend das heimische Land.
Aber entflohn aus befreundeter Stadt und gesegneten Fluren
    Betteln zu ziehen, fürwahr das ist das herbste Geschick:
Wenn mit dem grauen Erzeuger er umirrt und mit der lieben   5
    Mutter, den Kindlein zumal und mit dem blühenden Weib!
Unwillkommen, verhaßt ist er jeglichem, welchen er antritt,
    Durch schwerlastender Noth harte Bedrängniß verführt,
Decket mit Schmach sein Geschlecht und entwürdigt den Adel der Bildung,
    Ihm folgt jeglicher Hohn, jede Verworfenheit nach.   10
So denn keinerlei Ehre dem Manne, dem flüchtigen, blühet,
    Und sich auf immer von ihm wendet die achtende Scheu,
Streiten um's Vaterland hochherzig wir, und für die Kinder
    Sinken wir hin, niemals feig um das Leben besorgt!
Nein, mit Beharrlichkeit fechtet, o Jünglinge, neben einander,   15
    Keiner gedenke zuerst bange der schändlichen Flucht;
Sondern erregt hochsinnig den kräftigen Muth in der Brust euch,
    Streitend im Männergefecht achtet das Leben für Nichts!
Aber verlaßt die Bejahrten mir nicht! – es regen behend sich
    Ihnen die Kniee nicht mehr – bleibet zur Seite dem Greis!   20
Denn viel bringet es Schmach, wenn in vorderster Reihe gefallen
    Vorn vor dem jüngeren Volk liegt der betagtere Mann,
Welchem die Scheitel sich weiß und das Barthaar grau schon gefärbt hat,
    Und er den muthigen Geist also im Staube verhaucht;
Da er die blutige Scham mit den eigenen Händen bedeckt hält,   25
    (Schmachvoll wahrlich und fluchbringend den Augen zu schaun!)
Nackt da liegend der Leib! Wohl stehet dieß Alles dem Jüngling:
    Wen ja der Jugendlichkeit lachende Blüthe noch ziert,

Herrlich erscheint er den Männern, er dünkt liebreizend den Frauen,
30 Weil er lebet, und schön, fiel er im Vordergefecht.

Tyrtäus

III

Auf! das Geschlecht ja seyd ihr des unbezwungnen Herakles;
    Fasset euch Muth! noch hält Zeus nicht den Nacken gewandt.
Nicht vor der Menge der Männer erbebt, nein, zeiget euch wacker!
    Stracks auf die Vordersten dar halte der Streiter den Schild!
Haßt mir das Leben einmal! und die finsteren Loose des Todes,   5
    Wenn sie in Helios' Strahl nahen, begrüßet mit Lust!
Denn hell sehet ihr leuchten die Mühn des bejammerten Ares,
    Und wohl kennt ihr des Kriegs furchtbares Wogengesaus,
Wart mit den Fliehenden auch und wart im Zug der Verfolger,
    Jünglinge, beiderlei Loos habt ihr zur Gnüge geprüft.   10
Welche da kühn ausdauern und vest an einander sich haltend
    Stürzen ins Vordergefecht, hart auf dem Leibe dem Feind,
Deren erliegt ein geringerer Theil und sie schirmen den Nachhalt,
    Doch dem Verzagten entweicht Alles, so Kraft wie Geschick;
Keiner vermöchte fürwahr mit Worten genug es zu sagen,   15
    Welcherlei Übel den Feigherzigen alles bedroht.
Denn abscheulich ja ist's, wann hinten im Rücken des Feindes
    Schwert den entfliehenden Mann trifft im Getümmel der Schlacht:
Und scheuselig dem Blick liegt da im Staube der Leichnam,
    Welchen die Spitze des Schafts zwischen den Schultern durchbohrt.   20
Dulde denn wohl ausschreitend ein Jeglicher, beide die Füße
    Vest aufstemmend im Grund, Zähn' in die Lippen gedrückt;
Aber die Hüften und Schenkel hinab und die Brust und die Schultern
    Sicher und wohl mit des Schilds räumigem Bauche gedeckt;
Doch in der Rechten erheb' er zum Schwung den erdröhnenden Schlachtspeer,   25
    Und graunregend daher wehe vom Haupte sein Busch.
Schreckliche Thaten vollbringend erlern' er die Werke des Krieges,
    Und nicht, fern dem Geschoß, steh' er im Arme den Schild;

Sondern in's Antlitz tretend dem Feind, mit des mächtigen Speers Wucht

30   Treff' er ihn, oder das Schwert fassend, im engen Gefecht:

Und da presse sich Fuß an Fuß, und Schild sich an Schild, da

    Flattere Busch an Busch, stoße der Helm sich am Helm,

Und Brust klopfe an Brust: so mög' er sich fassen den Gegner,

    Hoch sein Schwert in der Faust oder den ragenden Speer.

35   Ihr dann, rasche Gymneten, der Andere hinter der Andern

    Schilde daniedergeduckt, necket mit grobem Gestein,

Und die geglätteten Schaft' in die Reihn unermüdlich entsendend,

    Schließet euch nahe gedrängt an die Geharnischten an.

Tyrtäus

ANMERKUNGEN

I

V. 1–2. *Jünglinge,* für kriegsfähige Mannschaft vom 20sten bis zum 40sten Jahre. – *Umwohnende* heißen hier die Bewohner des platten Landes um Ephesus (Colonie Attischer Ionier in Kleinasien), die von den griechischen Eroberern unterjochten und mit deren ärmerem Gefolge vermischten Ureinwohner. Diese mußten nach altgriechischer Sitte, die sich in einzelnen Gegenden noch spät erhielt, dem Ackerbau obliegen, von dem Ertrag ihrer Ernten einen Zehnten an die herrschenden Städter entrichten, Handwerke und Viehzucht für sie treiben, waren vom Antheil an der Staatsverwaltung und vom Priesterthume ausgeschlossen und hatten im Kriege bloß Heerfolge in leichter Bewaffnung zu leisten. Das Verhältniß war, nach den Bedingungen, welche die siegreich Eingedrungenen zugestanden hatten, härter oder milder, in einigen Gegenden eine völlige Leibeigenschaft, wie in Thessalien, in anderen an einem Theile selbst mit Antheil an bürgerlichen Rechten verbunden, an dem anderen sogar schmähliche Knechtschaft, wie in Sparta jenes mit den Perioiken, dieß mit den Heloten (dem Staat gehörigen Sklaven) der Fall war. Wo frühzeitige Aufklärung, Milde der Sitten, lebhafter Verkehr diese Unterdrückten zeitig zu einem gewissen Wohlstande und dem Gewichte einer moralischen Macht gebracht hatte, wie in Athen, ward Ausgleichung der billigen Forderungen zwischen dienendem und herrschendem Stande frühzeitig erreicht, damit aber, nach der Natur menschlicher Entwicklung, auch der Sieg des demokratischen Elementes über das oligarchische unwandelbar, zum Gedeihen großartigen Staatslebens, entschieden.

V. 5 fehlt im Original und ist neu eingesezt. Es scheinen jedoch mehrere Verse zu fehlen.

V. 11. *Tartsche,* Schild.

V. 20. Eine schöne Parallel-Stelle ist in Eleg. III. des Tyrt.

Alternd auch glänzt er vor Allen im Volk und Keiner verlezt ihm
    Weder die ehrende Scheu, noch das gebührende Recht.
Naht er, da stehen die Jüngern ihm auf, und die Altersgenossen
    Weichen vom Sitz, und selbst Ältere treten zurück.

V. 20. *Göttl. Helden,* d. h. Heroen, Halbgötter.

V. 22. *Denn was für Viele* u. s. w.; was schon ehrenvoll genug wäre, wenn Viele es gethan hätten.

II

V. 1–2. *Bei der Streiter Vordersten*, in der Linie der Schwergerüsteten.

V. 3. *Aber entflohn* u.s.w. Ehrlosigkeit, folglich Verlust des Bürgerrechts, traf den Feigling, der sich dem Kriegsdienste entzogen hatte, oder aus dem Kampfe geflohen war.

V. 25. Über dem kurzen Leibrock, der gewöhnlich roth (Nationalfarbe) war, deckte den Hellenischen Krieger der Brustharnisch: das Haupt der Helm, die Wade die Beinschiene, den Mann der Schild, gewöhnlich mannsgroß; Arme und Schenkel blieben entblößt.

III

V. 1–2. Durch seine Mutter Alkmene, die Enkelin des Perseus (s. im Anh.), hatte *Herkules* (s. Anh.) das Anrecht auf die Herrschaft in Argos (Argos ist der älteste Name des oder vielmehr der Peloponnes); seine Nachkommen machten dasselbe geltend, und die gemeinschaftlich regierenden Königsgeschlechter in Sparta stammten von ihm. Herakliden heißen sowohl des Herkules unmittelbare Abkömmlinge, als die Schaaren Dorischen Volks, die mit ihnen die alten Achäer und Ionier aus dem Peloponnes trieben. – *Zeus*, als Vater des Herkules, ist oberster Schutzherr von Sparta. Die Gottheit wendet, wie irdische Herrscher, ihr Antlitz zu, zum Zeichen der Gunst, und hinweg, zum Zeichen der Ungunst.

V. 35. *Gymneten*; Nackte, d.i. ohne Panzer; leichte, mit Wurfspeer, Pfeil und Bogen oder Schleuder bewaffnete Truppen, aus den Umwohnenden und Leibeigenen gewählt, dergleichen jeder Spartaner sieben im Felde bei sich zu haben pflegte, die ihn bedienen und hinter ihm im Kampfe bei der Hand seyn mußten, während die großen Schilde der Schwerbewaffneten ihnen zum Verstecke dienten.

Classische Blumenlese.

Eine Auswahl

von Hymnen, Oden, Liedern, Elegien,
Idyllen, Gnomen und Epigrammen

der

Griechen und Römer;

nach den besten Verdeutschungen, theilweise neu bearbeitet,
mit Erklärungen

für alle gebildeten Leser.

Herausgegeben

von

Eduard Mörike.

Erstes Bändchen.

———

Stuttgart.
E. Schweizerbart'sche Verlagshandlung.
1840.

Titelblatt zu » Classische Blumenlese «

THEOGNIS

EINLEITUNG

Die Geburtsstadt des griechischen Dichters *Theognis*, dessen gnomi-
sche Verse durch ganz Griechenland in Aller Munde waren, ist Me-
gǎra, die Nachbarin von Athen. Er soll um die achtundfünfzigste
Olympiade, 548–545 vor Chr., bekannt geworden seyn. Aus seinen
Gedichten ergibt sich, daß er eng in die politischen Wechsel seines
Vaterlandes verflochten gewesen. Dieses hatte früherhin unter oli-
garchischer Herrschaft gestanden, die um 612–609 v. Chr. in die Tyrannei des *Theagenes* übergegangen war. Durch Demokratischgesinnte
ward lezterer gestürzt, aber bald darauf entlud sich der Haß der
Menge wider Adel und Reichthum in den wildesten Ausschweifungen
gegen die vornehmen Geschlechter. »Als die Megarenser«, erzählt
Plutarch, »den Tyrannen Theagenes verjagt hatten, bewiesen sie nur
kurze Zeit Mäßigung in ihrem Staatswesen. Denn da ihnen die Dema-
gogen den Wein der Freiheit, um Plato's Ausdruck zu brauchen,
reichlich und ungemischt einschenkten, kamen sie ganz außer sich,
und die Armen verfuhren sowohl im Übrigen muthwillig wider die
Reichen, als auch kamen sie in die Häuser derselben, ließen sich köstlich auftafeln und schmaus'ten. Wo man ihnen nicht willfahrte, ward
Alles zertrümmert und verschändet. Zulezt machten sie einen Volks-
beschluß, vermöge dessen ihnen ihre Gläubiger die Zinsen, die sie
ihnen gezahlt hatten, zurückgeben mußten.« – Der Mißbrauch demo-
kratischer Freiheit erschöpfte sich in Ächtungen und Vermögensein-
ziehungen, welche die Folge hatten, daß die ausgetriebenen Geschlechter sich sammelten, die Gegner in einer Schlacht überwanden
und so zur Rückkehr und Wiederherstellung ihres Regiments gelangten. Allein sie verloren es nachher aufs Neue, und ziemlich lange nach
Theognis' Tod erst kam es wieder zu einer Oligarchie.

Der Dichter selbst war unter den verbannten Edlen. Er machte damals verschiedene Reisen, und scheint sich längere Zeit in Sicilien, schon als hochbejahrter Mann, aufgehalten zu haben. Die Zeit seiner Heimkehr ist ungewiß. Ohne Zweifel aber schrieb er den größeren Theil der Gnomen während jener zweiten Periode der Volksherrschaft; und zwar im bittersten Unmuth über den Verlust seiner Güter, über den traurigen Zustand des öffentlichen Wesens und den gesunkenen Adel, der die Vermengung des Geblüts durch Heirathen mit der niederen Classe zuließ. Diese Gnomen sind moralische und politische Sprüche, für die vornehme Jugend. Nach *Welcker* hätte man unter dem *Kyrnos*, welchem die größre Sammlung zugeeignet ist, nicht eine wirkliche Person oder den Geliebten des Dichters zu denken, Kyrnos ist ihm kein Eigenname, sondern bedeutet: adliger Jüngling. Unter der Benennung *Edle* und *Gute* versteht Theognis (vielleicht nach allgemeinem Sprachgebrauch seiner Landsleute, besonders seiner Standesgenossen) in der Regel die adeligen und reichen Geschlechter; unter *Feigen*, *Schelmen*, *Schnöden*, *Frevlern* aber deren Gegner, die Gemeinen; doch gilt an mehreren Stellen der gewöhnliche moralische Begriff jener Wörter.

Neben der Gnomologie an Kyrnos und Polypädes hat man noch verschiedene andere Poesien, welche nicht alle mit gleichem Rechte unserem Dichter beigelegt werden.

Theognis, eine kräftige, rechtliche, aber einseitige Natur, deren Schroffheiten widrige Schicksale geschärft haben, zeigt sich als einen gebildeten, ja begeisterten Freund der Musen und alles Schönen, und spricht – wenn man die Sache so ansehen will – durch die Herzlichkeit seiner Zuneigung zu dem Jünglinge an, dem er nach griechischer Sitte durch das Band zärtlicher Theilnahme zugethan ist; einer Theilnahme, die in ihrer ursprünglich edeln und reinen Gestalt von den weisesten Männern des Alterthums als eine Quelle hoher sittlicher und politischer Wirkungen anerkannt wurde.

I

AN KYRNOS

1

Hoffnung verbleibt noch den Menschen allein trostbringende Gottheit,
  Und nach olympischen Höhn kehrten die andern zurück.
Hinschied Treue, so groß vor den Göttinnen; hin auch der Männer
  Ernst, und die Chariten, Freund, haben die Erde geräumt.
5 Nicht mehr binden die Eide zum Rechtthun unter den Menschen,
  Keiner auch beut Ehrfurcht ewigen Göttern annoch,
Und ausstarb das Geschlecht Frommdenkender: weder der Themis
  Ordnungen achtet man mehr, weder was Frommen geziemt.
Aber so lang wer lebt, und ihm Helios' Strahlen noch leuchten,
10 Ehre die Götter sein Herz, bleib' er der Hoffnung getreu.
Und zu den Himmlischen fleh' er, und glänzende Schenkel verbrennend
  Zünd' er zuerst und zulezt immer der Hoffnung ihr Theil.

2

Doch dir will ich in Liebe verkündigen, was ich, o Kyrnos,
  Selber von Edlen gelernt, als ich ein Knabe noch war.

3

Nichts ist süßer fürwahr, als Vater und Mutter zu haben,
  Sterblichen, Kyrnos, die noch heiligem Rechte getreu.

4

Doch wer Achtung nicht trägt vor dem Haupt hingreisender Eltern,
  Solchem besteht nicht lang, Kyrnos, in Segen das Haus.

5

Kyrnos, scheue die Götter und fürchte sie: dieses nur wehret
  So in der That als im Wort frevles Beginnen dem Mann.

6

Anfangs gleich frommt wenig die Lüg', und nahet der Ausgang,
  Gibt ihr Gewinn heillos gleich wie entehrend sich kund,
Beides zumal; und es bleibt nichts Würdiges ferner dem Manne,
  Folgt ihm die Lüg', und entschlüpft über die Lippen einmal.

7

Keiner, o Kyrnos, ist selbst sich des Weh's Urheber und Segens,
  Sondern die Götter allein spenden dieß Doppelgeschick.
Und kein Sterblicher mühet im Schweiße sich, wissend im Geiste,
  Ob es zu fröhlichem Ziel oder zu herbem gedeiht.
Denn wer das Thörichte meinte zu thun, oft that er das Gute,   5
  Und wer das Gute vermeint, hat das Verkehrte gethan.
So mag Keinem begegnen der Sterblichen, was er begehrte,
  Denn Hülflosigkeit legt engende Banden ihm an.
Sterbliche sind wir und sinnen Vergebenes, tappend im Finstern,
  Und wie es ihnen genehm lenken die Götter das All.   10

8

Hoffarth sendet zuerst aus verderblichen Loosen die Gottheit,
  Wem sie, o Kyrnos, das Haus ganz zu entwurzeln beschloß.
Hoffarth wächst aus Ersättigung auf, wenn dem frevelen Manne
  Segen gefolgt und ihn nicht sinniger Geist auch beseelt.

9

Nimmer der Armuth Qual, die verzehrende, wolle dem Manne
  Du vorwerfen im Zorn, noch den verhaßten Bedarf.
Denn Zeus richtet dem Menschen ein andermal anders die Wage,
  Bald ihm zu reichem Besitz, bald daß ihm Alles gebricht.

10

Nie ein verwegenes Wort entgehe dir! Keiner, o Kyrnos,
  Weiß ja, was über die Nacht reif für den Sterblichen wird.

II

Lieber, o Zeus, ich staune dich an: denn Allen gebeutst du,
  Und dir bleibet die Ehr' und die unendliche Macht.
Und wohl kennst du der Sterblichen Sinn, und Jedes Gemüthsart,
  Doch hoch über sie all' herrschest, o König, nur du.
5 Wie nun erträgt, Kronide, dein Herz, daß in selbigem Ansehn
  Beide, den redlichen Mann und die Verruchten, du hältst?
Ob zu besonnenem Thun sich der Geist, ob zu sündigem wende,
  Daß er im Menschen dem Reiz freveler Thaten gehorcht;
Und von der Gottheit nirgend den Sterblichen je ein Gesetz sich
10 Zeigt, noch ein Pfad, der genehm vor den Unsterblichen macht?

12

Möchten, o Vater Zeus, doch die Himmlischen immer den Frevlern
  Gönnen ihr böses Gelüst! aber auch dieses genehm
Achten, daß wer da verhärteten Sinns leichtsinnigen Thaten
  Sich hingäbe, getrost über der Götter Gericht,
5 Selber sofort auch büßte die Sünd', und des Vaters Verschuldung
  Nicht noch den Kindern auf's Haupt fiel' im Verlaufe der Zeit:
Und, wenn des Frevelnden Söhne das Redliche denkend auch redlich
  Handelten, scheuend im Geist, Zeus, zu entrüsten dein Herz
(Daß sie von Anfang gleich Rechtschaffenheit übten im Volke),
10 Keiner entgälte, was einst sündige Väter verwirkt.
Hielten sie doch dieß billig, die Seligen! Aber der Thäter
  Geht frei aus, und die Schuld träget ein Anderer jezt.

13

Dieses denn auch, der Unsterblichen Fürst! wie mag es gerecht seyn,
  Daß, wenn von frevelem Thun rein sich bewahret ein Mann,
Und sich nicht Schuld ausfindet an ihm noch sündiger Eidschwur,
  Sondern gerecht er sich weiß, nicht auch Gerechtes erfährt?
5 Welcher hinfort wohl sollte der Sterblichen, schauend auf diesen,
  Ehre den Himmlischen thun, oder mit welchem Gefühl?
Wenn sich der frevele Mann, der vermessene, welchen der Menschen,
  Welchen der Himmlischen Zorn nimmer bewegt im Gemüth,

Frech in des Reichthums Segen ersättiget, doch die Gerechten
   Schmachten in Noth, vom Bedarf schmählich daniedergedrückt.   10

14

Gehe dir's wohl, wie du thust! was bedürftest du anderer Botschaft?
   Für hülfreiches Bemühn findet der Bote sich leicht.

15

Aber von Tadel befreit bleibt unter den Irdischen Keiner:
   Glücklich denn noch, weß Thun Weniger Zunge nur müht.

16

Nie wird Einer der Sterblichen seyn, noch ward er zuvor je,
   Welcher von Allen gelobt stiege zum Aïs hinab.
Mag doch Er selbst, der Menschen und himmlischen Göttern gebietet,
   Zeus, der Kronide, sich nie Lobes bei Allen erfreun.

17

Süßer, o Kyrnos, ist nichts, als ein tugendlich Weib zu besitzen;
   Zeuge bin ich, doch du sey mir ein Zeuge des Worts.

18

Doch mir ein Greul ist ein lotterndes Weib und der wüste Geselle,
   Welcher ein fremd Saatland frech zu bepflügen gedenkt.

19

Herbe zugleich und lieblich erzeige dich, hart und unnahbar,
   Löhnern und Knechten und wer nah an den Pforten dir wohnt.

20

Gleich zwar richteten sonst die Unsterblichen ein den Menschen
   Beides, der Jugend und schwerdrückenden Alters Geschick.
Aber von Allem ist doch das Entsetzlichste, ja was den Tod auch
   Selbst und den Unfrohmuth jeglicher Seuche besiegt:
Wenn du Kinder erzogen und jegliches Liebe geleistet,   5
   Und Reichthümer gehäuft, mancherlei duldend des Wehs,

Feinden sie an den Erzeuger und fluchen ihm, daß er verderbe,
  Und scheel sehen sie ihm, wie wenn ein Bettler sich naht.

21

Werth ist, daß Gold und Silber ihn aufwägt, wer da in Zeiten
  Schwerer Entzweiungen dir, Kyrnos, die Treue bewahrt.

22

Keinem der Sterblichen weichet an Werth ein trauter Gefährte,
  Welchem zu sinnigem Geist, Kyrnos, die Kraft sich vereint.

23

Keiner erweist sich als Freund, wenn dem Mann Unsegen daher kam,
  Hätt' auch der nämliche Schoos, Kyrnos, zum Licht sie gebracht.

24

Ja, sieht Einer der Freunde, daß irgend mich Leiden bedränget,
  Kehrt er das Haupt seitwärts, mich zu erblicken besorgt.
Aber ist Heil mir geschehn, wie dem Sterblichen selten begegnet,
  Dann wird Gruß mir und Kuß reichlicher Liebe gezollt.

25

Wenn du leidest, o Kyrnos, dann kranken wir bitterlich alle,
  Aber was sonst uns betrübt, geht mit dem Tage dahin.

26

Kose mir nicht mit Worten und denke dann anders im Geiste,
  So du mich liebest und treu schläget im Busen dein Herz.
Sondern mich lieb' entweder in Lauterkeit, oder entsagend
  Feinde mich an und erheb' offen vor allen den Zwist.
5 Doch wem bei einiger Zunge das Herz zwiefältig, o Kyrnos,
  Der ist ein arger Gesell, Feind mir erwünschter denn Freund.

27

Kyrnos, in jeglichen Freund mit gediegsamer Weise dich finden
  Lern', anschmiegend den Sinn, wie ihn ein Jeglicher hegt.

Triff der Polypen Natur, vielarmiger, welche vom Felsen,
    Dran sich ihr Körper gerankt, bald auch die Farbe gelehnt.
Jezt zwar steure nach dort, doch ein andermal zeige dich anders,   5
    Mehr als unlenkbarer Sinn nützet gefügige Kunst!

28

Niemals, sitzen wir nahe dem Weinenden, wollen wir lachen,
    Kyrnos, des eignen Gedeihns denkend in selbstischer Lust.

29

Laß uns den Freunden das Weh, da zugegen sie, tilgen im Keime,
    Kyrnos, und gehen nach Rath während der Schaden erwächst.

30

Zürnt' um Verirrungen Jeder sogleich jedwedem der Freunde,
    Nimmer verstünde man sich herzlich und liebend annoch
Unter einander: dem Loose der Sterblichen folget der Irrthum,
    Kyrnos, und Götter allein sehen denselben nicht nach.

31

Also gebührt, daß der Edle, verändert er seine Gesinnung,
    Doch bis zum Ende sie treu immer bewahre dem Freund.

32

Goldes und Silbers versichern sich kunstausübende Männer
    Prüfend in Gluth: doch der Wein zeiget des Mannes Gemüth,
Wär' er auch hochverständig, wenn über Gebühr er ihn hinnahm,
    Daß er Beschämung ihm bringt, war er auch weise zuvor.

33

Zweimal erwäg' und dreimal, was irgend dir kam in den Busen,
    Denn zufahrender Sinn reißt in Verderben den Mann.

34

Auch den Behenden ereilet ein Langsamer, folgend mit Rathe,
    Kyrnos, durch grade daherschreitendes Göttergericht.

35

Einsicht schenken die Götter als trefflichste Gabe den Menschen,
  Kyrnos; durch Einsicht kann Alles beherrschen der Mensch.
Selig, o wer sie wahrt im Gemüth! Wohl darf man um Vieles
  Schnöder Gewaltthat sie und dem verderblichen Stolz
Vorziehn. Stolz ist ein Übel dem Sterblichen, daß ihm kein ärgres,
  Kyrnos, denn dieser auch bringt jegliches Laster hervor.

36

Besser Vermächtniß kannst du zurück nicht legen den Kindern,
  Kyrnos, denn Scham, die den Geist edeler Männer erfüllt.

37

Hoffnung sowohl als Gefahr zeigt gleiche Gestalt für die Menschen,
  Denn unverlaßbar ist beider Dämonen Natur.
Oftmals gegen Versehn und Vermuthbarkeit treffen die Werke
  Sterblicher zu, und es schlägt Weiseberathenes fehl.

38

Nimmer auch sollst du schwören: es kommt nie dieses zum Ausgang!
  Götter erzürnt solch Wort, welchen das Ende vertraut.

39

Güterbesitz blüht manch' Unverständigem: doch die dem Schönen
  Nachgehn, solchen verzehrt bittre Bedrängniß das Herz.
So sind gleichergestalt den Beiden die Hände gefesselt,
  Denn, wenn die Einen das Gut, hindert die Andern der Geist.

40

Plutos, du anmuthvollster und lieblichster unter den Göttern,
  Mit dir wird auch ein Schelm bald zum vortrefflichen Mann.

41

Schwer drückt nieder den Edlen vor jeglicher Bürde die Armuth,
  Selbst vor ergreisendem Haar, Kyrnos, und Fiebergewalt:

Ihr zu entgehn, ja Kyrnos, in scheusalwimmelnde Meerfluth
    Stürz' er sich, und vom Geklipp schwindelnder Felsen hinab!
Denn wenn in Noth hinschmachtet ein Mann, nie freut er des Wortes,   5
    Nie sich der That, und Zwang hält ihm die Zunge gelähmt.
Rings durch die Länder der Erd' und auf mächtigen Schultern des Meeres
    Muß er aus lastender Noth, Kyrnos, Befreiung erspähn.
Sterben, du trautester Kyrnos, ist besser dem darbenden Manne,
    Als in der Armuth Qual fürder das Licht zu erschaun.   10

42

Nicht daseyn, das wäre den Irdischen völlig das Beste,
    Und niemals zu erschaun Helios' sengenden Strahl;
Aber geboren, sogleich durch des Aïdes Pforten zu wandeln,
    Und still liegen, den Staub hoch auf dem Hügel gehäuft.

43

Hand anlegen doch ziemt. Schon wuchs ja aus Schlimmem, was heilsam,
    Gleich wie aus Gutem was schlimm: wie der bedürftige Mann
Bald sich gesehn in Segen, und wer unermeßlich beglückt war,
    Plötzlich, in einziger Nacht, tief in das Elend gestürzt.

44

Keiner ist ganz und in Allem ein Glücklicher, aber der Edle
    Trägt, wenn ihn Kummer umfängt, ohn' es zu zeigen jedoch.
Feigen indeß weiß nimmer im Leide sich, nimmer im Glücksstand
    Gleich zu gebärden der Muth. Gaben der Himmlischen nahn
Vielfach gestaltet herab zu den Sterblichen: aber mit Standmuth   5
    Ziemt's zu empfahn, was je himmlische Götter bescheert.

45

Was du begehrst, ich kann nicht, o Herz, dir Alles erfüllen:
    Duld'; um des Schönen Genuß sehnest nicht du dich allein.

46

Sterblichen kommt es nicht zu mit unsterblichen Göttern zu hadern,
    Noch Anklage zu thun: keiner hat dessen ein Recht.

47

Dem, was die Moire verhängt, nicht kann man ihm, Kyrnos, entschlüpfen,
　　Doch was die Moire verhängt, bin ich zu dulden nicht bang.

48

Lasse zu viel nicht sehn: mißrathet dir etwas, o Kyrnos,
　　Findest du Wenige nur, welche dein Kummer betrübt.

49

Wem da ein mächtiges Wehe geschah, dem schwindet das Herz ein,
　　Kyrnos, doch mächtig erstarkt's, wenn er Vergeltung geübt.

50

Fasse, mein Herz, dich im Leiden, ob auch Unerträgliches duldend:
　　Nur in den Feigen erbraust heftig das Innre sogleich.
Wolle doch du um Vergebliches nicht, selbst mehrend den Unmuth,
　　Dir anhäufen die Last, deinen Geliebten den Gram,
Und froh machen die Gegner! Was himmlische Götter verhängten,
　　Nicht leicht mag ihm entgehn, wer vom Vergänglichen stammt,
Tauchet' er selbst in die Tiefe des purpurnen Seees hinunter,
　　Hätt' ihn der Tartaros auch schon in die Nebel gehüllt.

51

Fasse dich, Kyrnos, im Schmerze, du hast auch Freuden genossen,
　　Wenn nun auch ihn das Geschick dir zu versuchen gebeut!
Und wie mit Leide gewechselt die Lust, so strebe dagegen
　　Ihm zu enttauchen, mit Flehn zu der Unsterblichen Huld.

52

Wenig Bekümmerniß macht mir die Qual herzkränkender Armuth,
　　Oder der Gegner Gezücht, welches den Namen mir schmäht.
Aber ich traur' um die Jugend, die liebliche, welche mir fremd wird,
　　Und wehklage, daß nah drückendes Alter mir kommt.

53

Nicht am Vergeblichen weile den Geist, noch setze zum Ziel dir
  Solcherlei Thun, das nicht einen Erfolg dir verheißt.

54

Schweißlos spendeten nie die Unsterblichen Schlimmes noch Gutes
  Jemals: aber es eint mühsamer That sich der Ruhm.

55

Nimmer zu viel anstreben! Die Mitte nur frommet in Allem,
  Und so nahst du dem Preis, Kyrnos, der schwer sich erringt.

56

Nimmer zu viel anstreben! In Allem, was Menschen beginnen,
  Frommt's, zu erwägen die Zeit: oft zu gepriesenen Höhn
Eilet ein Mann, des Gewinns sich befleißigend, welchen ein Dämon
  Arglistvoll in das Netz tiefer Versündigung führt,
Und ihn mit Blindheit schlägt, daß Verderbliches heilsam ihm dünket,   5
  Leicht, und was nützlich ihm wär', ihm als verderblich erscheint.

57

Mancherlei geht, und ich weiß es, dahin vor mir: aber die Noth legt
  Schweigen mir auf, denn ich weiß, was ich zu leisten vermag.

58

Vielfach regen sich Kräfte des Frevelen unter den Menschen,
  Aber des Herrlichen auch, auch des Behülflichen viel.

59

Auch nicht der Leu speis't immer im Fleische sich, sondern er selbst auch,
  Ob ein Gewaltiger schon, prüfet die Arme der Noth.

60

Fördere keinen Tyrannen um Hoffnungen, fröhnend dem Vortheil,
  Laß auf Verschwörungen auch nicht, ihn zu tödten, dich ein.

61

Streng nach der Richtschnur wandl' ich dahin, mich nach keinerlei Seite
  Neigend vom Weg, denn ich muß Alles bedenken nach Recht.
Frieden der Heimath geb' ich, der strahlenden, weder dem Volke
  Weichend, noch auch zum Rath freveler Männer gewandt.

62

Er, der als Burg dastehet und Thurm dem verblödeten Volke,
  Kyrnos, wie ärmlichen Preis träget der Edle davon!

63

Kyrnos, die Stadt geht schwanger: ich fürchte nur, wer ihr entsprießet,
  Steure dem trotzigen Muth, der uns im Busen erwuchs.
Selbst zwar sind noch die Bürger Verständige, aber die Führer
  Streben zum Abgrund hin reichlichen Jammergeschicks.

64

Kyrnos, die Stadt geht schwanger: ich fürchte nur, wer ihr entsprießet,
  Führ' uns verwegen den Tag herber Empörung heran.
Oft ja bereits ist unsere Stadt durch der Führer Verkehrtheit
  Gleich dem enttakelten Schiff an das Gestade gerannt.

65

Jägerin Artemis, Tochter des Zeus, die geweiht Agamemnon,
  Als er mit rüstigem Zug schiffte zum Troërgefild:
Höre mich Flehenden an, und verscheuche mir feindliche Keren;
  Dir ja ist, Göttliche, dieß wenig, und viel ist es mir.

66

Welchergestalt wir anjezt, da die blendenden Segel gesunken,
  Treiben aus Malischer Bucht hin durch umfinsterte Nacht:
Keiner gedenkt zu entschöpfen den Schwall, und es stürzet das Meer doch
  Hüben und drüben herein. Wahrlich mit Mühe nur mag
5 Retten sich wer! Doch sie sind getrost; den erfahrenen Steurer
  Thaten sie fort, der Wacht übte mit kundigem Fleiß,

Und frech raffen sie Güter sich zu, und dahin ist der Anstand,
    Und ihr gebührendes Theil wird der Gemeine verkürzt,
Und Lastträger gebieten, und Schändliche treten auf Edle:
    Traun mir bangt, daß die Fluth gänzlich verschlinge das Schiff!   10
So viel sey mir in Räthsel geschürzt für der Edelen Scharfsinn,
    Doch leicht möcht' auch ein Schelm, wär' er nur klug, es verstehn.

67

Zwar ich wallete fern auch einst zum Sikelischen Lande,
    Wallte, wo rebenumgrünt prangt die Euboiische Flur,
Sah Sparte, die erglänzende Stadt des beschilften Eurotas,
    Und stets nahmen mit Huld Alle den Wandernden auf:
Doch nicht mochte von ihnen Befriedigung kommen dem Herzen,   5
    So war theuer ihm nichts außer dem Vatergefild.

68

Denk' an mein Leiden mir nicht! Ich ertrug, was ertragen Odysseus,
    Welcher zu Aïdes' Haus wandelt' und wiedergekehrt,
Dann auch die Freier noch gar mit dem grausamen Erze getilget,
    Seiner Penelope treu, die er als Mädchen gefreit;
Welche so lang sein harrt' und verzog bei dem trautesten Sohne,   5
    Bis er betreten das Land und den verwilderten Herd.

69

Hier geht Alles in Graus und Zertrümmerung: Keiner jedoch trägt,
    Kyrnos, vom ewigen Reihn seliger Götter die Schuld:
Sondern der Männer Vergehn und verächtliche Ränk' und Gewaltthat
    Haben vom Gipfel des Glücks uns in Verderben gestürzt.

70

Möge sogleich einstürzen auf mich des erhabenen Himmels
    Ehernes weites Gewölb', unseren Alten ein Graun,
Bin ich nicht Allen nach Kraft ein Gewärtiger, welchen ich werth bin,
    Aber den Gegnern ein Weh und ein verderblicher Gram.

71

Was ich erlitt, ist geringer um nichts, als der schmähliche Tod gar,
    Und nichts schneidet mir sonst, Kyrnos, so tief in das Herz;
Denn mich verriethen die Freund'! und ich selbst, nahtretend den Gegnern,
    Muß nun prüfen auch sie, wie sie es meinen im Geist.

72

Ach preiswürdig und reich, und beseliget, welcher des Drangsals
    Untheilhaftig der Nacht finstere Wohnung betrat,
Eh' er vor Gegnern erbebt, und in Noth Unwäges begangen,
    Und an den Freunden ersehn, wie sie es meinen im Geist.

73

Keinem vertrauend aus diesem Geschlecht aufhebe den Fuß da,
    Gläubig an Eidschwurs Kraft oder an theuren Vertrag;
Wollt' er auch Zeus den Herrscher, der Himmlischen mächtigsten Bürgen,
    Dir darstellen, auf daß Sicherheit werde dem Bund.

74

Zutraun raffte mein Gut mir hinweg, Mißtrauen erhielt es,
    Aber zu beiden nur mag schwer sich entscheiden das Herz.

75

Ach mich verrathen die Freunde, derweil ich dem Gegner entrinne,
    Gleich wie der Steurer des Schiffs Klippen des Meeres umfährt.

76

Jeglicher ehrt den begüterten Mann und verschmähet den Armen,
    Und kein Sterblicher denkt anders als Andre darin.

77

Ha, muthloser Bedarf, was mußt du doch also den Schultern
    Schwer aufliegen, und uns Seele verschänden und Leib?
Daß du mir Schimpfliches viel aufnöthigest wider Behagniß,
    Da ich im Menschenverkehr Edles und Schönes gelernt.

78

Schenke mir, Zeus, zu vergelten den Liebenden, welchen ich werth bin,
    Kyrnos, und sicher an Macht über den Hassern zu stehn.
Wahrlich ein Gott dann wollt' ich im Menschengeschlechte mich dünken,
    Fände mich jeglicher Schuld quitt mein Verhängniß dereinst.

79

Fittige schuf ich für dich, ob des Meers unermeßlichen Räumen
    Hochherschwebend, soweit Länder erscheinen, zu ziehn,
Ohne Beschwer, und jedem Gelag und jeglichem Siegsschmaus
    Wirst du nahen, im Mund vieler der Menschen genannt!
Dich wird unter Getön hellklingender Flöten im Festschmuck   5
    Lieblicher Jünglinge Chor laut und melodischen Klangs
Preisend erhöhn, und gingst du durch finstere Tiefen der Erde
    Nieder zu Aïdes' Haus, ewiger Klagen Bezirk,
Wird nicht lassen der Ruhm vom Gestorbenen, sondern es wird dir
    Ewig im Menschengeschlecht blühen der Nam' unverwelkt,   10
Kyrnos, da rings du begrüßest Hellenische Länder und Inseln,
    Über unwirthbaren Meers fischebewimmelte Fluth;
Nicht auf dem Rücken der Rosse! dich werden violengekränzter
    Musen Geschenke dahintragen auf glänzender Bahn.
Allen fürwahr, die des Liedes sich freun, auch künftigen Menschen,   15
    Wirst du leben, so lang' Erde mit Sonne noch weilt.

II

AUS DEN GNOMEN AN POLYPÄDES

1

Mir drang hell zu dem Ohre des Vogels Geschrei, Polypädes,
    Welcher ein Bote daher zeitigen Säegeschäfts
Sterblichen naht: da schlug mir im finsteren Busen der Unmuth,
    Daß mir die lachenden Aun Andre besitzen anjezt,
5 Und nicht mir noch die Mäuler das Joch hinziehen am Pfluge,
    Wegen der Unglücksfahrt, welche nur Andern gediehn.

2

Aber umsonst erspähtest du rings, auch durch jeglicher Menschen
    Wohnungen (füllten doch auch kaum sie ein Schifflein zusammt),
Denen so gut auf der Zunge so wie auf den Augen die Scham noch
    Weilet, und nicht der Gewinn lockt zu entehrender That.

III

TRINKLIEDER

1

König, o Sohn Leto's, Zeus' Leiblicher, deiner vergessen
  Laß nie mich im Beginn, nie wenn zum Ziel ich gelangt:
Sondern zuerst und zulezt, und in Mitten auch will ich dich preisen
  Für und für; doch du selbst hör' und erhöre mein Flehn!

2

Als Leto dich gebar, die gebietende, König Apollon,
  Während ihr zierlicher Arm vest um die Palme sich schlang,
Aller Unsterblichen Schönsten, am Bord des gerundeten Landsee's,
  Da ward Delos erfüllt rings, die unendliche Flur,
Voll ambrosischen Duftes, es lachte die riesige Erde,   5
  Und laut jauchzten des Meers grauliche Wogen im Grund.

3

Musen und Chariten, Kinder des Donnerers, welche zu Kadmos'
  Hochzeit kamen, ihr sangt wahrlich ein treffliches Wort:
Was anmuthig, ist werth, was nicht anmuthig, ist unwerth;
  Also ertönte das Lied euch vom unsterblichen Mund.

4

Trefflichstes bleibt, was am meisten gerecht; Heilsamstes, gesund seyn,
  Aber am meisten beglückt, wer, was er liebte, gewann.

5

Frieden und Wohlstand walt' in der Stadt, auf daß ich mit Andern
  Festschmaus feire, mich sehnt's nicht nach verderblichem Krieg.

6

Froh, da noch währet die Jugend, vergnüg' ich mich: werd' ich doch lange,
    Wann mir das Leben entfleucht, tief in der Gruft, wie ein Stein,
Lautlos liegen, verbannt aus Helios' lieblichem Lichte,
    Und, wie ich wacker auch war, nimmer erschließen den Blick.

7

Doch uns lasset das Herz darbringen dem Freudengelage,
    Während annoch es der Lust minnige Gaben verträgt.
Schleunig ja, wie ein Gedanke, vergeht frischblühende Jugend,
    Rascher nicht stürmet der Lauf muthiger Rosse davon,
5 Welche den Mann hintragen zum Speeraufruhre der Männer,
    Windschnell, munter einher stampfend das Waizengefild.

8

Nimmer noch mög' ein Begehr an der Weisheit Statt und der Tugend
    Neu einnehmen mein Herz; sondern mit ihnen im Bund
Will ich mich freun an der Harf' und am Chorreihntanz und Gesange,
    Und in der Edelen Kreis würdig bewähren den Sinn.

9

Aufgeht stets mir im Busen das Herz, wann schallender Flöten
    Sehnsuchtregender Laut lieblich mir dringet zum Ohr;
Gern auch trink' ich und singe, des Flöteners Töne begleitend,
    Gerne dann halt' ich auch dich, schmelzende Leyer, im Arm.

10

Laßt uns anjezt froh werden des Trunks, Anmuthiges redend,
    Aber der Zukunft Loos ruht in der Seligen Hand.

11

Blühe mir, liebes Gemüth: bald werden ja andere Menschen
    Hier umwalten, doch ich modern zu düsterem Staub.

12

Nicht ob ich todt einst lieg' auf ein königlich Lager gebettet
  Kümmert mich, sondern gewährt sey mir im Leben die Lust.
Sanfter auf Teppichen nicht als auf Stechkraut ruht der Gestorbne;
  Wenig verschlägt es, ob hart oder ob weicher das Holz.

13

Kommt's zum Rasen, so ras' ich am lautesten: unter Gelassnen
  Bin ich von allen sodann wieder gelassen zumeist.

14

Doch ihr tauschet die Wort' in Verträglichkeit, weilt ihr am Becher,
  Fernabweisend was euch unter einander entzweit,
Immer das Ganze bedenkend, und minder nicht Alle wie Einen,
  Also entbehrt ein Gelag nicht der ergötzlichen Lust.

15

Aber sobald, wer oben noch war, nun unten gestreckt liegt,
  Dann ist es Heimgehnszeit, daß man beende den Schmaus.

16

Schlafen wir, aber die Wacht um die Stadt mag kümmern die Wächter
  Unseres lieblichen rings sicherverwahrten Gebiets.

IV

LIEBESGEDICHTE

1

Nicht mehr trink' ich des Weins, da jezt bei dem zierlichen Mädchen
    Schaltet ein anderer Mann, schlechter um Vieles als ich.
Quellfluth trinken bei ihr zum Ärger mir ehrbar die Eltern;
    Hat sie das Wasser geschöpft, trägt sie es klagend um mich.
5 Plötzlich genaht schlang rund um das Kind ich den Arm, und den Nacken
    Küsset' ich, ach! und wie zart tönte vom Mund ihr ein Wort.

2

Zeitig ja auch taucht Eros empor, wann von Neuem die Erde
    Unter dem Frühlingshauch lächelt in blumigem Schmuck:
Dann eilt Eros daher von der Kyprier prangendem Eiland
    Rings zu den Menschen, und streut über die Erde die Saat.

3

Während allein ich trank von der schwarz hinrieselnden Quelle,
    Schien mir erquicklich und klar sich zu ergießen die Fluth.
Gleich nun ist sie getrübt und mit Schlamm ist die Feuchte gemischet:
    Wohl denn, nach anderem Quell, anderem Strome geschaut!

4

Arger, dich säugten, o Eros, empor die Gewalten des Wahnsinns,
    Durch dich sank in den Staub Ilios' ragende Burg,
Sank auch des Ägeus Sohn, der gewaltige, sank des Oïleus
    Trefflicher Sproß Aias, deiner Bethörung ein Raub.

5

Knab', an Gestalt zwar lieblich erwuchsest du, aber der Kranzschmuck
    Leidigen Unverstands liegt auf dem Haupte dir schwer,

Und dein Herz hat die Sitte des raschumwendenden Weihen,
    Da leichthin dich das Wort böser Gesellen berückt.

6

Stille mir, Kypros' Tochter, die Pein, und zerstreuend die Sorgen,
    Die aufzehren mein Herz, gib mich der Freude zurück.
Schläfre mir ein den versehrenden Harm, und bei heiterem Muthe
    Laß, nach der Jugend Genuß, Thaten des Ernstes mich thun.

7

Wer zu den Schönen gewandt sein Herz, stets drücket ein Joch ihm
    Schmerzlich, ein lästiges Mal gastlicher Liebe, den Hals.

8

Gut ist, der Gunst bei den Schönen sich freun, gut auch ihr entsagen:
    Leichter ist Liebe gefaßt, als die Erhörung gewährt.
Zahllos quellen die Schmerzen hervor, zahllos auch die Freuden,
    Aber auch darin selbst zeigt sich des Reizes genug.

ANMERKUNGEN

1

Nr. 1. *Hoffnung.* Es war ein Sprüchwort, daß Verbannte und Unterdrückte von der Hoffnung leben. Sie war allein in Pandora's Gefäße zurückgeblieben. – Die Scham, die Nemesis, die Treue, der Friede u. s. w. gehören bekanntlich dem goldenen Zeitalter an. – *Der Männer Ernst* (Sophrosyne), die Cardinaltugend griechischer Moral: die Besonnenheit, Entfernung alles Leidenschaftlichen und Übertriebenen, die MODESTIA der Römer.

Nr. 7. *Hülflosigkeit,* die Schranken menschlicher Natur und Verhältnisse.

Nr. 8. *Hoffarth,* Frevel (Hybris) und *Ersättigung,* Verwöhnung durch großen Wohlstand (Koros) kommen fast als personificirte Wesen, gesellt mit der aus ihnen entspringenden Ate (dem aus der menschlichen Kurzsichtigkeit sich unmerkbar entwickelnden Schaden), unendlich oft in der gnomischen Poesie vor.

Nr. 9. *Zeus ... Wage*; Vrgl. Ilias VIII, 69. XXII, 209.

Nr. 11. *Und von der Gottheit nirg.* Diese Klage, wie wenig sich die leichtlebenden Götter um die Sterblichen kümmern, kommt oft genug bei den Dichtern vor, ohne daß sie bei ihnen für etwas mehr als Ausbruch augenblicklicher Verstimmung gehalten werden darf. Ihr Grund oder Ungrund hat die Philosophen ernsthaft beschäftigt, aber die Meisten wußten die Ehre der Himmlichen zu rechtfertigen, besonders die Platoniker und Stoiker: wogegen Epikur sich ganz zu Verneinung göttlicher Vorsehung hingewendet hatte, kraft welches Glaubensbekenntnisses auch der alte Ennius eine tragische Person sagen ließ:

> Immer hab' ich gesagt, und werde sagen, himmliche Götter gibt's:
> Aber ich kann nicht glauben, daß sie fragen nach uns Sterblichen:
> Thäten sie's, wohl ging's den Guten, bös den Bösen, was ja fehlt.

Nr. 14. *Gehe ... thust,* d. h. thue wohl und es wird dir wohl gehen.

Nr. 27. Der *Polyp* soll nach dem Platze, wo er sich anrankt, seine Farbe verändern, besonders wenn er in Furcht sey. Die Sache ist aus der gallertartigen Natur des Polypenleibes, welche auch die Farbe seiner Nahrung durchblicken läßt, hinlänglich erklärbar. Übrigens fordert der Dichter nicht charakterlose Schmiegsamkeit, sondern humane Duldung und Nachgiebigkeit.

Nr. 30. *Götter allein;* sie nur haben das Amt, auf die Versehen der Sterblichen die angemessene Strafe folgen zu lassen.

Nr. 32. *Prüfend,* durch Schmelzen, wo das Reine von den Schlacken gesondert wird.

Nr. 34. Vrgl. Odyss. VIII, 329.

Nr. 39. *Das Gut*, nämlich das mangelnde; *der Geist*, ebenso.

Nr. 41. *Fieber*; das griechische Wort heißt auch Alpdrücken.

Nr. 44. *Ohn' es zu zeigen*, ohne mit seiner Standhaftigkeit groß zu thun.

Nr. 50. Die Überfahrt ins Land der Schatten (siehe Orkus im Anhang) ge- 5
schieht nach den gewöhnlichen Überlieferungen auf einem der Flüsse Acheron
oder Kocytus. Diese strömen in einander und ihre Vereinigung zu einem trägen
Sumpfe ist es, was hier ein See heißt. *Purpurn* ist Bezeichnung des aufwogenden
und eine dunkle Tiefe zeigenden Wassers, urspünglich von dem ins Düsterrothe
spielenden Grunde des mittelländischen Meeres. *Nebligt*, ein gewöhnliches Bei- 10
wort des Todtenreichs zu Bezeichnung der Finsterniß.

Nr. 55. *Nimmer zu viel* und *die Mitte* (das Maß) *nur fr.*, zwei bekannte Denk-
sprüche der sieben Weisen, jener des Chilon, dieser des Kleobulus oder des Pit-
takus.

Nr. 60. *Fördere k. Tyrannen* u.s.w. Die eine Lehre, weil die Tyrannei am wenig- 15
sten die Ansprüche der ehemals gleich stehenden Aristokratie verträgt; die andere,
weil auf die Tyrannei des Einen gewöhnlich die viel schlimmere der Menge folgt,
wie es in Megara gegangen war.

Nr. 61. Die Stelle mögte von einem vorübergehenden Verhältniß des Dichters zu verstehen seyn, wo ihn das Megarische Volk in der Bedrängniß innerlicher 20
Unruhen zum Friedensstifter und Vermittler angerufen; welche Rolle jedoch,
wie aus dem gleich Folgenden erhellt, nur eine augenblickliche gewesen seyn
kann.

Nr. 63. *Die Stadt*, immer nach dem griechischen Begriffe zugleich *Staat*, als
Inbegriff der sämmtlichen Bürgergemeine. 25

Nr. 65. *Artemis*. Pausanias führt unter den denkwürdigen Gebäuden von Megara einen Tempel auf, den Agamemnon der Diana gebaut habe, als er nach Megara gekommen, um den dort wohnenden Seher Kalchas zum Mitzuge nach
Troja zu bewegen. Auch ein Heiligthum der Iphigenia, welche die Megarenser
bei sich geopfert glaubten, zeigte man daselbst dem Reisebeschreiber. 30

Nr. 66. Vergleichung der politischen Stürme mit dem Kampfe eines Schiffes
auf den Wellen. Aus *Mal. Bucht*, d.h. aus dem sicheren Hafen auf stürmische See
hinaus. Der Malische Meerbusen, benannt von den Maliern, einer Thessalischen
Völkerschaft und Gemeinde, bildete eine Reihe durch die vorliegende Insel Euböa
gesicherter Schiffsstationen an den Küsten von Südthessalien und Lokris. – *Den* 35
erfahrenen Steurer, wahrscheinlich Theagenes, den ehemaligen Beherrscher von
Megara.

Nr. 67. *Sikel. L.*, Sicilien. – *Euböa*, sehr fruchtbare Insel des Ägäischen M.

Nr. 68. *Odysseus*, s. Ulysses im Anh.

Nr. 70. *Unseren Alten ein Graun*. Wenn der Himmel (nach der schon veralteten 40
Vorstellung unserer frommeren Vorväter, die ein metallenes Gewölbe glaubten)
wirklich noch einfallen könnte, wollte ich doch schwören u.s.w.

Nr. 72. *Unwäges*, Unschickliches, Unwürdiges.

Nr. 73. *Der Himmlischen mächt. B.*; den höchsten Zeugen, der unter Göttern angerufen werden kann.

Nr. 79. *Siegsschmaus*, zu Ehren der in den Wettkämpfen erworbenen Preise. – *Violengekr.*, veilchengekränzt.

5

II

Nr. 1. *Vogel.* Wenn der Kranich im Herbste aus Norden gezogen kam, um dem Thracischen Winter auszuweichen, so begann die Wintersaatzeit. – *Unglücksfahrt.* Während seines Aufenthalts im Auslande waren ihm seine Güter genommen worden.

10

III

Nr. 2. Die Titanide *Leto* (Latona), schwanger von Jupiter mit Diana und Apollo, ward zu einem langen Irrzuge genöthigt, ehe sie gebären konnte, weil alle Lande, aus Furcht vor Apollo, der so stolz als mächtig werden sollte, oder aus Furcht vor dem Zorne der eifersüchtigen Juno, sie aufzunehmen sich weigerten. Die Nymphe der Insel *Delos* ließ sich endlich erbitten, und zum Danke dafür soll das Eiland, welches vorher unstet im Meere geschwommen, vest im Meeresgrund geworden seyn. Vrgl. Homer. Hymn. I, 47 und 117, Anmerk. – Von dem runden *Landsee* fanden neuere Reisebeschreiber nur noch einen unbedeutenden, mit einer Mauer umgebenen Teich.

20

Nr. 3. *Was anmuthig* u.s.w. Eine alte, den Geist des Hellenischen Lebens treu aussprechende Gnome, deren Ursprung sich in Dunkelheit verliert, und daher von dem Dichter auf den Urquell aller Begeisterung, die Musen selbst, zurückgeführt wird.

Nr. 4. Auch diese Verse sind Einkleidung alter Gnomen. Das Distichon heißt bei Aristoteles ein *Delisches Epigramm*; es muß also wohl an einem Orte des Delischen Apollotempels angebracht gewesen seyn, wie wir finden, daß in den Tempeln häufig Sinnsprüche der Dichter eingegraben wurden.

IV

Nr. 1. *Passow*'s Auslegung dieses räthselhaften Stücks ist folgende. Theognis, oder wer der Verfasser ist, liebt ein Mädchen geringer Abkunft, gewinnt sie und führt ein vergnügliches Hetärenleben mit ihr. Die Eltern finden dieß auf die Länge mißlich und ahnen kein gutes Ende: darum verheirathen sie das Kind an einen Philister, der sich an Liebenswürdigkeit und Reichthum mit dem Theognis nicht messen kann, aber seiner Hausfrau ein kärgliches, doch sicheres Auskommen gibt. Die Eltern, besser mit dem Schwiegersohne zufrieden, als das Mädchen und Theognis, lassen sich bei ihm kaltes Wasser so gut schmecken, als sonst den Wein des Theognis, und das arme Kind muß es selbst am Brunnen holen. Das thut sie denn unter großen Klagen, eingedenk der Zeit, da des Geliebten Freigebigkeit ihr die harte Arbeit ersparte, und sieht es gar nicht ungern, wenn der alte Freund sie bei dem ungewohnten Geschäft überrascht, und sie an die alte Zärtlichkeit erinnert.

Nr. 2. *Kypr. Eil.*; die Insel Cypern; s. Venus im Anh.

Nr. 4. *Ilios*, s. Troja und Paris im Anh. – *Ägeus S.*, s. Theseus. – *Aias*, des *Oïleus* Sohn, Fürst der Opuntischen Lokrer, riß bei der Zerstörung Troja's Kassandra, des Priamus Tochter, durch ihre Schönheit ergriffen, vom Altare der Pallas, wohin sie sich geflüchtet hatte, und ging dafür durch den Zorn der Götter auf der Rückfahrt im Meere unter.

Nr. 6. *Kypr.*, s. Venus im Anh.

THEOKRIT

EINLEITUNG

Der griechische Dichter *Theokritos*, nahezu 300 Jahre vor Chr., in Syrakus, der Hauptstadt Siciliens, geboren, blühte unter der glücklichen Regierung Hiëro's II. Von seinen Lebensumständen wissen wir wenig
5 Sicheres. Er hielt sich längere Zeit in Ägypten am Hofe des Königs Ptolemäus I. (Lagus' Sohns) und Ptolemäus II. (Philadelphus genannt) in Alexandria, nachher jedoch wieder in seiner Heimath auf, und starb wahrscheinlich in einem hohen Alter. Die Notiz, daß ihn Hiëro einer Beleidigung wegen habe hinrichten lassen, beruht ohne Zweifel auf
10 einem Irrthum.

Seine Gedichte gehören gewiß zum Vollkommensten, was wir von classischer Literatur irgend besitzen. Sie sind, abgesehen von den Epigrammen, erzählender, dramatischer, lyrischer Art und heißen Idyllien, worunter man nicht allein ländliche Poesieen, sondern überhaupt
15 kleine dichterische Gemälde zu verstehen hat. Darin begegnet uns die reizendste Naivetät, heitere Ironie, kräftige Leidenschaft, selbst großartige Darstellung und die reichste Mannigfaltigkeit der Anschauungen.

I

DIE CHARITEN

Immer bemüht es die Töchter des Zeus und immer die Sänger,
Götter zu preisen, zu preisen die Werke der herrlichsten Männer.
Himmlische sind sie, die Musen, und Himmlische singen von Göttern,
Sterbliche nur sind wir, und Sterbliche singen von Menschen.
5 Wer von allen doch nun, so vielen der blauliche Tag scheint,
Öffnet unseren Chariten wohl, und nimmt sie mit Freuden
Auf in das Haus, und schickt sie nicht ohne Geschenke von dannen?
Mürrisch kehren sie wieder mit nackten Füßen nach Hause,
Schelten bitter auf mich, daß umsonst den Weg sie gewandert.
10 Setzen dann wieder sich hin am Boden des ledigen Kastens,
Gramvoll, niedergebeugt auf die kalten Kniee das Antlitz.
Dort ist ihr trauriger Sitz, wenn gar nichts frommte die Sendung.
Sagt, wo ist noch ein Freund? wer liebt den rühmenden Sänger?
Keinen weiß ich: es trachten nicht mehr die Menschen wie vormals
15 Eifrig nach Thatenruhm, sie beherrscht nur schnöde Gewinnsucht.
Jeglicher lauert, die Arme verschränkt, und sinnt, wie das Geld ihm
Wuchere, traun, er verschenkte nicht Ein verrostetes Scherflein,
Sondern da heißet es gleich: »mir ist näher das Kleid wie der Mantel!
Hab' ich nur selber etwas! den Dichter, den segnen die Götter:
20 Aber was brauchen wir ihn? für alle genug ist Homeros.
Der ist der beste der Dichter, der nichts von dem Meinen davonträgt.«
Thoren! was nützen euch denn im Kasten die Haufen des Goldes?
Das ist nicht der Gebrauch, den Verständige machen vom Reichthum;
Sondern dem eigenen Herzen ein Theil, und ein Theil den Geliebten!
25 Gutes an vielen Verwandten gethan und vielen der andern
Menschen zugleich; stets Opfer gebracht den Altären der Götter;
Nie unwirthlich dem Gaste begegnet, sondern am Tisch ihn
Reichlich gepflegt und entlassen, wann selbst er zu gehen verlanget.

Aber geehrt vor Allen die heiligen Priester der Musen!

Daß du, verborgen im Aïs, noch werdest gepriesen auf Erden,   30

Und nicht ruhmlos trauerst an Acheron's kaltem Gestade,

Gleichwie ein Mann, dem die Hände vom Karst mit Schwielen bedeckt sind,

Weinet sein Loos, die väterererbte, die drückende Armuth.

– In des Antiochos Haus und des mächtigen Fürsten Aleuas,

Holten die Monatskost sich viel dienstpflichtige Männer;   35

Viel auch einst, dem Skopadengeschlecht in die Hürden getrieben,

Brülleten Kälber daher, um hochgehörnete Kühe;

Und auf den Fluren um Kranon zu Tausenden ruhten im Mittags-

Schatten die herrlichen Schafe der gastlichgesinnten Kreonder:

Aber die Freude daran ist hin, da das liebliche Leben   40

Weg ist, die Seele den Kahn des traurigen Greises bestiegen.

Namlos jetzo, wie Viel und wie Köstliches auch sie verließen,

Lägen auf ewig sie unter dem Schwarm unrühmlicher Todten,

Wenn der mächtige Sänger von Keos, wunderbar tönend

Zur vielsaitigen Laute, sie nicht den kommenden Altern   45

Hätte gepriesen: es theilten den Ruhm die hurtigen Rosse,

Die mit Kränzen zurück von den heiligen Spielen gekehret.

Auch der Lykier Helden, wer kennte sie? wer die umlockten

Priamiden? und wer den mädchenfarbenen Kyknos,

Hätte nimmer ein Dichter der Vorzeit Schlachten gesungen?   50

Nicht auch Odysseus einmal, der hundert Monden und zwanzig

Irrte zu jeglichem Volk, und zum äußersten Aïdes einging,

Lebend annoch, und entfloh aus der Höhle des grausen Kyklopen,

Freute sich dauernden Ruhms; der Schweinhirt wäre vergessen,

Sein Eumäos, Philötios auch, der den Heerden der Rinder   55

Vorstand, selber sogar der großgesinnte Laërtes,

Hätte sie nicht der Gesang des Ionischen Sängers erhoben.

Nur von den Musen empfahn die Menschen den herrlichen Nachruhm,

Aber die Schätze der Todten verprassen die lebenden Erben.

Doch, gleich schweres Geschäft, die Wellen zu zählen am Strande,   60

Wenn sie vom blaulichen Meere der Wind zum Gestade dahertreibt,

Oder im glänzenden Quell den thönernen Ziegel zu waschen,

Und zu dem Manne zu sprechen, den ganz hinnahm die Gewinnsucht.

Mag er doch gehen! und mag unendlich sein Geld sich vermehren,

65 Mag die Begierde nach Mehr ihm rastlos zehren am Herzen:
Ich will lieber die Ehr' und die freundliche Liebe der Menschen
Haben, als viele Gespanne von Rossen und Mäuler in Haufen.
　Wer von den Sterblichen aber, o sagt mir, heißet willkommen
Mich in der Musen Geleit? Denn schwer sind die Pfade des Liedes
70 Ohne Kronion's Töchter, des mächtig waltenden Gottes.
– Immer doch kreiset der Himmel noch fort in Monden und Jahren,
Manches Roß auch wird noch das Rad umrollen am Wagen:
Und es wird kommen der Mann, der meines Gesanges bedürfe,
Wann er vollbracht, was Achilleus, der Held, und der trotzige Aias
75 Dort in des Simoïs Flur am Mal des Phrygischen Ilos.
Sieh! der Phöniker Geschlecht, das nah an der sinkenden Sonne
Wohnt, auf der äußersten Ferse von Libya, starrt voll Schreckens!
Sieh! schon gehn Syrakuser, die Speer' an der Mitte des Schaftes
Tragend, einher, um die Arme mit weidenen Schilden belastet!
80 Hiëron selbst in dem Zug, an Gestalt wie Heroen der Vorzeit,
Strahlet von Erz, auf dem Helm die schattende Mähne des Rosses!
　Wenn doch, o Zeus, ruhmvoller! und Pallas Athen' und o Tochter,
Die du, der Mutter gesellt, habseliger Ephyräer
Große Stadt dir erkorst an der fluthenden Lysimeleia:
85 Wenn er die Feind' aus der Insel, ein schrecklicher Rächer, verjagte
Durch das Sardonische Meer, daß der Freunde Geschick sie erzählten
Weib und Kindern daheim, ein zählbarer Rest von so vielen!
O daß wieder die vorigen Bürger die Städte bewohnten,
Welche des Feindes Hände zu Schutt und Trümmer verkehrten!
90 Würden die grünenden Fluren gebaut! und blöckten der Schafe
Wimmelnde Schaaren durch's Feld, auf grasigen Triften gemästet!
Möchten die Rinder doch wieder, in Heerden zurück zu den Ställen
Kehrend, des langsamen Wanderers Fuß zur Eile gemahnen!
Würden die Brachen gepflügt zur Einsaat, wann die Cikade,
95 Ruhende Hirten belauschend am Mittag, singt in der Bäume
Wipfel ihr Lied. O dehnte die Spinn' ihr zartes Gewebe
Über die Waffen doch aus, und der Schlachtruf wäre vergessen!
Trügen dann Hiëron's Ruhm, den unsterblichen, feiernde Sänger
Über das Skythische Meer und das Land, wo, die riesige Mauer
100 Vestigend mit Asphalt, vor Zeiten Semiramis herrschte! –

Einer der Dichter sey Ich! Doch lieben die Töchter Kronion's
Auch viel andre, die alle Sikeliens Quell Arethusa
Singen, zusammt dem Volk und Hiëron's herrliche Stärke.
    Minysche Huldgöttinnen, geheiliget von Eteokles,
Die ihr Orchomenos liebt, die verhaßte vordem den Thebäern,   105
Laßt, wenn Keiner uns ruft, mich zurückstehn, doch in des freundlich
Rufenden Wohnung getrost mit unseren Musen mich eingehn!
Nimmer ja laß ich von euch! Denn was bleibt Holdes den Menschen
Ohne die Chariten? – Könnt' ich nur stets mit den Chariten leben!

II

DER KYKLOP

Gegen die Liebe, mein Nikias, wächst kein heilendes Mittel,
Gibt es nicht Salbe, noch Tropfen, die Musen nur können sie lindern.
Dieser Balsam, so lieblich und mild, erzeuget sich mitten
Unter dem Menschengeschlechte, wiewohl nicht Jeder ihn findet.
5   Du, so mein' ich, du kennst ihn gewiß: wie sollt' es der Arzt nicht,
Und ein Mann, vor Allen geliebt von den neun Pieriden?
     Also schuf der Kyklop sich Linderung, unseres Landes
Alter Genoß, Polyphemos, der glühete für Galateia,
Als kaum gelblicher Flaum ihm gesproßt um Lippen und Schläfe.
10   Rosen vertändelt' er nicht und Äpfel und Locken: ihn brachte
Ganz von Sinnen die Lieb', und Alles vergaß er darüber.
Oftmals kehrten die Schafe von selbst in die Hürden am Abend
Heim aus der grünenden Au. Doch er, Galateia besingend,
Schmachtete dort in Jammer am schilfigen Meeresgestade,
15   Frühe vom Morgenroth, und krankt' an der Wunde des Herzens,
Welche der Kypris Geschoß ihm tief in das Leben gebohret.
Aber er fand, was ihm frommte; denn hoch auf der Jähe des Felsens
Saß er, den Blick zum Meere gewandt, und hub den Gesang an:
     »O Galateia, du weiße, den Liebenden so zu verschmähen!
20   Bist so weiß wie geronnene Milch, und so zart wie ein Lämmlein,
Munter und wild wie ein Kälbchen, und prall wie die schwellende Traube!
Immer nur kommst du hieher, wenn der liebliche Schlummer mich fesselt,
Aber du fliehest sogleich, wenn der liebliche Schlummer entweicht;
Eilest davon wie ein Schaf, das von fern den graulichen Wolf sah.
25   Damals liebt ich bereits dich, Mägdelein, als du mit meiner
Mutter zuerst herkamst, dir buschige Sträuß' Hyakinthen
Aus dem Gebirge zu pflücken, und ich die Wege dir nachwies.
Seitdem möcht' ich dich immer nur anschaun, immer! es läßt mir

Keine Ruh; doch du, bei'm Zeus, nichts achtest du, gar nichts!
Ach, ich weiß, holdseliges Kind, warum du mich fliehest: 30
Weil mir über die ganze Stirn sich die borstige Braue
Zieht, Ein mächtiger Bogen von einem Ohre zum andern,
Drunter das einzige Aug', und die breite Nas' auf der Lefze.
Aber auch so, wie ich bin, ich weide dir Schafe bei Tausend,
Trinke die fetteste Milch, und melke sie selber von ihnen.   35
Käse mangelt mir nimmer im Sommer und nimmer im Herbste,
Noch im härtesten Frost, schwervoll sind die Körbe beständig.
Auch die Syringe versteh' ich, wie keiner umher der Kyklopen,
Wenn ich bis tief in die Nacht, o du Honigapfel, dich singe
Und mich selber dazu. Elf Kälber der Hindin erzieh ich   40
Dir, mit Bändern am Hals, und dann vier Junge der Bärin.
Komm nur kecklich zu mir; du sollst nicht schlechter es finden.
Laß du das blauliche Meer, wie es will, aufschäumen zum Ufer;
Lieblicher soll dir die Nacht bei mir in der Höhle vergehen.
Lorbeerbäume sind dort und schlank gestreckte Cypressen,   45
Dunkeler Epheu ist dort, und ein gar süßtraubiger Weinstock,
Kühl auch rinnet ein Bach, den mir der bewaldete Ätna
Aus hellschimmerndem Schnee zum Göttergetränke herabgießt.
O wer wählte dafür sich das Meer und die Wellen zur Wohnung?
Aber wofern ich dir selber zu zottig erscheine von Ansehn,   50
Hier ist eichenes Holz und glimmende Gluth in der Asche:
Schau, gern duld' ich's, und wenn du mir gleich die Seele versengtest,
Oder mein einziges Auge, das Liebste mir, was ich besitze!
Ach, daß doch die Mutter mich nicht mit Flossen geboren!
Zu dir taucht' ich hinab, und deckte mit Küssen die Hand dir,   55
Wenn du den Mund nicht gäbst. Bald brächt' ich dir silberne Liljen,
Bald zartblumigen Mohn, mit purpurnem Blatte zum Klatschen.
Aber es blühn ja im Sommer die einen, die andern im Winter,
Drum nicht alle zugleich dir könnt' ich sie bringen die Blumen.
Doch, nun lern' ich – ach ja, lieb Kind, ich lerne noch schwimmen!   60
Steuerte nur ein Fremdling einmal an diese Gestade,
Daß ich sähe vom Schiff, was ihr Wonniges habt in der Tiefe!
Komm hervor, Galateia, und kamst du hervor, so vergiß auch,
So wie ich, hier sitzend am Ufer, nach Hause zu kehren.

65 Weide die Heerde zusammen mit mir, und melke die Schafe,
   Gieße das sauere Lab' in die Milch, und presse dir Käse.
   Meine Mutter allein ist Schuld, und ich schelte sie billig;
   Niemals sagte sie dir ein freundliches Wörtchen von mir vor,
   Und doch sah sie von Tag' zu Tage dahin mich schwinden.
70 Aber nun sag' ich, im Kopf bis hinab in die Füße mir klopf' es
   Fieberisch, daß sie sich gräme, dieweil ich selber voll Gram bin.
   – O Kyklop, Kyklop! wo schwärmete dir der Verstand hin?
   Wenn du gingest und flöchtest dir Körb', und streiftest für deine
   Lämmer dir junges Laub, ja fürwahr da thätest du klüger!
75 Melke das stehende Schaf! was willst du dem flüchtigen nachgehn?
   Finden sich doch Galateien, vielleicht noch schönere, sonst wo.
   Laden mich doch oft Mädchen genug zu nächtlichen Spielen;
   Geh' ich einmal mit ihnen, da kichern sie alle vor Freuden.
   Traun, ich gelte doch auch in unserem Lande noch etwas!«
80   Siehe so wußte sich einst der Kyklop die Liebe zu lindern
   Durch den Gesang, und schaffte sich Ruh, die das Gold nicht erhandelt.

III

DIE FISCHER

Armuth nur, Diophantos, erweckt die betriebsamen Künste,
Sie, die Mühen und Fleiß uns lehret. Sogar ja den Schlaf nicht
Wollen die bitteren Sorgen dem Arbeitsmanne vergönnen.
Wenn auch einer bei Nacht den wenigen Schlummer erhaschte,
Plötzlich verscheucht ihn wieder die stets andringende Unruh.   5

Unter der Hütte geflochtenem Dach, auf trockenem Moose
Lagen einmal zween Fischer, schon eisgrau beide, beisammen,
Angelehnt an die laubige Wand; und nahe bei ihnen
Lag am Boden ihr Handwerkszeug, die Körbe, die Ruthen,
Angelhaken sodann, und Köder, umwickelt mit Seegras,   10
Haarseil' auch, und Bungen, und binsengeflochtene Reußen,
Schnüre daneben, ein Fell, und ein alternder Nachen auf Stützen,
Unter dem Kopf ein Mattenstück, und Kittel und Filze.
Dieß das ganze Geräth' und alle die Habe der Fischer;
Weder Topf noch Tiegel besaßen sie: Alles in Allem   15
War den Leuten der Fang, und ihre Genossin war Armuth;
Auch kein Nachbar umher: denn ringsum drängte das Meer sich
Spülend gegen die Hütte mit sanft anplätschernden Wellen.
    Noch war nicht auf der Hälfte der Bahn der Wagen des Mondes,
Als ihr Geschäft die Fischer gemahnete. Schnell von den Wimpern   20
Rieben sich beide den Schlaf, zum Gespräch die Geister ermunternd.

ERSTER FISCHER

Du! es lügen doch alle, die sagen, es würden die Nächte
Kürzer im Sommer, wenn Zeus uns längere Tage verleihet.
Tausend Träume doch hatt' ich bereits, und noch fern ist der Morgen.
Irr' ich mich? oder was ist's? Verziehn jezt länger die Nächte?   25

ZWEITER FISCHER

Laß mir doch ungekränkt den lieblichen Sommer! die Jahrszeit
Überschreitet ja nimmer den Lauf nach eigener Willkür,
Sondern die Sorgen verkürzen den Schlaf und machen die Nacht lang.

ERSTER FISCHER

Ob du dich auch auf Träume verstehst? Ich sah dir ein herrlich
30 Traumgesicht in der Nacht; das will ich zum Besten dir geben.
Wie in den Fang, so theilen wir uns auch wohl in die Träume.
Dir thut's Keiner zuvor an Verstand, und, mein' ich, der beste
Traumausleger ist der, dem eigner Verstand auf die Spur hilft.
Übrigens haben wir Zeit; denn was soll einer beginnen,
35 Wenn er am Meer so liegt, auf Blätter gebettet und Reisig,
Ruhlos, wachenden Aug's? Licht – siehst du nur im Prytaneion;
Aber das hat auch beständigen Fang, so sagen die Leute.

ZWEITER FISCHER

Nun, so erzähle den Traum! Mir kannst du ihn sicher vertrauen.

ERSTER FISCHER

Gestern, als ich entschlief, von dem nassen Treiben ermüdet –
40 (Übersättigt hatt' ich mich nicht; wir aßen bei Zeiten,
Wenn du noch weißt, und schonten des Magens) däucht mir, ich stiege
Einen Felsen hinan, da sezt' ich mich nieder, auf Fische
Lauernd, und schüttelt' am Rohr den trüglichen Köder hinunter.
Einer schwamm nun herzu, so ein fetter – (es träumet im Schlafe
45 Gern von Brocken der Hund, ich habe mit Fischen zu schaffen):
Richtig auch hing er mir vest am Angelhaken, und Blut floß;
Und wie er zappelte, bog sich das Rohr in den haltenden Händen:
Beide die Arme zugleich anstrengend, hatt' ich dir eine
Noth, den mächtigen Fisch mit dem schwachen Eisen zu ziehen!
50 Könnt' er nicht auch mich verwunden? so dacht' ich, und: wirst du mich beißen?
Rief ich, so beiß' ich dich wieder! Er blieb, und ich streckte die Hand aus,
Siehe, da war es vollbracht, und es lag ein goldener Fisch da,
Über und über mit Golde bedeckt. Doch hielt mich die Furcht noch,

Ob nicht vielleicht Poseidon den Fisch zum Liebling erkoren,
Ob Amphitriten, der blaulichen Göttin, nicht eigne das Kleinod.   55
Sachte löst' ich indeß von der Angel ihn, daß mir die Haken
Ja nicht etwas Gold aus den Kiefern des Fisches behielten;
Aber dann trug ich im Netz ihn vollends hinauf an das Ufer;
Sieh, und ich schwur: Nun setz' ich den Fuß auch nimmer in's Wasser,
Sondern ich bleib' auf dem Land und beherrsche mein Gold wie ein König!   60
Dieß erweckte mich denn. Was sind nun deine Gedanken
Weiterhin? Mich ängstet der Eid, Freund, so ich geschworen.

ZWEITER FISCHER

Sey nur ruhig. Du schwurst doch nicht; du fandest den goldnen
Fisch, wie du glaubtest, ja nicht; ein Traum ist so gut wie 'ne Lüge.
Spähst du wachend indeß, nicht träumend umher in der Gegend,   65
Dann zu Erfüllung des Traums nur fleischerne Fische gesuchet!
Daß du nicht Hungers stirbst bei all' den goldenen Träumen.

IV

DIE LIEBE DER KYNISKA

ÄSCHINES

Sey mir herzlich gegrüßt, Thyonichos!

THYONICHOS

                      Sey es mir gleichfalls,

Äschines!

ÄSCHINES

  Endlich einmal!

THYONICHOS

          Wie so denn endlich? Was hast du?

ÄSCHINES

Hier geht's nicht zum Besten, Thyonichos.

THYONICHOS

             Darum so mager
Auch, und so lang dein Bart, und so wild und struppig die Locken!
Neulich kam so einer hieher, ein Pythagoräer,
Bleich und ohne Schuh: er sey aus Athene gebürtig,
Sagt' er; es war ihm an Brot, so glaub' ich, am meisten gelegen.

ÄSCHINES

Du kannst scherzen, o Freund! – Mich narrt die schöne Kyniska!
Rasend macht es mich noch! kein Haar breit fehlt und ich bin es!

THYONICHOS

Immer derselbige doch, mein Äschines! Plötzlich in Feuer! 10
Stets soll Alles nach Willen dir gehn. Was gibt es denn Neues?

ÄSCHINES

Wir, der Argeier und ich, und dann der Thessalische Reiter
Apis, und Kleunikos auch, der Soldat, wir tranken zusammen
Auf dem Lande bei mir. Zwei Hühnlein hatt' ich geschlachtet,
Und ein saugendes Ferkel; auch stach ich Biblinischen Wein an, 15
Lieblichen Dufts, vierjährig beinah', und wie von der Kelter;
Zwiebeln auch langt' ich hervor und Schnecken; ein herrlicher Trunk war's.
Späterhin fülleten wir mit lauterem Weine die Becher
Auf der Geliebten Wohl; nur mußt' ein Jeder sie nennen.
Und wir riefen die Namen und tranken nach Herzensgelüsten. 20
Sie – kein Wort: da saß ich; wie meinst du nun, daß mir zu Muth war?
»Bist du stumm?« scherzt einer, »du sahst, wie es heißet, den Wolf wohl?«
Ha, wie sie glühte! Du konntest ein Licht an der Brennenden zünden.
Lykos, *das* ist ihr der Wolf! des Nachbars Söhnchen, des Labas,
Schlank gewachsen und zart, es halten ihn Viele für reizend. 25
Diesem zerfloß ihr Herzchen, und wie! das frage die Leute.
Heimlich kam mir einmal die schöne Geschichte zu Ohren,
Aber ich forschte nicht nach, ich, dem nur vergebens der Bart wuchs!
Gut; nun war uns der Wein schon wacker zu Kopfe gestiegen,
Als der Larisser von vorn sein Lied vom Wolfe mir anhub – 30
Ganz ein Thessalisches Stückchen, der Bube! Doch meine Kyniska
Hält sich nicht mehr, und weint dir, wie kaum sechsjährige Mädchen,
Wenn sie stehn und hinauf in den Schoos der Mutter verlangen:
Da, du kennst mich ja wohl, da schlug ich ihr wüthend die Backen
Rechts und links: sie nahm ihr Gewand zusammen, und hurtig 35
Auf und davon. »Gefall' ich dir nicht, du schändliche Dirne?
Taugt dir ein Anderer besser zum Schooskind? Geh denn und hege
Deinen Knaben! Für ihn rinnt über die Wangen das Thränlein.«
Wie die Schwalbe, die unter dem Dach den Jungen nur eben
Atzung gebracht, mit Eile zurückfliegt, wieder nach Futter: 40
So, und schneller noch, lief vom weichen Sessel das Mädchen

Weg durch den Hof und zur Pforte hinaus, so weit sie der Fuß trug.

»Fort ist der Stier in den Wald!« so heißt es nicht unrecht im Sprichwort.

Zwanzig Tage, dann acht, und neun, zehn Tage dazu noch,

45 Heut ist der elfte; noch zwei, und es sind zwei völlige Monat,

Seit auseinander wir sind, und ich kaum Thrakisch das Haar schor.

Ihr ist Lykos nun Alles, zu Nacht wird dem Lykos geöffnet;

Wir, wir gelten nun nichts, wir werden nun gar nicht gerechnet,

Wir Megareer, so klein, nichts werth, und von Allen verachtet. –

50 Könnt' ich nur kalt dabei seyn, es wäre noch wohl zu verschmerzen,

Aber so bin ich die Maus, die Pech, wie sie sagen, gekostet,

Weiß auch nirgend ein Mittel, unsinnige Liebe zu heilen.

Doch – ja! Simos, der einst Epichalkos' Tochter geliebt hat,

Ging zu Schiff und kehrte gesund, mein Jugendgenosse.

55 Ich auch stech' in die See, der schlechteste unter den Kriegern

Nicht, und auch nicht der beste vielleicht, doch immer zu brauchen.

THYONICHOS

Möge dir, was du beginnst, nach Wunsch gehn, Äschines; aber

Hast du's beschlossen einmal, dein Glück in der Fremde zu suchen,

Siehe, da wär' Ptolemäos, ein Mann von fürstlicher Großmuth.

ÄSCHINES

60 Ja? Wie ist er denn sonst?

THYONICHOS

Ich sag' ein Fürst, und ein ächter!

Gnädig, ein Musenfreund, und liebenswürdig und freundlich;

Freunde die kennt er genau und heimliche Feinde noch besser,

Spendet an Viele so viel, und verweigert dir nimmer die Bitte,

Wie's dem Könige ziemt; du mußt nur um Alles nicht bitten,

65 Äschines. Lüstet dich's nun, dir rechts an der Schulter das Kriegskleid

Umzuschnallen und, kräftig gestemmt auf die Füße, dem Schnauben

Dich des beschildeten Streiters beherzt entgegenzustellen:

Nach Ägyptos geschwind! Es entfärbet die Haare das Alter

Immer zuerst um die Schläfe, dann schleichen die bleichenden Jahre

70 Uns in den Bart: Drum Thaten gethan, da die Kniee noch grünen!

V

DIE SYRAKUSERINNEN AM ADONISFESTE

GORGO

Ist Praxinoa drinnen?

EUNOA

O Gorgo, wie spät! Sie ist drinnen. –

PRAXINOA

Wirklich! du bist schon hier? – Nun, Eunoa, stell' ihr den Sessel!
Leg' auch ein Polster darauf.

GORGO

Vortrefflich!

PRAXINOA

So setze dich, Liebe.

GORGO

Ach! das war dir ein Ernst, Praxinoa! Lebensgefahren
Stand ich aus, bei der Menge des Volks und der Menge der Wagen.   5
Stiefel und überall Stiefel, und nichts als Krieger in Mänteln!
Dann der unendliche Weg! du wohnst auch gar zu entfernt mir.

PRAXINOA

Ja, da hat der verrückte Kerl am Ende der Erde
Solch ein Loch, nicht ein Haus, mir genommen, damit wir doch ja nicht
Nachbarn würden: nur mir zum Tort, mein ewiger Quälgeist!   10

GORGO

Sprich doch, Beste, nicht so von deinem Manne; der Kleine
Ist ja dabei. Sieh, Weib, wie der Junge verwundert dich anguckt.

PRAXINOA

Lustig, Zopyrion, Herzenskind! ich meine Papa nicht.

GORGO

Ja, beim Himmel, er merkt es, der Bube. – Der liebe Papa der!

PRAXINOA

15 Jener Papa ging neulich (wir sprechen ja immer von neulich),
Schmink' und Salpeter für mich aus dem Krämerladen zu holen,
Und kam wieder mit Salz, der dreizehnellige Dummkopf!

GORGO

Grade so macht es der meine, der Geldabgrund Diokleidas!
Sieben Drachmen bezahlt' er für fünf Schafsfelle noch gestern:
20 Hündische, schäbige Klatten! nur Schmutz! nur Arbeit auf Arbeit! –
Aber so lege den Mantel doch an, und das Kleid mit den Spangen!
Komm zur Burg Ptolemäos', des hochgesegneten Königs,
Dort den Adonis zu sehn. Ich hör', ein prächtiges Fest gibt
Heute die Königin dort.

PRAXINOA

Hoch lebt man im Hause der Reichen.
25 Aber erzähle mir, was du gesehn; ich weiß noch von gar nichts.

GORGO

Mach'! es ist Zeit, daß wir gehn: stets hat der Müssige Festtag.

PRAXINOA

Eunoa, bring' mir das Becken! – So setz' es doch mitten in's Zimmer
Wieder, du schläfriges Ding! Weich mögen die Katzen sich legen!
Rühr' dich! Hurtig, das Wasser! denn Wasser ja brauch' ich am ersten.

Wie sie das Becken trägt! So gib! Unersättliche, gieß doch 30
Nicht so viel! Heillose, was mußt du das Kleid mir begießen! –
Höre nun auf! Wie's den Göttern gefiel, so bin ich gewaschen.
Nun, wo steckt denn der Schlüssel zum großen Kasten? So hol' ihn! –

GORGO

Einzig, Praxinoa, steht dir dieß faltige Kleid mit den Spangen.
Sage mir, Liebe, wie hoch ist das Zeug vom Stuhl dir gekommen? 35

PRAXINOA

Ach erinnre mich gar nicht daran! Zwei Minen und drüber,
Baar; und ich sezte beinah' mein Leben noch zu bei der Arbeit.

GORGO

Aber sie ist auch darnach; ganz hübsch!

PRAXINOA

Wahrhaftig, sie schmeichelt!
– Gib den Mantel nun her, und setze den schattenden Hut auch
Ordentlich! – Nicht mitnehmen, mein Kind! Bubu da! das Pferd beißt! 40
Weine, so lange du willst! zum Krüppel mir sollst du nicht werden. –
Gehn wir denn. – Phrygia, du spiel' mit dem Kleinen ein wenig;
Locke den Hund in das Haus und verschließ die Thüre des Hofes! –
Götter! welch ein Gewühl! Durch dieß Gedränge zu kommen,
Wie und wann wird das gehn? Ameisen, unendlich und zahllos! 45
Viel Preiswürdiges doch, Ptolemäos, danket man dir schon;
Seit dein Vater den Himmel bewohnt, beraubet kein schlauer
Dieb den Wandelnden mehr, ihn fein auf Ägyptisch beschleichend,
Wie vordem aus Betrug zusammengelöthete Kerle,
All' einander sich gleich, Spitzbuben! Rabengesindel! 50
Süßeste Gorgo, wie wird es uns gehn! Da traben des Königs
Reisige her! – Mein Freund, mich nicht übergeritten, das bitt' ich! –
Sieh den unbändigen Fuchs, wie er bäumt! du verwegenes Mädchen,
Eunoa, wirst du nicht weichen? Der bricht dem Reiter den Hals noch.
Wahrlich nun segn' ich mich erst, daß mir der Junge daheim blieb! 55

GORGO

Jezt, Praxinoa, Muth! wir sind schon hinter den Pferden;
Jene reiten zum Platze.

PRAXINOA

Bereits erhol' ich mich wieder.
Pferd' und kalte Schlangen, die scheut' ich immer am meisten,
Von Kind an. O geschwind! Was dort für ein Haufen uns zuströmt!

GORGO

60   Mütterchen, aus der Burg?

DIE ALTE

Ja, Kinderchen.

GORGO

Kommt man denn auch noch

Leidlich hinein?

DIE ALTE

Durch Versuche gelangten die Griechen nach Troja,
Schönstes Kind; durch Versuch ist Alles und Jedes zu machen.

GORGO

Fort ist die Alte, die nur mit Orakelsprüchen uns abspeis't!
Alles weiß doch ein Weib, auch Zeus' Hochzeit mit der Hera.
65   Sieh, Praxinoa, sieh, was dort ein Gewühl um die Thür ist!

PRAXINOA

Ach, ein erschreckliches! – Gib mir die Hand! Du, Eunoa, fasse
Eutychis an, und laß sie nicht los, sonst gehst du verloren.
Alle mit Einmal hinein! Vest, Eunoa, an uns gehalten! –
Wehe mir Unglückskind! Da riß mein Sommergewand schon
70   Mitten entzwei, o Gorgo! – Bei Zeus, und soll es dir jemals
Glücklich gehen, mein Freund, so hilf mir, rette den Mantel!

ERSTER FREMDER

Wird schwer halten; doch wollen wir sehn.

PRAXINOA

Ein gräulich Gedränge!

Stoßen sie nicht wie die Schweine?

DER FREMDE

Getrost! nun haben wir Ruhe.

PRAXINOA

Jezt und künftig sey Ruhe dein Loos, du bester der Männer,
Daß du für uns so gesorgt! – Der gute, mitleidige Mann der! –   75
Eunoa steckt in der Klemme! Du Tröpfin! frisch, mit Gewalt durch!
Schön! wir alle sind drinn! so sagt zur Braut, wer sie einschloß.

GORGO

Hier, Praxinoa, komm: sieh erst den künstlichen Teppich!
Schau, wie lieblich und zart! Du nähmst es für Arbeit der Götter.

PRAXINOA

Heilige Pallas Athene, wer hat die Tapeten gewoben?   80
Welch ein Maler vermöchte so lebende Bilder zu malen?
Wie natürlich sie stehn, und wie sie natürlich sich drehen!
Wahrlich beseelt, nicht gewebt! – Ein kluges Geschöpf ist der Mensch doch!
Aber er selber, wie reizend er dort auf dem silbernen Ruhbett
Liegt, und die Schläfe herab ihm keimet das früheste Milchhaar!   85
Dreimal geliebter Adonis, der selbst noch im Hades geliebt wird!

ZWEITER FREMDER

Schweigt' doch, ihr Klatschen, einmal mit eurem dummen Geschwätze!
Schnattergänse! Wie breit und wie platt sie die Wörter verhunzen!

GORGO

Mein doch! was will der Mensch? Was geht dich unser Geschwätz an?
Warte, bis du uns kaufst! Syrakuserinnen befiehlst du?   90

Wiss' auch dieß noch dazu: wir sind Korinthischer Abkunft,
Gleichwie Bellerophon war, wir reden Peloponnesisch;
Doriern wird's doch, denk' ich, erlaubt seyn, Dorisch zu sprechen?

PRAXINOA

O so bewahr' uns vor einem zweiten Gebieter, du süße
95   Melitodes! Da heißt's: streich' mir den ledigen Scheffel!

GORGO

Still, Praxinoa! Gleich wird nun von Adonis uns singen
Jene Sängerin dort, der Argeierin kundige Tochter.
Die den Trauergesang auf Sperchis so trefflich gesungen.
Die macht's sicherlich schön: sie prüft schon trillernd die Stimme.

DIE SÄNGERIN

100   Herrscherin! die du Golgos erkorst und Idalion's Haine,
Auch des Eryx Gebirg, goldspielende du, Aphrodita!
Sage, wie kam dir Adonis von Acheron's ewigen Fluthen
Nach zwölf Monden zurück im Geleit sanftwandelnder Horen?
Langsam gehn die Horen vor anderen seligen Göttern,
105   Aber sie kommen mit Gaben auch stets, und von Allen ersehnet.
Kypris, Diona's Kind, du erhobst, so meldet die Sage,
In der Unsterblichen Kreis, die sterblich war, Berenika,
Sanft Ambrosiasaft in die Brust der Königin träufelnd.
Dir zum Dank, vielnamige, tempelgefeierte Göttin,
110   Ehrt Berenika's Tochter, an Liebreiz Helenen ähnlich,
Ehrt Arsinoa heut mit allerlei Gaben Adonis.
Neben ihm liegt anmuthig, was hoch auf den Bäumen gereifet;
Neben ihm auch Lustgärtchen, in silbergeflochtenen Körben;
Goldene Krüglein dann, mit Syrischer Narde gefüllet;
115   Auch des Gebackenen viel, was Fraun in den Formen bereitet,
Mischend ihr weißestes Mehl mit mancherlei Würze der Blumen,
Oder mit lieblichem Öle getränkt und der Süße des Honigs.
Alles ist hier, das Geflügel der Luft und die Thiere der Erde.
Grünende Laubgewölbe, vom zartesten Dille beschattet,
120   Bauete man; und oben, als Kinderchen, fliegen Eroten,

Gleichwie der Nachtigall Brut, im schattigen Baume geborgen,
Flattert von Zweig zu Zweig, die schüchternen Flügel versuchend.
Seht mir das Ebenholz! und das Gold! und den Adler aus weißem
Elfenbein, der zu Zeus den reizenden Schenken emporträgt!
Auf den purpurnen Teppichen hier (noch sanfter wie Schlummer   125
Würde Milet sie nennen und wer da wohnet in Samos),
Ist ein Lager bereitet, ein zweites dem schönen Adonis.
Hier ruht Kypris, und dort mit rosigen Wangen Adonis.
Achtzehn Jahre nur zählt ihr Geliebtester, oder auch neunzehn;
Kaum noch sticht sein Kuß, noch glänzt um die Lippen ihm Goldhaar.   130
Jetzo mag sich Kypris erfreun des schönen Gemahles:
Morgen wollen wir ihn, mit dem Frühthau Alle versammelt,
Tragen hinaus in die Fluth, die gegen die Küste heraufschäumt:
Alle mit fliegendem Haar, um die Knöchel wallen die Kleider,
Bloß ist die Brust; so gehn wir, und stimmen den hellen Gesang an: 135
    »Holder Adonis, du nahst bald uns, bald Acheron's Ufern,
Wie kein anderer Halbgott, sagen sie. Auch Agamemnon
Durfte dieß nicht, noch Aias, der große, gewaltige Heros,
Hektor auch nicht, von Hekabe's zwanzig Söhnen der erste,
Nicht Patroklos, noch Pyrrhos, der wiederkehrte von Troja,   140
Nicht die alten Lapithen und nicht die Deukalionen,
Pelops' Enkel auch nicht, noch die grauen Pelasger in Argos.
Schenk' uns Heil, o Adonis, und bring' ein fröhliches Neujahr!
Freundlich kamst du, Adonis, o komm, wenn du kehrest, auch freundlich!«

GORGO

Traun! ein treffliches Weib, Praxinoa! was sie nicht Alles   145
Weiß, das glückliche Weib! und wie süß der Göttlichen Stimme!
Doch es ist Zeit, daß ich geh'; Diokleidas erwartet das Essen.
Bös ist er immer, und hungert ihn vollends, dann bleib ihm vom Leibe!
– Freue dich, lieber Adonis, und kehre zu Freudigen wieder!

VI

DAMÖTAS UND DAPHNIS

Daphnis, der Rinderhirt, und Damötas weideten einstmals
Beide die Heerden zusammen, Aratos; diesem war röthlich
Schon das Kinn, dem sproßt' es von Milchhaar. Nun an der Quelle
Hingelehnt im Sommer am Mittag, sangen sie also.
5   Daphnis zuerst hub an, denn zuerst auch bot er die Wette.

DAPHNIS

»Schau, Polyphemos! da wirft Galateia die Heerde mit Äpfeln
Dir; und Geishirt schilt sie dich, ›o du stöckischer Geishirt!‹
Doch du siehst sie nicht an, Kaltherziger; sondern du sitzest
Flötend ein liebliches Lied. O sieh doch, da wirft sie schon wieder
10   Nach dem Hüter der Schafe, dem Hund, der bellet und blicket
Immer in's Meer, und es zeigen die Nymphe die lieblichen Wellen,
Sanft am Gestad aufrauschend, wie unter der Fluth sie daherläuft.
Hüte dich, daß er nicht gar in die Füße dem Mädchen noch fahre,
Wann aus dem Meere sie steigt, und den blühenden Leib ihr zerfleische!
15   – Sieh, wie verbuhlt sie nun tändelt von selbst! ganz so wie der Distel
Trockenes Haar sich wiegt, wann der liebliche Sommer es dörrte;
Bist du zärtlich, sie flieht, unzärtlich, und sie verfolgt dich.
Ja von der Linie rückt sie den Stein! Das Auge der Liebe
Nimmt, Polyphemos, so oft Unschönes ja selber für Schönheit.«
20   Ihm erwiderte drauf mit holdem Gesange Damötas:

DAMÖTAS

»Ja, beim Pan! ich hab' es gesehn, wie sie warf in die Heerde,
Ja, es entging mir nicht und dem süßen, einzigen Auge –
(Dieses bleibe mir stets! und Telemos trage das Unglück
Selber nach Haus, der böse Prophet, und behalt' es den Kindern!)

117

Aber ich ärgre sie wieder dafür und bemerke sie gar nicht, 25
Sag' auch, ein anderes Mädchen sey mein: Ha! wenn sie das höret,
Päan! wie eifert sie dann und schmachtet! Sie stürmt aus der Meerfluth
Wüthend hervor, und schaut nach der Höhle dort und nach der Heerde.
Ließ ich doch selber den Hund auf sie bellen! Denn als ich sie liebte,
Ehmals, winselt' er freundlich, die Schnauz' an die Hüften ihr legend. 30
Sieht sie mich öfter so thun, ja vielleicht sie schickt mir noch Botschaft.
Aber fürwahr, ich verschließe die Thür, bis sie schwört, daß sie selber
Hier auf der Insel mir köstlich das Brautbett wolle bereiten.
Bin ich so häßlich doch auch von Gestalt nicht, wie sie mich ausschrein.
Unlängst sah ich hinein in das Meer, da es ruhig und still war: 35
Schön ließ wahrlich mein Bart, sehr schön mein einziger Lichtstern,
Wie mir's wenigstens däucht', und es strahlten im Wasser die Zähne
Weißer spiegelnd zurück als Schimmer des Parischen Marmors.
Daß kein schädlicher Zauber mich treffe, so spuckt' ich mir dreimal
Gleich in den Busen. Die alte Kotyttaris lehrte mich solches, 40
Die am Hippokoon jüngst auf der Pfeife den Schnittern was vorblies.«
     So das Lied des Damötas. Er küßte den Daphnis; die Flöte
Macht' er ihm drauf zum Geschenk, ihm ward die herrliche Pfeife.
Pfeifend stand nun Damötas, es flötete Daphnis der Kuhhirt,
Und es tanzeten rings im üppigen Grase die Kälber; 45
Sieger jedoch war keiner, sie waren sich beide gewachsen.

VII

DIE ZAUBERIN

Auf! wo hast du den Trank? wo, Thestylis, hast du die Lorbeern?
Komm, und wind' um den Becher die purpurne Blume des Schafes!
Daß ich den Liebsten, der grausam mich quält, durch Zauber beschwöre.
Ach! zwölf Tage schon sind's, seitdem mir der Bösewicht weg ist,
5   Seit er fürwahr nicht weiß, ob am Leben wir oder gestorben,
Gar nicht mehr an der Thüre mir lärmte, der Leidige! Sicher
Lockte den Flattersinn anderswohin ihm Eros und Kypris.
Morgen doch mach' ich mich auf nach Timagetos' Palästra,
Daß ich ihn einmal nur seh', und wie er mich quälet, ihn schelte.
10 Jetzo beschwör' ihn mein Zaubergesang. O leuchte, Selene,
Hold! Ich rufe zu dir in leisen Gesängen, o Göttin!
Rufe zur Stygischen Hekate auch, dem Schrecken der Hunde,
Wann durch Grüfte der Todten und dunkeles Blut sie einhergeht.
Hekate! Heil! du Schreckliche! komm und hilf mir vollbringen!
15 Laß den Zauber noch kräftiger seyn, als jenen der Kirke,
Als Perimedens, der blonden, und als die Künste Medeia's!
    Rolle, Kreisel, mir wieder zurück zu dem Hause den Jüngling!
Mehl muß erst in der Flamme verzehrt seyn! Thestylis, hurtig,
Streue mir doch! wo ist dein Verstand, du Thörin, geblieben?
20 Bübin du, bin ich sogar auch dir zum Spotte geworden?
Streu', und sage dazu: Hier streu' ich Delphis' Gebeine!
    Rolle, Kreisel, mir wieder zurück zu dem Hause den Jüngling!
Mich quält Delphis, und drum verbrenn' ich auf Delphis den Lorbeer.
Wie sich jetzo das Reis mit lautem Geknatter entzündet,
25 Plötzlich sodann aufflammt und selbst nicht Asche zurückläßt,
Also müsse dem Delphis das Fleisch in der Lohe verstäuben!
    Rolle, Kreisel, mir wieder zurück zu dem Hause den Jüngling!
Wie ich schmelze dieß wächserne Bild mit Hülfe der Gottheit,

Also schmelze vor Liebe sogleich der Myndier Delphis;
Und wie die eherne Rolle sich umdreht durch Aphrodita, 30
Also drehe sich jener herum an unserer Pforte.
    Rolle, Kreisel, mir wieder zurück zu dem Hause den Jüngling!
Jezt mit der Kleie gedampft! – Du, Artemis, könntest ja selber
Jenen eisernen Mann im Hades, und Felsen bewegen.
– Thestylis, horch, in der Stadt wie die Hunde heulen! Im Dreiweg 35
Wandelt die Göttin! Geschwind laß tönen das eherne Becken!
    Rolle, Kreisel, mir wieder zurück zu dem Hause den Jüngling!
– Siehe! wie still! Nun schweigt das Meer und es schweigen die Winde,
Aber es schweiget mir nicht im innersten Busen der Jammer!
Glühend vergeh' ich für den, der, statt zur Gattin, mich Arme 40
Ha! zur Buhlerin macht' und mir die Blume gebrochen.
    Rolle, Kreisel, mir wieder zurück zu dem Hause den Jüngling!
Dreimal spreng' ich des Tranks, und dreimal, Herrliche, ruf' ich:
Mag ein Mädchen ihm jezt, ein Jüngling ihm liegen zur Seite,
Plötzlich ergreife Vergessenheit ihn, wie sie sagen, daß Theseus 45
Einst in Dia vergaß Ariadne, die zierlichgelockte!
    Rolle, Kreisel, mir wieder zurück zu dem Hause den Jüngling!
Roßwuth ist ein Gewächs in Arkadien, kosten's die Füllen,
Kosten's die flüchtigen Stuten, so rasen sie wild im Gebirge:
Also möcht' ich den Delphis hieher zu dem Hause sich stürzen 50
Sehen, dem Rasenden gleich, aus dem schimmernden Hof der Palästra!
    Rolle, Kreisel, mir wieder zurück zu dem Hause den Jüngling!
Dieses Stückchen vom Saum hat Delphis am Kleide verloren;
Nun zerpflück' ich's und werf' es hinein in die gierige Flamme.
Weh! unselige Liebe, was hängst du wie Igel des Sumpfes 55
Mir am Herzen und saugest mir all mein purpurnes Blut aus!
    Rolle, Kreisel, mir wieder zurück zu dem Hause den Jüngling!
Einen Molch zerstampf' ich, und bringe dir morgen den Gifttrank!
Thestylis, nimm die Kräuter, bestreiche die obere Schwelle
Jenes Verräthers damit! Ach, angekettet an diese 60
Ist noch immer mein Herz, doch er hat meiner vergessen!
Geh, sag', spuckend darauf: Ich bestreiche des Delphis Gebeine!
    Rolle, Kreisel, mir wieder zurück zu dem Hause den Jüngling!
Jetzo bin ich allein. – Wie soll ich die Liebe beweinen?

65 Was bejammr' ich zuerst? Woher kommt alle mein Elend?
Als Korbträgerin ging Eubulos' Tochter Anaxo
Damals in Artemis' Hain; dort wurden in festlichem Zuge
Viele Thiere geführt, auch eine gewaltige Löwin.
    Sieh', o Göttin Selene, woher mir die Liebe gekommen!
70 Aber die Thrakische Amme Teucharila, (ruhe sie selig!)
Welche zunächst uns Nachbarin war, sie bat und beschwor mich,
Anzuschauen den Zug, und ich unglückliches Mädchen
Folgete, schön nachschleppend ein Kleid von feurigem Byssos,
Und darüber gehüllt das Mäntelchen von Klearista.
75   Sieh', o Göttin Selene, woher mir die Liebe gekommen!
Schon beinah' um die Mitte des Wegs, am Palaste des Lykon,
Sah ich den Delphis zugleich mit Eudamippos einhergehn.
Jugendlich sproßt' ihr Kinn, wie die goldene Blum' Helichrysos,
Weißer noch glänzte die Brust, als deine Schimmer, Selene,
80 Wie sie nur eben gekehrt vom herrlichen Kampfe der Ringer.
    Sieh', o Göttin Selene, woher mir die Liebe gekommen!
O wie ich sah, wie ich tobte! wie schwang sich im Wirbel der Geist mir
Elenden! Ach die Reize verblüheten; nicht auf den Festzug
Achtet' ich mehr; auch wie ich nach Hause gekommen, ich weiß es
85 Nicht; ein brennendes Fieber zerstörte mir Sinn und Gedanken.
Und ich lag zehn Tage zu Bett, zehn Nächte verseufzt' ich.
    Sieh', o Göttin Selene, woher mir die Liebe gekommen!
Ja schon ward mir die Farbe der Haut wie Thapsos so bleichgelb,
Und mir schwanden die Haare vom Haupt, die ganze Gestalt war
90 Haut nur noch und Gebein. Wo hätt' ich ein Haus nicht besuchet?
Wo ein Weib, das Beschwörung versteht, zu fragen vergessen?
Aber Alles umsonst, und sündlich verlor ich die Tage.
    Sieh', o Göttin Selene, woher mir die Liebe gekommen!
Meiner Sklavin gestand ich am Ende die Wahrheit und sagte:
95 »Thestylis, schaffe mir Rath für dieß unerträgliche Leiden:
Ganz besizt mich Arme der Myndier. – Geh doch und suche
Ihn zu erspähen einmal bei Timagetos' Palästra;
Dorthin wandelt er oft, dort pfleget er gerne zu weilen.«
    Sieh', o Göttin Selene, woher mir die Liebe gekommen!
100 »Und sobald du allein ihn antriffst, winke verstohlen,

Sag' ihm dann: Simätha begehrt dich zu sprechen! und bring' ihn.« –
Also sprach ich; sie ging, und brachte den glänzenden Jüngling
Mir in das Haus, den Delphis. So wie ich ihn aber mit Augen
Sah, wie er leichten Fußes herein sich schwang zu der Thüre,
(Sieh', o Göttin Selene, woher mir die Liebe gekommen!)   105
Ganz kalt ward ich mit Eins, wie der Schnee, mir troff von der Stirne
Angstvoll nieder der Schweiß, wie rieselnder Thau in der Frühe;
Kein Wort bracht' ich hervor, auch nicht so viel als im Schlafe
Wimmernden Laut aufstöhnen zur lieben Mutter die Kindlein;
Starr wie ein wächsernes Bild war rings der blühende Leib mir.   110
    Sieh', o Göttin Selene, woher mir die Liebe gekommen!
Als der Verräther mich sah, da schlug er die Augen zur Erde,
Sezte sich hin auf das Lager, und sitzend begann er zu sprechen:
»Daß du jezt in dein Haus mich geladen, noch eh' ich von selber
Kam, da bist du so sehr mir zuvorgekommen, Simätha,   115
Als ich neulich im Lauf dem schönen Philinos zuvorkam.«
    Sieh', o Göttin Selene, woher mir die Liebe gekommen!
»Ja, beim lieblichen Eros, ich wär', ich wäre gekommen,
Samt drei Freunden bis vier, in der Dämmerung, liebenden Herzens;
Tragend die goldenen Äpfel des Dionysos im Busen,   120
Und die Haare bekränzt mit Herakles' heiliger Pappel,
Ringsumher durchflochten mit purpurfarbigen Bändern.«
    Sieh', o Göttin Selene, woher mir die Liebe gekommen!
»Ward ich dann freundlich empfangen, was konnte mich glücklicher machen?
Unter den Jünglingen allen da heiß' ich der schöne, der leichte,   125
Doch mich hätte befriedigt ein Kuß von dem reizenden Munde.
Aber hättet ihr Delphis verstoßen, die Thüre verriegelt,
Sicherlich wären dann Äxte bei euch und Fackeln erschienen.«
    Sieh', o Göttin Selene, woher mir die Liebe gekommen!
»Jetzo gebühret zuerst mein Dank der erhabenen Kypris,   130
Und nächst dieser hast du mich, o Mädchen, den Flammen entrissen,
Wie du den halbverbrannten in dieß dein Kämmerchen riefest;
Ach, denn Eros weiß ja fürwahr oft wildere Gluthen
Anzufachen, als selber der Liparäer Hephästos.«
    Sieh', o Göttin Selene, woher mir die Liebe gekommen!   135
»Jungfrau treibt er, ein wüthender Dämon, aus einsamer Zelle,

Frauen empor aus dem Bett, das vom Schlummer des Gatten noch warm ist!«

Also sagte der Jüngling, und ich Schnellgläubige faßt' ihm

Leise die Hand und beugt' ihn herab zum schwellenden Polster.

140 Bald ward Leib an Leib wie in Wonne gelös't, und das Antlitz

Glühete mehr denn zuvor, und wir flüsterten hold miteinander.

Daß ich nicht zu lange dir plaudere, liebe Selene:

Siehe, geschehn war die That, und wir stilleten beide die Sehnsucht.

Ach, kein Vorwurf hat mich von ihm, bis neulich, betrübet,

145 Ihn auch keiner von mir; nun kam zu Besuch mir die Mutter

Meiner Philista, der Flötenspielerin, und der Melixo,

Heute, wie eben am Himmel herauf sich schwangen die Rosse,

Aus dem Okeanos führend die rosenarmige Eos;

Und sie erzählte mir Vieles, auch daß mein Delphis verliebt sey.

150 Ob ein Mädchen ihn aber gefesselt, oder ein Jüngling,

Wußte sie nicht; nur, daß er mit lauterem Wein sich den Becher

Immer für Eros gefüllt, daß er endlich in Eile gegangen,

Daß er gesagt, er wolle das Haus dort schmücken mit Kränzen.

Dieses hat mir die Freundin vertraut, und die Freundin ist wahrhaft.

155 Dreimal kam er vordem, und viermal, mich zu besuchen,

Sezte, wie oft! bei mir, die Dorische Flasche mit Öl hin:

Und zwölf Tage nun sind's, seitdem ich ihn gar nicht gesehen!

Hat er nicht anderswo sicher was Liebes und denkt an mich gar nicht?

Jetzo mit Liebeszauber beschwör' ich ihn. Aber wofern er

160 Länger mich kränkt: bei den Mören! an Aïdes' Thor soll er klopfen!

Solch ein tödtliches Gift bewahr' ich für ihn in dem Kästchen;

Ein Assyrischer Fremdling, o Herrscherin, lehrt' es mich mischen.

    Lebe nun wohl, und hinab zum Okeanos lenke die Rosse,

Himmlische! meinen Kummer, den werd' ich fürder noch tragen.

165 Schimmernde Göttin, gehabe dich wohl! Gehabt euch ihr andern

Stern' auch wohl, die der ruhigen Nacht den Wagen begleiten.

VIII

DIE SPINDEL

O Spindel, Wollefreundin du, Geschenk
Athene's, mit den blauen Augen, du,
Nach welcher jede wackre Hausfrau stets
Herzlich verlanget, komm getrost mit mir
Zu Neleus' glanzerfüllter Stadt, allwo 5
Aus zartem Schilfgrün Kypris' Tempel steigt.
Dorthin erbitten wir von Vater Zeus
Uns schönen Fahrwind, daß ich bald des Freunds
Von Angesicht mich freuen möge, selbst
Auch ein willkommner Gast dem Nikias, 10
Den sich die Chariten zum Sohn geweiht,
Die lieblichredenden. Dann leg' ich ihr,
Der Gattin meines Wirthes, in die Hand
Zur Gabe dich, aus hartem Elfenbein
Mit Fleiß geglättete. Wohl künftighin 15
Vollendest du mit ihr manch schön Gespinnst
Zu männlichen Festkleidungen, auch viel
Meerfarb'ne zarte Hüllen, wie die Frau'n
Sie tragen. Zweimal müssen wohl im Jahr
Der Lämmer fromme Mütter auf der Au 20
Zur Schur die weichen Vließe bringen, sonst
Hat unsre nettfüßige Theugenis,
Die emsige, nicht Wolle gnug; sie liebt
Was kluge Frauen lieben. In ein Haus,
Wo sorglos gern die Hände ruh'n, hätt' ich 25
Dich nimmermehr gebracht, o Landsmännin.
Dein Heimathort ist jene Stadt, die einst
Der Ephyräer Archias erbaut,

Das Mark Trinakria's, der Edlen Sitz.
30 Nun kommst du hin in jenes Mannes Haus,
Deß' Kunst so manches schöne Mittel weiß,
Das von den Menschen böse Krankheit scheucht.
Im lieblichen Miletos wohnst du dann,
Im Kreis der Jonier: daß Theugenis
35 Vor allen Weibchen dort Besitzerin
Der schönsten Spindel nun gepriesen sey,
Und daß du stets der Lieben ihren Gast,
Den Liederdichter, in's Gedächtniß rufst.
Denn Manche, die dich siehet, sagt gewiß:
40 »Wie hoch sie doch die kleine Gabe hält!
So werth ist Alles, was von Freunden kommt.«

IX

LIEBESKLAGE

Im Wein ist Wahrheit, sagt man, lieber Knabe:
Drum laß auch uns im Rausche wahrhaft seyn!
Ich will dir jezt, was im geheimsten Winkel
Der Seele mir verborgen lag, entdecken.
Nie hast du mir so recht aus Herzens Grund   5
Die Lieb' erwidert; lange weiß ich das:
Denn sieh, des Lebens Hälfte, so noch mein,
Nährt sich und lebt allein von deinem Bilde,
Das Andre ist dahin. Wenn dir's gefällt,
So leb' ich einen Tag der Seligen: 10
Gefällt dir's nicht, im Finstern bleib' ich dann.
Wie ziemt sich das, den Liebenden zu quälen?
Doch gibst du mir, der Jüngere dem Ältern,
Gehör, so wirst du selbst es besser haben,
Und wirst mich loben noch: – O baue dir   15
Ein vestes Nest einmal auf Einem Baume,
Wohin kein böses Raubgewürme schleicht!
Nun aber reizt dich heute dieser Zweig,
Und morgen jener; immer flatterst du
Von einem so zum andern fort. Es darf   20
Nur Jemand, der dich sieht, dein schön Gesicht
Dir loben, und du bist alsbald mit ihm
Vertraut gleich einem Freund von dreien Jahren
Und mehr fürwahr. Wer dich zuvor geliebt
Erhält die dritte Stelle. Ja, es scheint,   25
Dir stehet nach der Großen Gunst der Sinn.
Doch wähle du, so lang du lebst, nur stets
Den Gleichen. Thust du dieß, wirst du dem Volk

Ein Wackrer heißen, Eros auch wird dir
30 Kein Leides bringen, welcher ja so leicht
Der Männer Herzen sich in Fesseln schlägt,
Und mich, der Eisen war, zum Kind erweichte.
Ach, immer noch, an deinen Rosenmund
Mich drückend, vest umwunden halt' ich dich!
35   Gedenk', o denke, noch im vor'gen Jahr
Warst du ein Jüngerer! – wir altern, eh'
Wir umgeblickt, und Falten zeigt die Stirn.
Die Jugend aber holt man nicht zurück:
Denn an den Schultern trägt sie Fittige;
40 Zu langsam, traun, sind wir für solche Flucht.
Dieses bedenkend, werde milder nun,
Und gib die treue Liebe mir zurück,
Damit, wenn einst dein Kinn sich männlich lockt,
Wir doch noch, ein Achillisch Freundespaar,
45 Zusammenstehn. – Doch gibst du meinen Rath
Zum Raub den Winden hin, und denkst bei dir:
»Was plagt er mich, der Unausstehliche?«
So werd' ich, – ging ich gleich um deinetwillen
Zur goldnen Frucht der Hesperiden jezt,
50 Zu Kerberos, der Todten Wächter, hin, –
Gewiß alsdann, und wenn du selbst mich rufst,
Den Fuß nicht rühren. Weg ist dann gewiß
Der Liebe Sehnsucht, die mich so gequält.

X

BRAUTLIED DER HELENA

Einst im Königspalast Menelaos' des blonden zu Sparta
Schwangen sich Mädchen im Tanz vor der neuverziereten Kammer,
Mit Hyakinthosblüthen umkränzt die lockigen Haare,
Zwölfe, die ersten der Stadt, ein Stolz der Lakonischen Jungfraun,
Als in dem Brautgemach, mit Tyndáreos' reizender Tochter   5
Helena, nun sich verschloß des Atreus jüngerer Sprößling.
Fröhlich im Einklang sangen sie all', und es stampften die Füße
Rasch durcheinandergemischt, daß die Burg laut hallte vom Brautlied.
    »Trautester Bräutigam, wie? so früh schon bist du entschlummert?
Ist der Schlaf dir so lieb? und sind dir die Kniee so müde?   10
Oder auch trankst du zu viel, daß du nun auf's Lager dich hinwarfst?
Aber um zeitig zu ruhn, da konntest du wahrlich allein gehn,
Und bei der zärtlichen Mutter das Kind noch wohl mit den Kindern
Spielen lassen bis dämmert der Tag: denn morgen und über-
Morgen und Jahr für Jahr ist dein, Menelaos, die Braut nun.   15
Glücklicher Mann, ja gewiß dir nies'te zu gutem Vollbringen,
Als du gen Sparta kamst, dem Lande der Helden, ein Edler.
Du von allen Heroen allein wirst Eidam Kronion's;
Dir nur gesellt Zeus' Tochter sich unter dem selbigen Teppich.
Schön wie diese betritt kein Weib den Achaiischen Boden.   20
Herrliches wahrlich gebiert sie dir einst, wenn der Mutter es gleichet.
Viermal sechszig Mädchen sind unser, die weibliche Jugend,
All' an Jahren uns gleich, und geübt auf einerlei Rennbahn
Alle, nach Jünglingsweise gesalbt am kühlen Eurotas:
Aber untadelich wäre, verglichen mit Helena, keine.   25
Wie der göttlichen Nacht die strahlende Eos ihr schönes
Antlitz enthüllt, der lachende Lenz dem scheidenden Winter:
So erglänzten vor uns der goldigen Helena Reize.

Wie die schlanke Cypresse dem üppigen Felde zur Zierde,
30 Oder dem Garten prangt, und ein Thessaler-Roß an dem Wagen,
So prangt' Helena auch, die rosige Zier Lakedämon's.
Keine verwahret so feingesponnene Knäuel im Korbe,
Keine noch wob im künstlichen Stuhl mit dem Schiffchen ein dichter
Zeug, und schnitt das Gewebe vom langen Baume herunter,
35 Keine versteht so lieblich die klingende Cither zu rühren,
Singend der Artemis Lob und der männlichgerüsteten Pallas,
Als, o Helena du, die nur Anmuth blicket und Liebreiz.
O holdseliges Kind, du wärest zur Frau nun geworden?
Aber wir, wir werden nach Blumen der Wiesen im Frühthau
40 Traurig schleichen, uns dort süßduftende Kränze zu winden;
Deiner gedenken wir dann, o Helena, wie nach den Brüsten
Ihrer Mutter mit Schmerzen die saugenden Lämmlein verlangen.
Draußen flechten wir dir aus niederem Lotos den ersten
Kranz, und hängen ihn auf an der schattenreichen Platane,
45 Nehmen aus silberner Flasche für dich der lieblichen Narde
Erstlingstropfen, und träufeln sie aus am Fuß der Platane;
Und, in die Rinde geschnitten zur Inschrift, möge der Wandrer
Lesen das Dorische Wort: ›Gib Ehre mir, Helena's Baume!‹

Heil dir, o Braut! Heil dir, Eidam des erhabenen Vaters!
50 Leto, sie geb' euch, Leto, die Pflegerin, Segen der Kinder;
Kypris, die göttliche Kypris, euch gleich zu lieben einander;
Zeus dann, Zeus der Kronide, verleih' unvergänglichen Reichthum,
Den ein edel Geschlecht auf edle Geschlechter vererbe!
Schlaft, euch Lieb' einathmend in's Herz und süßes Verlangen!
55 Schlaft! doch auch zu erwachen am Morgenschimmer vergeßt nicht!
Wir auch kommen zurück, wann der tagankündende Sänger,
Wach aus der Ruh, aufkräht, schönfiederig wölbend den Nacken.
Hymen, o Hymenäos, du freue dich dieser Vermählung!«

XI

HERAKLES ALS KIND

Ihren Herakles legt' Alkmene, Midea's Fürstin,
Ihr zehnmonatlich Kind, mit Iphikles, – jünger um Eine
Nacht nur, – beide gesättigt von ihr mit Milch und gebadet,
Einst auf den ehernen Schild, die herrliche Waffe, die ehmals,
Da Pterelaos fiel, dem Amphitryon wurde zur Beute. 5
Leise den Knaben das Haupt anrührend, flüstert die Mutter:
»Schlaft mir, Kinderchen, süß, o schlaft den erquickenden Schlummer!
Schlaft, Herzlieben, ihr Brüder, ihr kräftig blühenden Kinder,
Schlummert in Ruhe nun ein, und erreicht in Ruhe das Frühlicht!«
Sprach's, und wiegte den Schild, den gewaltigen; und sie entschliefen. 10
Aber zu Mitten der Nacht, wenn sich westwärts neiget die Bärin,
Gegen Orion hin, der die mächtige Schulter nur sehn läßt,
Siehe, da wälzten auf Hera's Geheiß, der listigen Göttin,
Zwei erschreckliche Drachen, in blaulichen Kreisen sich windend,
Gegen die Schwelle sich her und die hohlen Pfosten des Eingangs, 15
Ungeheuer; sie sollten den kleinen Herakles erwürgen.
Beide, sich lang ausrollend mit blutgeschwollenen Bäuchen,
Schlängelten über das Estrich, und höllisches Feuer entblizte,
Wie sie kamen, den Augen, sie spien scheuseliges Gift aus.
Als sie den Knaben nunmehr mit züngelndem Maule genahet, 20
Plötzlich, geweckt durch Zeus, den allwissenden, wachten die holden
Kinder Alkmene's auf, und Glanz durchstrahlte die Wohnung.
Aber Iphikles schrie, wie er schaute die gräßlichen Thiere,
Auf dem gehöhleten Schild, und die graunvoll nahenden Zähne,
Schrie, und zurück mit der Ferse die wollige Decke sich stampfend, 25
Zappelt' er, als zu entfliehn. Doch es strebt' entgegen Herakles,
Faßt' in die Hände die zween, und also in engender Fessel
Zwang er sie, hart an der Gurgel gedrückt, wo die schrecklichen Schlangen

Tragen ihr tödtendes Gift, das selber den Göttern verhaßt ist.
30 Jezt in gewaltigen Ringen umwanden sie beide den Säugling,
Welchen mit Schmerzen die Mutter gebar, der nie nach ihr weinte;
Doch sie ließen ihn bald, erschlafft um die Wirbel des Rückgrats,
Und arbeiteten nur, der zwängenden Faust zu entschlüpfen.
    Aber Alkmene vernahm das Geschrei und erwachte die erste.
35 »Auf, Amphitryon, geh! mich hält der betäubende Schrecken!
Geh doch, binde nicht erst die Sohlen dir unter die Füße!
Hörst du die Kinder denn nicht, wie laut der jüngere schreiet?
Siehest du nicht, wie tief in der Nacht die Wände des Hauses
Hell sind alle von Glanz, eh' noch Frühröthe sie anstrahlt?
40 Wahrlich im Hause geschieht was Besonderes, wahrlich, Geliebter!«
    Also sprach sie; dem Lager entsprang ihr Gatte gehorchend,
Faßte sogleich empor nach dem künstlichen Schwerte, das immer
Über dem Lagergestell am cedernen Nagel ihm dahing,
Mit der Einen ergriff er das neugewirkte Gehenke,
45 Und in der anderen hob er die herrliche Scheide von Lotos;
Aber es füllte sich wieder die räumige Halle mit Dunkel.
Und nun rief er die Knechte, die schwer aufstöhnten vom Schlafe.
»Auf, ihr Diener! und bringet mir Licht! holt Feuer vom Herde!
Eilt, was ihr könnt! und stoßt von der Pforte die mächtigen Riegel!
50 Auf, ihr wackeren Leute, erhebet euch!« Also gebot er.
Und es erschienen alsbald mit flammenden Bränden die Knechte,
Wirres Gedräng' erfüllte den Saal, wie jeglicher eilte.
Aber da sie nunmehr den kleinen Herakles erblickten,
Wie er die zwei Unthiere so vest in den Händen gedrückt hielt,
55 Laut aufschrieen sie alle; doch selbiger zeigte dem Vater
Seine Schlangen nun hin, und hoch vor kindischer Freude
Hüpft' er empor, und streckte die scheußlichen Drachen, in tiefen
Todesschlummer versenkt, Amphitryon lachend zu Füßen.
Aber es legt' Alkmene sofort an den tröstlichen Busen
60 Ihren von tobender Angst schon halbentseelten Iphikles.
Über den anderen legte die wollige Decke der Vater,
Ging dann wieder zu Bett und gedacht' aufs Neue des Schlummers.
    Als zum Dritten die Hähne gekräht den dämmernden Morgen,
Ließ den Teiresias schnell, den wahrheitredenden Seher,

Zu sich rufen die Fürstin und sagt' ihm das nächtige Wunder 65
An, und begehrte von ihm, wie das endigen würde, zu wissen.
– »Scheue dich nicht; auch wenn mir Böses bereiten die Götter,
Dennoch verhehle mir's nicht! Es vermögen die Menschen ja nimmer
Dem zu entgehn, was die Möre mit rollender Spindel beschleunigt.
Doch, Euereus' Sohn, was will ich den Weisen belehren?« 70
    Also sagte die Fürstin; und drauf antwortete jener:
»Muthig, o Perseus' Blut, du glücklichste unter den Müttern!
Ja, bei dem lieblichen Licht, das lange mein Auge verlassen:
Manche Achaierin, wenn sie das zarte Gespinnst um die Kniee
Zwischen den Fingern dreht am Abende, wird von Alkmenen 75
Singen einmal! dich werden die Töchter von Argos noch feiern!
Solch ein Mann wird dieser dein Sohn, den sternigen Himmel
Wird er ersteigen dereinst, ein breitgebrüsteter Heros.
Keines der Ungethüme besteht ihn, keiner der Männer;
Zwölf Arbeiten vollbringt er und wohnet darnach bei Kronion; 80
Aber sein Sterbliches alles verzehrt der Trachinische Holzstoß.
Eidam nennen ihn dann die Unsterblichen, welche, den Knaben
Jezt zu würgen, hervor aus der Höhle die Drachen gesendet.
Einst wird kommen der Tag, da der Wolf mit schneidenden Zähnen
Sieht im Lager das Junge des Hirschs und nimmer es kränket. 85
Aber, o Königin, laß in der Asche dir Feuer bereit seyn,
Schafft dann trockenes Holz vom Aspalathos oder vom Stechdorn,
Brombeern, oder im Winde gewirbeltes Reisig der Waldbirn,
Dann verbrenn' auf dem wildernden Haufen du beide die Drachen,
Mitternachts, da sie selber den Sohn dir zu morden getrachtet. 90
Früh dann sammle der Sklavinnen eine die Asche des Feuers,
Trage sie über den Strom, und werfe sie alle behutsam
Vom vorstarrenden Fels gränzüber, und gehe zurück dann,
Ohne zu wenden den Blick. Mit lauterem Schwefel durchräuchert
Erst das Haus, dann sprenget mit grünendem Zweige bekränztes 95
Reines Wasser, mit Salze gemischt, nach der Weise der Sühnung.
Zeus dann werde, dem hocherhabnen, ein Eber geopfert,
Daß stets über den Feinden auch hocherhaben ihr stehn mögt.«
    Sprach's, und hinweg sich wendend vom elfenbeinernen Sessel
Ging Teiresias heim, achtlos schwerlastenden Alters. 100

XII

HYLAS

Uns ward nimmer allein, wie wir wähneten, Eros geboren,
Nikias, wer von den Himmlischen auch den Knaben gezeugt hat.
Nicht wir haben zuerst was schön ist, schön auch geachtet,
Die wir Sterbliche sind, und kaum bis morgen voraussehn:
5 Sondern der Sohn Amphitryon's selbst, mit dem ehernen Herzen,
Welcher den wüthenden Löwen bestand, er liebte den Knaben
Hylas, den anmuthsvollen, mit schöngeringeltem Haupthaar.
Alles auch lehret' er ihn, wie den Sohn ein liebender Vater,
Was ihn selber zum Helden gemacht, so edel und ruhmvoll.
10 Niemals wich er von ihm, nicht wann hoch strahlte der Mittag,
Nicht wann Eos mit weißem Gespann Zeus' Himmel hinanfuhr,
Noch wann wieder ihr Nest sich suchen die piependen Küchlein,
Während auf rußiger Latte die Fittige schwinget die Mutter:
Also, daß er sich ganz nach dem Herzen erzöge den Knaben,
15 Dieser, geradhin furchend, dereinst ein trefflicher Mann sey.
Als nach dem goldenen Vließe nunmehr aussteuert' Iason,
Äson's Erzeugter, und ihm die edelsten Jünglinge folgten,
Auserlesen aus jeglicher Stadt, die Tapfersten alle:
Kam auch der Mühenerfahrne zur seligen Stadt Iaolkos,
20 Er, der Alkmene Sohn, der Mideatischen Heldin;
Auch trat Hylas zugleich in die wohlgezimmerte Argo:
Welches Schiff unberührt von der prallenden Klippen Gewalt blieb;
Stürmend durchflog's, hineilend zum tiefausströmenden Phasis,
Schnell wie ein Aar, das Gestrudel; und seitdem standen die Felsen.
25 Als nun das Siebengestirn sich erhob, und am Saume des Angers
Weidete schon das zärtliche Lamm, nach gewendetem Frühling,
Jetzo gedachte der Fahrt die göttliche Blüthe der Helden.
Alle gereiht auf die Bänke der räumigen Argo, erblickten

Bald sie den Hellespont; drei Tage schon wehte der Südwind;
Kamen sodann zur Propontis, und landeten, wo den Kianern   30
Breit das Gefild auffurchen die Stier, abreibend die Pflugschaar.
Dort an dem Strand aussteigend, beschickten sie emsig die Nachtkost,
Paar und Paar; auch häuften sich Viel' Ein Lager gemeinsam,
Denn zu den Polstern verhalf die nahegelegene Wiese,
Wo man Butomosblätter sich schnitt und wuchernden Galgant.   35
Jezt ging Hylas, der blonde, das Wasser zum Mahle zu holen,
Für den Herakles selbst, und den muthigen Telamon (beide
Pflegten am selbigen Tisch als traute Genossen zu sitzen).
Tragend den ehernen Krug erspähete jener am Abhang
Einen Quell, und es sprosseten ringsum Binsen in Menge,   40
Grünender Adiant und dunkelfarbiges Schöllkraut,
Üppiger Epheu auch und weithin wuchernde Quecken;
Doch in der Mitte des Borns da tanzeten Nymphen den Chorreihn,
Nymphen sonder Ruh, gefürchtete Wesen dem Landmann,
Malis, Eunika war's und die frühlingshafte Nycheia.   45
Und schon neigte der Knabe zur Fluth den geräumigen Eimer,
Eilig ihn niederzutauchen: da hingen sie all' an der Hand ihm:
Allen ergriff die zärtliche Brust ein Liebesverlangen
Nach dem Argeiischen Knaben; er glitt in das dunkele Wasser,
Jähen Falls: wie wenn funkelnd ein Stern abgleitet vom Himmel   50
Jähen Falls in das Meer, und es sagt ein Schiffer zum andern:
»Loser die Segel gemacht, ihr Ruderer: nah ist der Fahrwind!«
Aber es saßen die Nymphen und hielten den weinenden Knaben
Dort auf dem Schoos, und sprachen ihm zu mit kosenden Worten.
Doch Amphitryon's Sohn, voll stürmischer Sorg' um den Liebling,   55
Ging, nach Mäotischer Art, mit dem wohlgekrümmeten Bogen
Und mit der Keule bewehrt, die er stets in der Rechten gefaßt hielt.
Dreimal ruft' er Hylas mit tiefaushallender Kehle,
Dreimal hört' ihn der Knab', und es kam aus dem Wasser empor ein
Leises Stimmchen; so nah' er auch war, so schien er entfernt doch.   60
Wie wenn ein bärtiger Löwe von fern hertönen gehöret
Einer Hindin Geschrei, ein reißender Löw' im Gebirge,
Und von dem Lager in Hast zum bereiteten Schmause sich aufrafft:
Also stürzte der Held durch wildverwachsene Dornen,

65 Sehnsuchtsvoll nach dem Knaben, und irrete weit in die Gegend.

Unglückselig wer liebt! Was litt er nicht alles für Schmerzen,

Schweifend durch Wald und Gebirg! Ihn kümmert' Iason nicht weiter!

    Hoch in dem wartenden Schiff der Versammelten schwebte die Rah' nun,

Und die Jünglinge fegten bis Mitternacht das Getäfel,

70 Stets den Herakles erwartend: doch wild, wie der Fuß ihn umhertrug,

Stürmt' er in Wuth; schwer hatte der Gott sein Herz ihm verwundet.

So wird Hylas, der schöne, gezählt zu den seligen Göttern.

Aber Herakles schalten »den Schiffentlaufnen« die Helden,

Weil er die Argo verließ, die mit dreißig Rudern daherfuhr;

75 Kolchis erreicht' er zu Fuß und den Strom des unwirthlichen Phasis.

XIII

DER TODTE ADONIS

Als Kypris den Adonis
Nun todt sah vor sich liegen,
Mit wildverworrnen Locken,
Und mit erblaßter Wange:
Den Eber ihr zu bringen   5
Befahl sie den Eroten.
Sie liefen gleich geflügelt
Umher im ganzen Walde,
Und fanden den Verbrecher,
Und banden ihn mit Fesseln.   10
Der eine zog am Seile
Gebunden den Gefangnen,
Der andre trieb von hinten,
Und schlug ihn mit dem Bogen.
Des Thieres Gang war traurig,   15
Es fürchtete Kytheren.
    Nun sprach zu ihm die Göttin:
»Du böses Thier, du Unthier!
Du schlugst in diese Hüfte?
Mir raubtest du den Gatten?«   20
    Der Eber sprach dagegen:
»Ich schwöre dir, Kythere,
Bei dir, bei deinem Gatten,
Bei diesen meinen Fesseln,
Und hier bei diesen Jägern: 25
Ich wollte deinen schönen
Geliebten nicht verletzen,
Ich nahm ihn für ein Bildniß;

Voll brünstigen Verlangens
30 Stürmt' ich hinan, zu küssen
Des Jägers nackte Hüfte,
Da traf ihn, weh'! mein Hauer.
Hier nimm sie denn, o Kypris,
Reiß mir sie aus zur Strafe!
35 Was soll mir das Gezeuge,
Die buhlerischen Zähne!
Wenn das dir nicht genug ist,
Nimm hier auch meine Lippen,
Die sich den Kuß erfrechten!«
40 Das jammert' Aphroditen;
Sie hieß die Liebesgötter
Ihm lösen seine Bande.

Er folgte nun der Göttin
Und ging zum Wald nicht wieder;
45 Und selbst ans Feuer laufend
Verbrannt' er seine Liebe.

ANMERKUNGEN

I

Dieß Gedicht ist dem Lobe Hiëro's, Königs von Syrakus, gewidmet, und zur Zeit des ersten (im Jahr 264 vor Chr. begonnenen) Punischen (Karthagischen) Krieges geschrieben, nachdem sich Hiëro mit den Römern verbündet. Die *Chariten* (Grazien) sind hier die personificirten Reize der Dichtkunst.

V. 1. *Töchter des Zeus*, die Musen.

V. 18. Das Sprüchwort heißt im Griechischen: »das Schienbein liegt mir ferner als das Knie«.

V. 34–39. Der Reichthum dieser Fürsten wird durch die Menge ihrer Leib-eigenen angedeutet. Die *Aleuaden* und *Skopaden*, zwei verwandte Fürstengeschlech-ter in Thessalien; jene zu Larissa, diese zu *Kranon*. Skopas, Stammvater der leztern, war ein Sohn *Kreon's*.

V. 41. Der *Greis* ist Charon.

V. 44–46. Simonides, von der Insel *Keos* (Ceos im Ägäischen M.), ward von den Großen, die in den Wettspielen den Preis davon getragen, zu Dichtung der Sie-geshymnen immer sehr lebhaft in Anspruch genommen. – Die Pferde, mit denen man gesiegt, wurden bekränzt.

V. 48–50. Diese Verse deuten auf die Iliade Homer's, so wie die folgenden sieben auf die Odysse. – Die Helden der *Lykier* (Volks in Kleinasien), der Bundes-genossen der Trojaner (s. im Anhang Troja), sind vorzüglich Sarpedon, Glaukus und Pandarus. – *Priamiden*, die Söhne des Trojanischen Königs Priamus, von denen Hektor und Paris die berühmtesten. – *Kyknos* (Cycnus), ein Sohn Neptuns, und von sehr zarter Schönheit, war im Heere der Trojaner und wurde von Achilles erlegt. – *Odysseus*, s. im Anhang Ulysses. – Der Kyklop ist der bekannte Polyphem; s. im Anh. Cyklop. – *Eumäos* und *Philötios*, die treuen Hirten des Ulysses, mit deren Hülfe er sich bei seiner Heimkehr nach Ithaka der herrischen Freier Penelope's entledigte. – *Laertes*, Vater des Ulysses.

V. 57. Homer ist in Ionien geboren.

V. 62. Die dem *Ziegel* eigene trübe Farbe wird durch Waschen im Wasser nicht gebessert.

V. 67. *Mäuler*, Maulthiere.

V. 74. *Aias* (Ajax), Sohn Telamon's, Königs der Insel Salamis, nächst Achilles der tapferste der Griechischen Helden im Trojanischen Krieg.

V. 75. *Simoïs*, Fluß bei Troja. – *Ilos*, Sohn und Nachfolger des Königs Tros, Er-bauers von Troja in Phrygien; sein Grabmal stand vor der Stadt.

V. 76. *Phöniker*; die, aus Phönicien stammenden, Karthaginenser wohnten für die Syrakusaner abendwärts in *Libyen*, Afrika (s. Anh. Alte Weltk.).

V. 82. Die *Tochter* ist Proserpina, die mit ihrer Mutter Ceres auf Sicilien und besonders auch zu Syrakus vorzüglich verehrt wurde.

V. 83. *Ephyra* ist der alte Name von Korinth, und Syrakus war eine Korinthische Colonie.

V. 84. *Lysimeleia*, ein See bei Syrakus.

V. 86. *Sardonisch*, Sardinisch.

V. 93. Der *Wanderer* eilt, da ihm das Eintreiben des zahlreichen Viehs von allen Seiten den Abend verkündigt.

V. 99. Das *Skythische*, das schwarze Meer, um das ein Theil der Scythen wohnte (s. Alte Weltk.).

V. 100. Die Assyrische Königin *Semiramis* ließ die Mauern Babylons von gebrannten, mit Asphalt (Erdharz) verbundenen Steinen erbauen. Sie waren 200 Ellen hoch und so breit, daß sechs Wagen neben einander darauf fahren konnten.

V. 102. *Arethusa*, die berühmte Quelle (auf dem mit Syrakus verbundenen Inselchen Ortygia), deren gleichnamige Nymphe zur Muse des Hirtenlieds wurde.

V. 104. *Eteokles*, König von *Orchomenos* in Böotien, einem Hauptsitze des Volksstamms der *Minyer*, stiftete den Dienst der Grazien, als dreier Göttinnen. Orchomenos war den Thebanern verhaßt, weil ein Orchomenischer König, Erginus, um den Tod seines von den Thebanern erschlagenen Vaters zu rächen, Theben eroberte und zinsbar machte. Erst Herkules befreite Theben durch Besiegung der Orchomenier von diesem Tribute.

II

V. 1. *Nikias*, ein Arzt in Milet, einer bedeutenden Stadt Ioniens, ein Kenner der Wissenschaften und Freund unseres Dichters.

V. 7–8. *Kyklop* und *Galateia*; s. im Anh. Cyklop.

V. 10. Mit Blumen, Locken und vorzüglich mit Äpfeln, welche der Venus heilig waren, beschenkten sich die Liebenden.

V. 26. Seine *Mutter* war die Nymphe Thoosa. – *Hyakinthen*; s. Hom. Hymn. IV, 7 Anm.

V. 27. *Gebirg*, die Gegend des Ätna.

V. 38. *Syringe*, die vielröhrige Hirtenflöte; s. im Anh. Pan.

V. 40. *Hindin*, Hirschweibchen.

V. 57. *Mohnblätter* auf der Hand oder dem Arm zu zerknallen war eine Probe der Zuneigung des geliebten Gegenstands.

V. 70. Ich will eine schwere Krankheit vorgeben.

III

V. 1. *Diophantos* ist ein Freund des Dichters.

V. 18. Man muß sich die Hütte der Fischer auf einer kleinen Insel oder Halbinsel in der Nähe von Syrakus denken.

V. 36. *Prytaneion* (Prytaneum). Prytaneen waren in mehreren Griechischen Städten öffentliche Gebäude, wo theils gewisse Gerichtshöfe sich versammelten, theils verdiente Männer auf Staatskosten gespeist wurden. Ebendaselbst brannte im Tempel der Vesta ein immerwährendes Feuer. Der Sinn der Stelle ist: Wir armen Fischer haben kein *Licht*, wie dort drüben das Prytaneum, welches so viele Einkünfte hat, daß es nie verlöschende Leuchten unterhalten kann.

V. 55. *Blaulich*, vom Gewande oder dem meerfarbenen Haupthaar und den Augen zu verstehen.

V. 65. Wenn du indessen den Einfall haben solltest, in jenen Gegenden, von denen dir träumte, wachend nachzusuchen, so warte ja nicht auf goldene Fische; suche dir *fleischerne*; denn nur auf diese allein konnte dein Traum dir Hoffnung machen. – Übrigens ist dieß eine der strittigen Stellen dieses Stücks.

IV

Die Scene ist in Syrakus.

V. 4. Er hatte die Haare nicht mehr gepflegt und gesalbt.

V. 5–6. Die allzustrenge Lebensweise, die manche Schüler des Philosophen *Pythagoras* affectirten, machte diese Secte zum Theil lächerlich. – *Von Athen*; ein Seitenhieb auf die Athenienser, die den Syrakusanern verhaßt waren.

V. 12. Der *Argeier*, von Argos im Peloponnes. – *Thessalien*, Landschaft des nördlichen Griechenlands.

V. 15. *Biblinischer*, ein leichter, bei den Alten sehr beliebter, Thracischer Wein, der auch bei Syrakus gepflanzt wurde.

V. 18. Bekanntlich mischte man den Wein gewöhnlich mit Wasser: bei einem solchen Ehrentrunk aber blieb das Wasser weg.

V. 21. *Sie kein Wort.* Äschines, der ihre Gesundheit getrunken, erwartete, daß sie ihm Bescheid thun oder danken würde.

V. 22–24. Sprüchwörtlich sagte man von dem, welcher vor Schreck nicht sprechen konnte: »er hat den Wolf gesehn.« Hier liegt aber der Witz in dem Wortspiel mit dem Namen *Lykos*, welcher im Griechischen *Wolf* bedeutet.

V. 28. *Ich forschte* (damals) *nicht nach* und rührte mich nicht, wie ein rechter Kerl gethan hätte.

V. 30. Der obengenannte *Apis* aus *Larissa*, einer Thessalischen Stadt. – *Lied*; uneigentlich.

V. 43. Sprüchwörtlich von Jemand, der nicht wiederkehrt.

V. 46. Das Unterlassen des Scheerens war ein Zeichen der Trauer. Nicht einmal *Thracisch*, d. i. so schlecht wie möglich.

V. 49. *Megara*, Hauptstadt der kleinen Landschaft Megaris. Die Megarenser waren von den übrigen Griechen verachtet.

V. 59. Der Ägypt. König Ptolemäus II. (Philadelphus).

V

Zu Ehren des *Adonis* (s. im Anhang) wurden in Phönicien, Ägypten u.s.w., nicht weniger in Griechenland, jährliche Feste gefeiert, bei denen man sein Bild öffentlich ausstellte, oder in feierlichen Umzügen durch die Stadt trug, und dem-
selben in Flüssen oder im Meere die Wunde wusch, an der er gestorben. In unsrer Idylle wird ein solches Fest beschrieben, wie es die Königin Arsinoe zu Alexandria in Ägypten gab. – Die Scene des Gedichts ist V. 1 vor der Thüre von Praxinoa's Zimmer; V. 2 bis 44 im Zimmer derselben; V. 44 bis 78 auf den Straßen der Stadt und V. 79 bis zu Ende in der königlichen Burg. *Gorgo* und *Praxinoa* sind wohlha-
bende Bürgerfrauen aus Syrakus, die mit ihren Familien in Alexandria wohnen. *Eunoa* ist die Sklavin der Praxinoa.

V. 2. *Wirklich! du bist schon hier*; ironisch.

V. 6. *Stiefel*, für: Soldaten.

V. 15. *Wir sprechen* u.s.w.; man sagt ja aus Gewohnheit immer nur »neulich«, es mag länger oder kürzer her seyn.

V. 19. Der Werth einer *Drachme* schwankte im Kurs zwischen 26 und 24 kr.

V. 22. *König*, Ptolemäus II., der Bruder und Gemahl Arsinoe's I.

V. 26. *Stets hat der Müssige*; Sprüchw.: Wir haben's nicht so gut, wir müssen uns eilen.

V. 28. *Weich mögen die Katzen* u.s.w.; Eunoa wollte aus Bequemlichkeit das Wasserbecken mitten in die Stube setzen, statt es der Frau zu bringen.

V. 32. *Wie's den Göttern gefiel*, heißt ungefähr so viel als unser »so Gott will«.

V. 34. Praxinoa hat den Schlüssel unterdeß bekommen, und sich ein Kleid aus dem Kasten angezogen.

V. 36. Der Werth einer *Mine*, welche 100 Silberdrachmen galt, schwankte zwischen 43 und 40 fl.

V. 42. *Phrygia*, eine zweite Sklavin der Praxinoa.

V. 67. *Eutychis*, die Sklavin der Gorgo.

V. 88. Der alterthümliche Dorische Dialekt, in welchem Theokrit selber seine Gedichte schrieb, und welcher nur im Munde dieser Weiber so unlieblich für den Alexandriner klingen mochte, sezte oft ein a, wo der Attische und Ionische ein e hatte; z.B. Damater statt Demeter.

V. 91–93. Syrakus war eine *Korinthische* Colonie. – *Bellerophon* (s. im Anh.) war ein Korinthischer Königssohn. Die *Dorier*, vormals nördlich, hatten sich in den Auswanderungszeiten des größten Theils vom Peloponnes und auch Korinths bemächtigt.

V. 95. *Melitodes*, Beiname der Proserpina, welche die Weiber vorzüglich an-
zurufen pflegten. S. Theokr. I, 82 Anm. *Streich mir* u.s.w. Das Sprüchw. bezeichnet hier den Herrn, der seinen Sklavinnen ihr Mehl oder andere Nahrungsmittel zu-
messen will und haushälterisch das Maas *abstreicht*. Aber das Maas ist leer, das Abstreichen überflüssig, und läßt die betreffende Person ganz gleichgültig. Der

Sinn ist daher: ich fürchte mich nicht vor deiner Herrschaft, da sie nichtig ist und mich in nichts einschränken kann.

V. 98. *Sperchis* und *Bulis*, zwei Spartaner, hatten beschlossen, für ihr Vaterland sich dem Tode zu weihen, da die Götter, erzürnt, daß die Spartaner die Gesandten des Darius ermordet hatten, alle Opfer derselben verwarfen. Sie reis'ten nach Susa in Persien und boten dem Xerxes (Nachfolger des Darius) ihre Köpfe zur Genugthuung an; hierauf bezieht sich der erwähnte Trauergesang. Xerxes aber schickte sie mit Geschenken wieder in ihr Vaterland zurück.

V. 100–101. *Golgos*, Stadt auf Cypern mit einem der Venus heiligen Haine. *Idalion*, Stadt auf derselben Insel, wo Venus auf dem gleichnamigen Berge einen Tempel und Hain hatte. – *Eryx*, veste Stadt und Berg im nordwestlichen Sicilien mit einem berühmten Venustempel.

V. 102. S. im Anhang Adonis.

V. 107. *Berenika*, nämlich Berenice I., Gemahlin des Ptolemäus I., Mutter des Ptol. II. und der Arsinoe. (Diejenige Berenice, welche ihr schönes Lockenhaar als Dankopfer für die siegreiche Heimkehr ihres Gemahls in den Tempel der als Aphrodite vergötterten Arsinoe I. stiftete, und ihre Locke nachher durch die Schmeichelei des Astronomen Konon im Sternbilde des Löwen glänzen sah, war Berenice III., Gemahlin des Ptolem. III. (Euergetes), gehört also nicht hieher).

V. 118. *Geflügel*. Das Backwerk hatte die Form von Vögeln und anderen Thieren.

V. 124. Den Ganymedes.

V. 125–126. Ein Kaufmann aus *Milet* in Ionien oder der benachbarten Insel und Stadt *Samos*, wo man die schönsten wollenen Zeuge verfertigte, würde ihre Weichheit auf diese Art preisen.

V. 133. *In die Fluth*; s. die erste Anm.

V. 137–140. *Agamemnon*; s. im Anh. Troja. – *Ajax*, Telamon's Sohn, behauptete nach dem Achilles den ersten Rang unter den Griech. Helden vor Troja. – *Hektor*, Sohn des Königs Priamus und der Hekuba (Hekabe); s. Troja. – *Patroklos*, s. Troja. – *Pyrrhos*, des Achilles Sohn, zeichnete sich vorzüglich bei der Eroberung von Troja aus.

V. 141. Die *Lapithen*, ein Thessalisches Heldenvolk, besonders durch ihren Kampf mit den Centauren aus Veranlassung der Hochzeit des Lapithenkönigs Pirithous bekannt. – Unter den *Deukalionen* ist wahrscheinlich Deukalion selbst (s. im Anh.) mit seinen Söhnen Hellen und Amphiktyon zu verstehen.

V. 142. *Pelops*, Sohn des Lydischen Königs Tantalus, wanderte nach Griechenland aus, erwarb die Tochter des Önomaus, Königs von Pisa in Elis, Hippodamia, und gab durch seine Macht der Halbinsel den Namen Peloponnesus (Pelops Insel). Er ist der Vater des Atreus und Thyestes, der Großvater des Agamemnon und Menelaus. – Die *Pelasger* waren die ältesten Bewohner von *Argos* (so hieß anfänglich der ganze Peloponnes).

VI

V. 2. Aratos, ein Freund des Theokrit, wahrscheinlich der Dichter dieses Namens.

V. 6. Die beiden Hirten stellen, aus dem Stegreif singend, eine kleine Scene dar, worin Damötas die Rolle des *Polyphem* (s. im Anh. Cyklop) übernimmt, und wobei sie sich die Nymphe Galatea auf dem nahen Meere gegenwärtig denken.

V. 7. Geishirt; verächtlich, da er doch Schäfer ist.

V. 15. Sieh, wie verbuhlt sie tändelt; bereits ist sie von selbst in dich verliebt und koketirt. Das Bild von den Flocken des Distelbarts kann auch auf V. 17 bezogen werden, da sie in der That den Verfolgenden fliehen, dem Fliehenden nachgehn. Schon Homer, Odyss. V, 327, gebraucht sie als Gleichniß.

V. 18. Von der Linie u. s. w. Das Sprüchwort ist vom Griechischen Brettspiel entlehnt, welches fünf Linien hatte, deren mittlere, die heilige genannt, nicht durfte überschritten werden. Der Sinn: sie versucht das Äußerste.

V. 23. Telemos, ein unter den Cyklopen lebender Wahrsager, hatte dem Polyphem vorausgesagt, daß er durch den Ulysses (s. denselben im Anh.) um sein Auge kommen würde.

V. 27. Päan, Beiname Apollo's.

V. 33. Insel, Sicilien.

V. 38. Paros, Insel im Ägäischen Meer, durch ihren schönen Marmor berühmt.

V. 39. Das *Ausspucken* war ein gewöhnliches Mittel, daß einem kein böser Zauber schade. Hier ist es vielleicht mehr ein Zeichen des Abscheus und Mißfallens, wodurch man seine Freude über ein Glück zu verbergen suchte, um dem schädlichen Blick der Neider, oder auch der Rache der Götter zu entgehen, denen Selbstgefälligkeit verhaßt war.

V. 40. Kotyttaris, ist wohl nicht ein Name, sondern bedeutet eine Zauberin, vielmehr Priesterin der Kotytto oder Venus Pandemos (der gemeinen).

V. 41. Hippokoon, ein Bach.

V. 42–43. Die Flöte, d. h. Syringe, und die *Pfeife,* Schalmei, wurden bei Hirtengesängen zu Vor-, Zwischen- und Nachspiel gebraucht.

VII

Simätha, ein Mädchen, dem sein Liebhaber untreu geworden, sucht ihn durch Zaubermittel zu sich zurückzubringen, und erzählt die Entstehung ihrer Liebe. Die Scene muß im innern Hofe des Hauses unter offenem Himmel gedacht werden.

V. 1. Thestylis, die Sklavin der Simätha.

V. 2. Die purp. Blume des Schafes; purpurne Wolle. Bei gottesdienstlichen Handlungen wurden Priester, Opferthier und Altar mit heiligen Binden umwunden, und so hier der hölzerne *Becher,* woraus das Mädchen von dem Trank, den Zaubergottheiten zum Opfer, auf den Brandaltar gießen will. Die rothe Wolle aber hielt man für besonders wirksam bei Bezauberungen.

V. 8. *Palästra*, in den größeren Griechischen Städten der Ort, wo junge Leute im Ringen und andern Kampfarten sich übten; diese Schulen führten den Namen ihrer Stifter oder Vorsteher.

V. 10. *Selene* (die Mondgöttin) wird oft, wie Hekate, als Vorsteherin der nächtlichen Zaubereien und Giftmischereien gedacht.

V. 12. Man glaubte, daß Hunde die Gespenster und andere unheimliche Erscheinungen sehen.

V. 15. *Kirke* (Circe), die bekannte Zauberin (s. Ulysses im Anhang).

V. 16. *Perimede*, die Agamede bei Homer, der von ihr sagt, sie habe so viel Zauberkräuter gekannt, als die weite Erde trage. – *Medea* (Medea), s. Jason im Anh.

V. 17. *Kreisel*, im Griechischen: Iynx, wie zunächst die in den Vogel Wendehals verwandelte Tochter des Pan und der Echo, dann dieser Vogel selbst heißt. Man glaubte, in ihm liege eine besondere Kraft zur Liebe zu reizen, und band ihn oder seine Eingeweide zu diesem Zwecke häufig an eine Art von Rad oder Kreisel, der unter Zauberformeln umgedreht wurde.

V. 23–24. *Lorbeerreiser* wurden auch sonst bei Opfern verbrannt, wo ihr Geknatter guten Erfolg andeutete. – *Auf Delphis*, d. h. auf dem *wächsernen Bilde* desselben, das vorher in die Flamme gelegt wurde und V. 28 zerfließt.

V. 28. *Gottheit*; vielleicht Hekate.

V. 29. *Myndos*, Stadt Kariens in Kleinasien.

V. 30. *Umdreht*; zunächst durch das Mädchen selber, aber auch durch geheime Liebeskraft beflügelt.

V. 33–34. Die mit Hekate und Selene vermischte *Artemis* (Diana) hat auch im Schattenreich Gewalt. Der *eiserne* Mann ist der unerbittliche Pluto.

V. 35. Die *Hunde*; s. Anm. V. 12.

V. 36. Durch Töne von Erz wurden die Zaubergottheiten besänftigt.

V. 38. Alles *schweigt* und feiert die Ankunft der Göttin.

V. 45. *Theseus, Dia, Ariadne*, s. im Anh. Theseus.

V. 48. *Arkadien*, Landschaft im Peloponnes.

V. 51. *Schimmernd*; vom Öle, womit sich die Ringer salbten, hergenommenes Beiwort.

V. 54. Um ihn dadurch magisch herbeizuziehen.

V. 64. Thestylis ist weggeschickt.

V. 66. *Korbträgerin*; Mädchen, die sich verheiratheten, brachten einen heiligen bedeckten Korb in feierlicher Procession der Diana, damit die ewig jungfräuliche Göttin nicht auf sie zürnen sollte. Auch bei den Festen des Bacchus, der Ceres und Pallas zu Athen wurden geheimnißvolle Körbe mit den Heiligthümern dieser Gottheiten von auserwählten Mädchen getragen, welche daher Kanephoren hießen.

V. 70. *Thrakerin*; aus Thracien.

V. 73. *Byssos*, eine Art feiner Baumwolle.

V. 74. *Klearista*. Man pflegte zu Festen sich Kleidungsstücke bei reicheren Bekannten zu borgen.

144

V. 78. *Helichrysos*, eine unbekannte Blume.

V. 88. *Thapsos*, ein gelbfärbendes Holz oder Kraut.

V. 112. *Als der V. mich sah*, nämlich auf dem Ruhebette liegen, sezt' er sich gleichfalls darauf.

V. 116. *Zuvorkam*; im Wettlauf.

V. 120. *Dionysos' Äpfel*, Pomeranzen. (S. Bacchus im Anh.) Der Apfel (so hieß bei den Griechen und Römern alles Kernobst) war der Venus heilig und ein gewöhnliches Liebesgeschenk.

V. 121. Jünglinge, welche die Gymnasien und Palästren besuchten, pflegten sich dem Schutzgott derselben, dem Herkules, zu Ehren mit Zweigen der Weißpappel zu bekränzen.

V. 134. *Lipara*, die größte der Äolischen (Liparischen) Inseln bei Sicilien, die wegen ihrer feuerspeienden Berge für ein Heiligtum Vulcans galten.

V. 153. Eine gewöhnliche Artigkeit.

V. 156. Er blieb bei mir, statt in die Palästra zu gehen. *Dorisch*; für Korinthisch (s. Theokr. V, 93 Anm.). Die Korinth. ehernen Gefäße, aus einer Mischung von Kupfer, Silber und Gold, waren vorzüglich berühmt. Öl, s. oben zu V. 51.

V. 160. *An Aïdes' Thor soll er klopfen*; dann soll er sterben.

VIII

(Dieß und das folg. Stück hat im Original ein anderes Versmaß.) Theokrit ist im Begriff nach Milet, jener berühmten Handelsstadt in Ionien, zu reisen, um seinen Freund, den Arzt *Nikias* zu besuchen, für dessen Gattin *Theugenis* er eine elfenbeinerne Spindel als Geschenk mitnimmt: denn Wollarbeiten waren in Milet vorzüglich beliebt und wurden dort sehr fein und schön gemacht.

V. 5. *Neleus*, Sohn des Kodrus, verließ seine Vaterstadt Athen und baute oder erweiterte Milet.

V. 7. *Zeus*, als Herrscher des ganzen Luftkreises.

V. 11. *Sohn der Grazien*, als ein angenehmer, geistreicher Mann mit dichterischen Gaben.

V. 28. *Archias*, aus einem königlichen Geschlecht in Korinth oder, wie es früher hieß, Ephyra, entfloh eines Verbrechens wegen nach Sicilien, wo er Syrakus gründete.

V. 29. *Trinakria*, der alte Name Siciliens, von seiner dreieckten Gestalt.

IX

V. 44. Wie Achilles und Patroklus.

X

V. 1. *Menelaos*, Sohn des Atreus, Königs von Mycene, und jüngerer Bruder des Agamemnon. Unter den vielen Freiern der Helena – Tochter Jupiter's und Leda's, der Gemahlin des *Tyndareos*, Königs von Sparta – war er derjenige, der ihre Hand und damit den Thron Sparta's erhielt. (S. im Anh. Kastor und Troja.)

V. 16. Das *Niesen* war bei den Alten vorbedeutend.

V. 20. *Achaiisch*, Griechisch.

V. 24. Der *Eurotas* floß bei Sparta; hier in Beziehung auf Baden und Schwimmen genannt. Die abhärtende Erziehung der Spart. Mädchen, ihre gymnastischen Übungen mit Laufen, Ringen (wozu man sich mit Öl salbte) und drgl. sind bekannt.

(V. 26–27 nach Bindemann's Conjectur.)

V. 30. *Thessalien*, Landsch. im nördl. Griechenl.

V. 34. *Baum*, Weberbaum.

V. 43. *Lotos*, nicht die Ägyptische, in Gestalt der weißen Wasserlilie blühende, Blume, sondern eine Wiesenpflanze.

V. 45. Eine Art Opfer (Libation) mit wohlriechendem Öl, für Helena, Zeus' Tochter.

XI

V. 1. *Herakles*, s. im Anh. Herkules. – *Midea*, Stadt in Argolis im Peloponnes, dem Elektryon, Vater der Alkmene, gehörig.

V. 5. *Pterelaos*, Fürst der Teleboer (Volkes in und bei Akarnanien am Ionischen Meer), dessen Söhne den Elektryon beraubt und seine Söhne erschlagen hatten. Amphitryon mußte auf Verlangen Alkmene's Rache dafür nehmen.

V. 11. *Bärin*; das Sternbild.

V. 12. Als *Orion* schon am Himmel hinabsank. Im Sternbild des Or. machen zwei hellglänzende Sterne die Schulter dieses riesenhaften Jägers aus.

V. 23. *Iphikles* war der wirkliche Sohn des Amphitryon, daher beträgt er sich wie ein gewöhnliches Kind.

V. 31. *Mit Schmerzen*; Juno verzögerte die Entbindung.

V. 45. *Lotos*, hier der Lotosbaum, von einem knochenharten schwärzlichen Holze.

V. 64. *Teiresias* (Tiresias), Sohn des Eueres und der Chariklo, ein Thebaner, durch seine Wahrsagergabe berühmt, die er zum Ersatze von Pallas bekommen, als sie ihn blind machte, weil er die Göttin im Bade gesehn.

V. 72. Alkmene's Vater war ein Sohn des Heroen *Perseus* (s. Anh.).

V. 74–76. *Achaierin*, Griechin. – *Argos*, Stadt und Reich im Peloponnes.

V. 77–81. S. Herkules im Anh. – *Trachin* in Thessalien, unweit vom Berg Öta, statt dessen hier die Stadt genannt ist.

V. 84–85. Alle Wesen, selbst wilde Thiere, freuen sich der Vergötterung des Helden.

V. 87. *Aspalathos* heißt der orientalische Rosenbaum, aus dessen wohlriechender Wurzel ein Öl gewonnen wird; ebenso heißt aber auch das dornichte Pfriemkraut. Mit Dorngewächsen jeder Art glaubte man gewisse schädliche Einflüsse zu vertreiben.

V. 93–94. *Gränzüber*; d.h. sie bringe es ganz außer Berührung mit dem Lande. Alles Ungeheure, was Zorn der Götter zu verkündigen schien, ward zur Entsündigung wo möglich in das Meer, oder in ein zum Meere fließendes Wasser geworfen; *ohne umzusehn*, um nicht die Gottheiten, die das Ausgeworfene empfangen, wider ihren Willen in schrecklicher Gestalt zu erblicken und die Sache rückgängig zu machen.

XII

V. 2. *Nikias*, s. Theokr. II, 1. Anm.

V. 5. Sohn des *Amphitr.*, s. im Anh. Herkules, und das vorige Stück.

V. 7. *Hylas*, war nach Einigen der Sohn des Theodamas, eines Königs in Epirus; Herkules besiegte den Vater und nahm jenen mit sich.

V. 19. *Iaolkos* (Iolkos), in der Thessal. Landschaft Magnesia, der Sammelplatz der Argonauten (s. im Anhang Iason). – *Selig*, reich.

V. 20. S. das vorige Stück, V. 1 Anm.

V. 22. *Prallende Klippen*, nämlich die Kianeen, zwei kleine Inseln im Pontischen (schwarzen) Meer beim Ausfluß des Bosporus, die immer zusammenliefen und die zwischen ihnen durchfahrenden Schiffe zerschellten. Wäre nur erst, so hatte es das Schicksal bestimmt, Ein Schiff glücklich hindurchgesegelt, dann sollten alle künftigen Seefahrer nichts mehr dort zu fürchten haben. Diese glückliche Vorgängerin war die Argo, der Minerva's Beistand durchhalf.

V. 23. *Phasis*, Fluß in Kolchis (s. Alte Weltk.).

V. 25. Mit dem Frühaufgang des Siebengestirns (der Plejaden) um den Anfang Mai's endigte der Frühling und begann die Sommerweide.

V. 30. *Propontis*, das jetzige Marmorameer. – *Kianer*, Einwohner der Stadt Cios an der Propontis.

V. 35. *Butomos*, eine Art Sumpfpflanze (?).

V. 37. *Telamon*, Sohn des Äakus, Königs von Ägina (Insel bei Attika), Vater des Ajax.

V. 41. *Adiant*, ein Farrnkraut.

V. 44. Man glaubte, der Anblick der Nymphen bewirke eine Art Wahnsinn.

V. 49. Es gab auch ein Argos in Epirus.

V. 50. Die Sternschnuppen hielt man für wirkliche, vom Sturm getriebene *Sterne*, und für Vorboten des Sturms.

V. 56. *Mäotisch*, d.h. wie ein Scythe vom See Mäotis, dem jetzigen Assow'schen Meer, so genannt. Herkules bediente sich Scythischer Pfeile und war im Bogenschießen von einem Scythen unterrichtet.

V. 68. *Rahe*, Segelstange.

V. 74. Eigentlich: die dreißig Ruderbänke hatte.

XIII

V. 45. *Feuer*, Ein Ausleger versteht hierunter den Scheiterhaufen, auf welchem die Leiche des Adonis verbrannt worden sey und dessen Flammen sich der Eber aus Verzweiflung selbst übergeben habe. Ein anderer erklärt: er brannte sich seine Hauer ab.

147

BION UND MOSCHUS

EINLEITUNG

Von den beiden griechischen Dichtern *Bion* und *Moschos* hat man nur dürftige Kenntniß. Sie blühten zur Zeit Theokrits, mit dessen Vorzügen sie Manches gemein haben, und waren Freunde. Bion war aus Smyrna in Ionien gebürtig, nahm aber später seinen Aufenthalt in Syrakus, wo er an Gift starb. – Von Moschus weiß man nur, daß er in Syrakus geboren war, daß er jünger als Bion, und dessen Schüler gewesen; auch hat er eine Elegie auf seinen Tod gedichtet.

BION

I

DER VOGELSTELLER

Kunstreich übte den Fang ein vogelstellender Knabe
Im vielstämmigen Hain, und sah den entflohenen Eros,
Der auf dem Buxbaumast ausruhete. Wie er ihn wahrnahm,
Herzlich erfreut (denn traun ein gewaltiger Vogel erschien er),
5   Fügt' er sie all' aneinander die klebenden Rohre des Fanges,
Lauerte dann auf den hier und dorthin flatternden Eros.
Aber der Knab', unwillig, dieweil kein Ende zu sehn war,
Warf die Rohre hinweg und lief zu dem Pflüger, dem Graukopf,
Welcher den künstlichen Fang ihn lehrete. Diesem erzählt' er
10   Alles und zeigt' ihm Eros, den Flatterer. Aber der Alte
Schüttelte lächelnd das Haupt und gab dem Knaben die Antwort:
»Laß die gefährliche Jagd, und komm nicht nahe dem Vogel!
Hebe dich fern! Schlimm meint es das Unthier! Preise dich glücklich,
Während du nimmer ihn fängst. Doch sobald du zum Manne gereift bist,
15   Dann wird er, der jetzo mit flüchtigem Schwunge zurückfährt,
Plötzlich von selbst annahn und dir auf die Scheitel sich setzen.«

II

DIE SCHULE DES EROS

Neulich im Morgenschlummer erschien mir die mächtige Kypris,
Führend an niedlicher Hand den noch unmündigen Eros,
Welcher die Augen zu Boden gesenkt. Da sagte die Göttin:
»Nimm ihn, redlicher Hirt, und lehr' ihn mir singen, den Eros.«
Jene sprach's und entwich. Doch was ich vom Hirtengesang weiß,   5
Lehrt' ich Thörichter nun, als ob er's wünschte, den Eros.
Wie die Schalmei Athenäa erfand, wie die krumme Schalmei Pan,
Wie die Cither Apollon, und Hermes die wölbende Laute,
All' das lehret' ich ihn. Er achtete nicht auf den Vortrag,
Selber vielmehr, mit Gesang voll Zärtlichkeit, lehrete jener   10
Mich, was Götter und Menschen entzückt, und die Werke der Mutter.
Jetzo vergaß ich Alles, so viel ich den Eros gelehret,
Was mich Eros gelehret von Zärtlichkeit, Alles behielt ich.

III

RUHE VOM GESANG

Wenn nur schön mir gelangen die Liederchen, sind sie genug schon,
Mir zu erwerben den Ruhm, den zuvor mir die Möre bestimmt hat.
Wenn sie nicht lieblich getönt, wozu noch mehrere schaffen?
Denn wenn doppeltes Leben uns gönnete Zeus der Kronide,
5 Oder des Wandelgeschicks Austheilerin, um zu vollenden
Dieß in herzlicher Lust und Behaglichkeit, Jenes in Arbeit,
Dann würd' einem hinfort nach der Arbeit guter Genuß auch.
Doch wenn ein einziges Leben den Sterblichen winkende Götter
Ordneten, und dieß eine so kurz, so verkümmert um Alles,
10 Wozu wollen wir Armen Geschäft aufsuchen und Mühsal?
Was doch wenden wir lang auf werbsame Kunst und Erfindung
Unseren Geist, nachgierend dem stets anwachsenden Wohlstand?
Traun, so vergessen wir Alle, der Sterblichkeit sey'n wir geboren,
Kurz nur habe die Möre den Raum uns beschieden des Lebens.

IV

DIE JAHRESZEITEN

KLEODAMOS

Was ist, Myrson, im Herbst, und im Frühlinge, was in dem Winter
Oder im Sommer dir lieb? wer freuet dich mehr, wenn er annaht?
Reizet der Sommer dich mehr, der zeitiget was wir bestellten?
Oder der freundliche Herbst, wo drückender Hunger entfernt bleibt?
Liebst du den schläfernden Winter? dieweil ja Mancher im Winter   5
Gern in der Wärme sich pflegt, der behaglichen Ruhe genießend.
Oder scheint dir der Lenz anmuthiger? Rede, wohin sich
Neige dein Herz; uns ladet die müßige Stunde zum Plaudern.

MYRSON

Nicht uns Menschen geziemt, zu würdigen Werke der Götter,
Heilig, o Freund, und lieblich ist Jegliches, was du genannt hast.   10
Doch sey dir zu gefallen gesagt, was süßer mir dünket:
Nicht ist der Sommer mir lieb, dieweil mich die Sonne versenget.
Nicht lieb ist mir der Herbst, denn Krankheit zeugen die Früchte.
Auch der verderbliche Winter, mit Reif und Gestöber, erschreckt mich;
Aber der Lenz ist dreimal geliebt, o blieb' er das Jahr durch!   15
Wann uns weder der Frost noch glühende Sonne belästigt.
Alles wird Leben im Lenz, und das Süßeste keimet im Lenz auf;
Gleich auch ist für die Menschen die Nacht mit dem Tage gemessen.

V

AN DEN ABENDSTERN

Hesperos, goldenes Licht der reizenden Aphrogeneia,
Hesperos, heiliger Schmuck der dunkelen Nacht, o Geliebter!
Unter den Sternen so herrlich, wie weit du an Glanze dem Mond weichst,
Sey mir gegrüßt! und weil ich den Festreihn führe zum Hirten,
Leuchte mir, Trautester, du anstatt der Selene; zu frühe
Heut, im Neulicht, sank sie hinab. Nicht will ich auf Diebstahl
Ausgehn, oder dem wandernden Mann nachstellen zur Nachtzeit;
Sondern ich liebe, und dir ziemt's Liebenden freundlich zu helfen.

MOSCHUS

I

EUROPA

Kypris schuf der Europa vordem ein liebliches Traumbild,
Um das weichende Drittel der Nacht, wann nahe das Frühroth,
Wann mit des Honiges Süße der Schlaf, die Wimpern umschwebend,
Alle Gelenke nun lös't, und sanft die Augen verbindet,
Und uns Träume bedeutsamer Art in Schaaren umschwärmen.   5
Siehe, da ruhete schlummernd im Obergemach des Palastes
Europeia, die noch jungfräuliche Tochter des Phönix;
Und ihr däucht', als stritten um sie zwei Länder der Erde,
Asia und was entgegen ihr steht, wie Frauen erscheinend.
Fremd war die eine von Art, die andere aber war heimisch   10
Anzuschaun, vorstrebend, die eigene Tochter zu halten;
Und sie sprach, wie sie solche gebar und selber auch aufzog.
Aber die andere, stark mit gewaltigen Armen sie fassend,
Raffte die kaum sich sträubende fort; denn sie sagte, bestimmt sey
Ihr vom Donnerer Zeus als Ehrenloos die Europa.   15
– Auf von dem Lager mit Eins nun sprang die erschrockene Jungfrau,
Und ihr klopfte das Herz, denn sie sah als wach die Erscheinung.
Lange saß sie vertieft und sprachlos; beide noch immer
Schwebten den offenen Augen sie vor, die Gestalten der Weiber.
Endlich begann ausrufend mit ängstlicher Stimme die Jungfrau: 20
  »Wer hat solche Gesichte gesandt mir unter den Göttern?
Welcherlei sind, die eben vom Lager im stillen Gemache
Aus so lieblichem Schlummer empor mich schreckten, die Träume?
Wer die Fremde doch, welche so hell im Schlafe mir vorkam?
Wie sie das Herz mir erfüllte mit Sehnsucht! wie sie auch selber   25
Liebevoll mich empfing, und als ihr Töchterchen ansah!
O daß doch zum Guten den Traum mir wenden die Götter!«

Dieses gesagt, aufsprang sie, und suchte sich traute Gespielen,
Gleich an Alter und Wuchs, vergnügliche, edeler Abkunft,
30 Und ihr immer gesellt, so oft sie zum Reigen hervortrat,
Oder sich baden ging in dem Vorgrund stürzender Bäche,
Oder in grünender Au sich duftende Lilien abbrach.

Alsbald kamen sie auch, und jegliche trug in den Händen
Einen Korb für Blumen. Hinaus zu den Wiesen am Meerstrand
35 Gingen sie nun, wo stets miteinander sie pflegten zu wandeln,
Um sich der rosigen Blüthe zu freun, und des Wellengeräusches.

Aber Europa selber, sie trug ein goldenes Körbchen,
Wundersam schön gefertigt, ein mühsames Werk des Hephästos,
Das er der Libya gab, als diese zum Bette Poseidon's
40 Wandelte; sie dann schenkt' es der reizenden Telephaëssa,
Welche verwandt ihr war; und der unverlobten Europa
Bot das berühmte Geschenk die Erzeugerin Telephaëssa.

Viel Kunstreiches erschien voll schimmernder Pracht an demselben.
Da war hell aus Golde zu schaun die Inacherin Io,
45 Noch als Färse gestaltet, und nicht in weiblicher Bildung.
Ungestüm mit den Füßen durchrannte sie salzige Pfade,
Einer Schwimmenden gleich, und blau war die Farbe des Meeres;
Auch zween Männer, die standen erhöht auf dem Rande des Ufers
Bei einander, und staunten das meerdurchwandelnde Rind an.
50 Dort war Zeus, wie er sanft mit göttlicher Hand liebkos'te
Jener Inachischen Kuh, die am siebenmündigen Neilos
Er aus dem Thiere, dem schöngehörneten, wieder zum Weib schuf.
Silbern wand sich der Neilos, als fluthet' er; aber die Kuh war
Schön von Erz; und selber in goldener Bildung erschien Zeus.
55 Nahe dann unter dem Kranze des wohlgeründeten Korbes
War Hermeias geformt, und neben ihm streckte sich langhin
Argos, bestellt zum Wächter mit nie einschlafenden Augen.
Ihm aus purpurnem Strome des Todesblutes erhub sich,
In vielfarbiger Blüthe der Fittige prangend, ein Vogel,
60 Aufgerollt das Gefieder; und gleich dem geflügelten Meerschiff
Überwölbt er den Rand des goldenen Korbs mit den Federn.
Solch ein Korb war jener der lieblichen Europeia.

Als sie nunmehr des Gestads vielblumige Wiesen erreichet,
Jetzo das Herz mit Blumen erfreuten sie, jede nach eignem
Sinn; *die* brach sich Narkissos, den duftigen, *die* Hyakinthos, 65
Jene Serpyll, und jene Violen sich: vielen der Kräuter
Sank zur Erde das Haupt in den lenzgenähreten Wiesen,
Andern gefiel auch, dem Krokos die goldene Krone voll Balsams
Rasch zu entziehn um die Wette. Die Herrscherin selbst in der Mitte
Stand, mit den Händen die Pracht der feurigen Rose sich pflückend: 70
Anmuthsvoll, wie im Kreise der Chariten strahlt Aphrodite.
Lang' ach! sollte sie nicht ihr Herz mit Blumen erheitern,
Noch unverlezt ihn bewahren den heiligen Gürtel der Keuschheit,
Denn der Kronide fürwahr, so wie er sie schauete, plötzlich
Brannt' ihm das Herz, durchdrungen vom unversehnen Geschosse 75
Paphia's, welche allein auch den Zeus zu bewältigen Macht hat.
    Aber damit er entginge dem Zorn der eifernden Here,
Und des Mägdleins junges Gemüth zu verleiten begierig,
Barg er den Gott in fremde Gestalt und machte zum Stier sich;
Nicht wie einer im Stalle genährt wird, oder wie einer, 80
Welcher das Blachfeld furcht, den gebogenen Pflug hinziehend;
Auch nicht, wie in der Heerd' ein weidender, oder wie jener,
Welcher gespannt in das Joch am belasteten Karren sich abmüht.
Ihm war der übrige Leib ringsum hellbräunlichen Haares,
Aber ein silberner Kreis durchschimmerte mitten die Stirne; 85
Bläulich glänzten die Augen hervor, und funkelten Sehnsucht;
Gleich gekrümmt mit einander entstieg das Gehörne der Scheitel,
Wie die gebogenen Hörner des Monds im hälftigen Kreise.
    So zur Wiese denn kam er, und gar nicht schreckte die Jungfraun
Seine Gestalt; nein allen gelüstete, nahe zu kommen 90
Und zu berühren den reizenden Stier, der von fern schon ambrosisch
Duftend, selber der Au balsamische Würzen besiegte.
    Er nun trat vor die Füße der tadellosen Europa,
Leckt' ihr dann sanftmüthig den Hals, liebkosend dem Mägdlein;
Jene streichelt' ihn rings, und sanft mit den Händen vom Mund ihm 95
Wischte den häufigen Schaum sie hinweg, und küßte den Stier nun.
Aber mit lindem Gebrumm' antwortet' er, daß man melodisch
Aus Mygdonischem Horne den Wohllaut wähnte zu hören.

Dann vor die Füß' ihr knieend beschaut' er sich Europeia,
100 Hoch den Nacken gedreht, und zeigt' ihr den mächtigen Rücken.
Jetzo erhob sie die Stimm' in der Schaar tieflockiger Jungfraun:
»Freundinnen, kommt, ihr trauten Gespielinnen, daß wir auf diesem
Stiere zusammengesezt uns belustigen! Alle ja wahrlich
Nimmt er auf, wie ein Schiff, mit untergebreitetem Rücken.
105 Fromm ist dieser zu schaun, gar freundlich, und nicht wie die andern
Stiere läßt er sich an; er scheint wie ein Mann so verständig.
Seht, wie artig er schreitet! ihm fehlt nichts weiter, denn Sprache.«
Also redete sie, und bestieg holdlächelnd den Rücken.
Auch die anderen wollten. Da sprang wie im Fluge der Stier auf,
110 Denn nun hatt' er die Beute; und rasch zu dem Meere gelangt' er.
Rückwärts jene gewandt, den trauten Gespielinnen rief sie,
Bange die Händ' ausbreitend, doch konnten ihr diese nicht folgen.
Als er das Ufer ereilt, fort stürmet' er, gleich dem Delphine.
Nereus' Töchter enttauchten der Salzfluth; alle dann sitzend
115 Auf den schuppigen Ungeheuern fuhren sie ringsher.
Auch er selbst auf den Fluthen, der tosende Ländererschüttrer,
Ebnete weit das Gewog' und ging durch salzige Pfade
Seinem Bruder voran, und mit ihm zogen in Schaaren
Triton's Söhne einher, der Meerabgründe Bewohner,
120 Aus langwindenden Schnecken die Brautmelodie auftönend.
Jene nunmehr, wie sie saß auf des Zeus stierförmigem Rücken,
Hielt mit der Rechten sich vest an dem mächtigen Horn, mit der Linken
Zog sie das faltige Purpurgewand, damit ihr den Saum nicht
Netze das Wogengeschäume der unermeßlichen Salzfluth.
125 Hoch aufschwoll um die Schulter das weite Gewand der Europa
Gleichwie ein Segel des Schiffs, und ließ leicht schweben die Jungfrau.
Aber nachdem sie nun weit vom Vatergefilde getrennt war,
Und kein Ufer erschien, wo es brandete, nirgend ein Berghaupt,
Oben nur Luft, und unten der endlos wogende Abgrund,
130 Jetzo sich weit umschauend erhob sie die Stimm' und begann so:
»Göttlicher Stier, wohin führest du mich? Wer bist du? o Wunder!
Mit schwer wandelnden Füßen hindurchgehn, ohne des Meeres
Woge zu scheun? Nur Schiffe ja gehn die verstattete Meerbahn,
Renner der Fluth; doch Stiere verabscheun salzige Pfade.

Wo wird süßes Getränk', wo Speise dir seyn in dem Meere? 135
Bist du ein Gott? O warum ungöttliche Thaten verübet?
Nie doch wagen Delphin' auf dem Lande wo, nimmer auch Stiere
Über die Fluthen zu gehn: du aber zu Land und im Meere
Stürmest einher ungenezt, und es sind dir die Klauen wie Ruder.
Ja vielleicht bald über die bläuliche Luft dich erhebend, 140
Wirst du mir hoch auffliegen, wie raschgeflügelte Vögel!
Wehe mir Jammervollen! mir Ärmsten! so weit von des Vaters
Hause hinweggerissen, und angeschmieget dem Rind hier,
Auf der unheimlichen Fahrt, so ganz in der Irre verlassen!
Aber, o du, Beherrscher des grauenden Meers, o Poseidon, 145
Freundlich begegne du mir! Denn selber zu schauen erwart' ich
Ihn, der einher mir bahnet die Fahrt, Vorläufer des Weges.
Ohne die Himmlischen nicht durchwandel' ich flüssige Pfade.«
    Jene sprach's; ihr rufte der Stier mit hohem Gehörn zu:
»Fröhlichen Muths, Jungfrau! nicht angst vor dem Wogengetümmel! 150
Wiss', ich selber bin Zeus, und nahe dir schein' ich von Ansehn
Als ein Stier; denn ich kann in Gestalt mich bergen nach Willkühr.
Schmachtend um dich durchwandr' ich die ungeheueren Wasser,
Anzuschaun wie ein Stier. Doch bald empfänget dich Kreta,
Welche mich selbst auch genährt, wo schon ein bräutliches Lager 155
Deiner harrt; denn du sollst mir herrliche Söhne gebären,
Welche mit mächtigem Stab einst alle gebieten den Völkern.«
    Also der Gott; und es ward, wie er redete. Denn es erschien nun
Kreta, und Zeus von Neuem in andre Gestalt sich verwandelnd,
Lösete jener den Gurt, und ihm rüsteten Horen das Lager. 160
Jene, zuvor Jungfrau, ward bald die Verlobte Kronions,
Und sie ruhte bei Zeus, und bald auch wurde sie Mutter.

II

SEE UND LAND

Wallet das blauliche Meer von dem kräuselnden Wehen des Westwinds,
Regt sich mir süßes Verlangen im schüchternen Herzen; das Vestland
Ist nicht länger mir lieb; mehr lockt mich das heitre Gewässer.
Aber sobald aufbrauset die dunkelnde Tief' und die Woge
5 Krümmt sich empor und schäumt, und die Brandungen toben von Weitem,
Schau' ich nach Ufer und Bäumen zurück und entfliehe der Salzfluth.
Nur das treue Gefild', und die schattige Waldung gefällt mir:
Wo, wenn der Sturm auch mächtig erbraus't, die Fichte mir lispelt.
– Elend lebt doch ein Fischer fürwahr, deß' Wohnung der Nachen,
10 Dem das Gewerbe die See, und der Fisch ein trüglicher Fang ist.
Möge mich immer der Schlummer so süß, in des Platanos Laubdach,
Immer des Bergquells Rauschen erfreun in der Nähe des Lagers,
Der sanftmurmelnd ergözt den Entschlummernden, aber nicht aufschreckt.

III

DER PFLÜGENDE EROS

Fackel und Pfeil ablegend, ergriff den Stecken des Treibers
    Eros, der Schalk, und ein Sack hing ihm die Schulter herab.
Als er in's Joch nun gespannt den duldsamen Nacken der Stiere,
    Streuet' er Weizensaat über der Deo Gefild.
Auf zum Zeus dann blickt' er und rief: »Jezt fülle die Furchen!   5
    Oder ich hole dich gleich, Stier der Europa, zum Pflug!«

ANMERKUNGEN

Zu Bion V

V. 4. Die Jünglinge pflegten nach einem lustigen Schmause unter Musik einen Umzug zu halten und ihre Freunde zu begrüßen.

Zu Moschus I

V. 1. *Europa*, Phönicische Königstochter. Bei Homer heißt ihr Vater *Phönix*, bei Andern Agenor.

V. 3. Die Morgenträume galten für die wahrhafteren.

V. 39. *Libya*, Tochter des Epaphus und der Memphis, Geliebte Neptuns, von welchem sie den Agenor gebar, der nach der gewöhnlichen Angabe mit Telephaëssa die Europa, den Kadmus und Phönix zeugte.

V. 44. *Io*, s. im Anh.

V. 51. *Neilos*, der Nil.

V. 59. *Vogel*, der Pfau.

V. 65 folgg. *Narkissos, Hyak., Viole*; s. Hom. Hymn. IV, 6–8 Anm. – *Serpyll*, eine immergrüne Staude. – *Krokos*, Frühlingssafran.

V. 98. *Mygdonien*, Landschaft Phrygiens, wo dergleichen starktönende Instrumente beim Gottesdienste der Cybele dienten.

V. 116. *Neptun.*

V. 154. *Kreta*, Insel im mittelländ. Meer.

V. 156. Europa gebar dem Jupiter den Minos (König auf Kreta), Sarpedon (König in Lycien) und Rhadamanthus (Beherrscher verschiedener Inseln des mittelländischen Meers). S. Orkus im Anh. Sie wurde die Gemahlin des Kretischen Königs Asterius.

III

Stier der Europa, s. das vor. Stück.

CATULL

EINLEITUNG

Cajus Valerius *Catullus*, aus einer reichen Familie im Jahr 86 vor Chr.
zu Verona (oder doch in diesem Gebiete) geboren, kam schon als
Knabe nach Rom. Dort machte ihn sein rasch entwickeltes Genie und
5 seine seltne Bildung zum Lieblinge der geistreichsten und vornehmsten Kreise. Männer wie Cicero, der ihm wesentliche Dienste geleistet,
Cinna, Cornelius Nepos waren ihm befreundet, und selbst den Julius
Cäsar durfte er ungestraft necken. Trotz seines ansehnlichen Erbes
befand er sich häufig in Geldverlegenheit. Er soll kaum sein dreißig-
10 stes Jahr erlebt haben, was Andere jedoch bestreiten. Die Mannigfaltigkeit seiner Poesie bei einem verhältnißmäßig geringen Umfang seiner Sammlung beurkundet ihn als einen ungemein reichen, gewandten
Dichter, der sich an griechischen Vorbildern stärkte. Bei aller naiven
Zartheit hat er ein eigenes kräftiges Korn, eben so viel Humor als reine
15 Schönheit. Im Sinngedicht bekennt selbst Martial nur dem einzigen
Catullus nachzustehn. Freilich ist er auch in hohem Grade lasciv; dagegen seine reineren erotischen Stücke ein bezauberndes Colorit haben. Wenn er sich zuweilen vernachlässigt, so hängt dieß vielleicht
sehr genau mit demjenigen zusammen, was ihn als Menschen so an-
20 ziehend machte.

I

HOCHZEITLICHER WETTGESANG

EIN JÜNGLING

Hesperus läßt am Himmel sich sehn. Ihr Jünglinge, laßt uns
Aufstehn! Hesperus hebt die längst erwartete Leuchte.
Auf! es ist Zeit, wir müssen die leckere Tafel verlassen.
Nächstens erscheint sie, die Braut, und man stimmt den Feiergesang an.

CHOR

5 Komm, Gott Hymen, o Bringer des Heils! komm, mächtiger Hymen!

EINE JUNGFRAU

Seht ihr die Jünglinge stehn? Zieht ihnen entgegen, o Schwestern!
Schon erglänzt die Ötäische Fackel des nächtlichen Herolds.
Saht ihr es nicht? schnell sprangen sie auf; wahrhaftig das war nicht
Ohne Bedeutung, und was sie nun singen, verlohnt sich zu hören.

CHOR

10 Komm, Gott Hymen! u. s. w.

EIN JÜNGLING

Brüder, wir werden, ich fürchte, den Sieg so leicht nicht erhalten.
Schaut, wie die Jungfraun flüstern! Sie haben sich etwas ersonnen,
Nicht vergebens ersonnen; es kommen besondere Dinge.
Doch kein Wunder, sie denken und thun auch Alles mit ganzer
15 Seele: wir haben das Ohr stets anderwärts und die Gedanken,
Und so zieht man den Kürzern, ein Sieg ja gewinnt sich im Schlaf nicht.
Nun, so nehmet zum wenigsten jezt die Sinne zusammen,
Denn sie singen sogleich und gleich auch muß man's erwidern.

CHOR

Komm, Gott Hymen! u. s. w.

DIE JUNGFRAUN

Hesperus! ist wohl eines der himmlischen Lichter so grausam?   20
Ihr lieb' Kind aus der Mutter Umarmung zu reißen, vermagst du's?
Ja, aus den Armen der Mutter das vest sich klammernde Mädchen!
In des verlangenden Mannes Gewalt die Keusche verräthst du?
Geht doch der Feind so grausam mit keiner eroberten Stadt um!

CHOR

Komm, Gott Hymen! u. s. w.   25

DIE JÜNGLINGE

Hesperus! ist wohl eines der himmlichen Lichter so freundlich?
Siehe, dein Blinken bekräftiget uns die holden Verträge.
Was die Freier zuerst, was Väter und Mütter gelobten,
Dieß vollzieht man nicht eher, als bis dein Stern sich erhoben.
Selige Stunde! was können die Götter uns Lieberes geben?   30

CHOR

Komm, Gott Hymen! u. s. w.

DIE JUNGFRAUN

Hesper! du hast uns eine von unsern Gespielen genommen;
Böser, sobald du erscheinst, bezieht auch der Wächter die Wache;
Nachts da schleichen die Diebe herum: du grüßest sie scheidend,
Kehrst mit verändertem Namen auch oft, sie am Morgen zu treffen.   35

CHOR

Komm, Gott Hymen! u. s. w.

DIE JÜNGLINGE

Göttlicher! hörst du? dich schmähn mit erdichteten Klagen die Jungfraun.
Ei nun, schmähn sie doch nur, wonach sie im Stillen sich sehnen.

CHOR

Komm, Gott Hymen! u. s. w.

DIE JUNGFRAUN

40 Wie die Blume, die still im verzäunten Garten emporblüht,
Vor der weidenden Heerde geschüzt und vom Stoße des Pfluges,
Wo die Lüfte sie fächeln, die Sonne sie stärkt und der Regen,
Manchen der Jünglinge reizt und alle die Mädchen heranlockt,
Aber wenn sie, mit leichtem Finger gebrochen, dahinwelkt,
45 Keines der Mädchen hinfort und keinen der Jünglinge reizet:
Also, die rein sich bewahrte, die Jungfrau, blüht zu der Freunde
Lust; doch nachdem sie, befleckt, der Keuschheit Blume verloren,
Bleibet sie weder die Wonne der Knaben, noch theuer den Mädchen.

CHOR

Komm, Gott Hymen! u. s. w.

DIE JÜNGLINGE

50 Wie die Rebe, gewachsen auf nacktem Gebreite des Feldes,
Einsam nie sich erhebt, nie lieblicher Trauben sich freut,
Sondern, erliegend der Last, den zarten Körper herabsenkt,
Traurig die Gipfelranken zur eigenen Wurzel gebogen;
Was fragt so der Pflüger nach ihr mit seinem Gespanne?
55 Hat man dagegen sie erst mit der kräftigen Ulme verbunden,
Gern dann heget und schont sie mit seinem Gespanne der Landmann:
So auch altert verlassen die nie berührte, die Jungfrau;
Aber vermählt, wenn zur Zeit sich ein Freund, ein würdiger, findet,
Hält er sie lieb und werth, und der Mutter auch fällt sie nicht lästig.

EIN JÜNGLING

60 Doch, du Liebchen, du mußt mit solchem Gemahle nicht rechten:
Denk' nur! rechten mit *ihm*, dem selber dein Vater dich schenkte,
Er, und nicht minder die Mutter; ein Kind muß den Eltern gehorchen.
Wisse, dein Mädchenthum, nicht so ganz alleine gehört dir's,
Nur ein Drittel ist dein: dem Vater gehöret ein Drittel

Und ein Drittel der Mutter. Du wirst mit Zweien nicht streiten, 65
Welche dem Eidam schenkten ihr Anrecht neben der Mitgift.

CHOR

Komm, Gott Hymen, o Bringer des Heils! komm, mächtiger Hymen!

II

NÄNIE

AUF DEN TOD EINES SPERLINGS

Weint, ihr Grazien und ihr Amoretten,
Und was Artiges auf der Welt lebt! meines
Mädchens Sperling ist todt, des Mädchens Liebling,
Der ihr lieb, wie der Apfel in den Augen,
Und so freundlich, so klug war, und sie kannte,
Wie ein Töchterchen seine Mutter kennet;
Er entfernte sich nie von ihrem Schoose,
Sondern hüpfte nur hin und wieder, piepte,
Seiner Herrin das Köpfchen zugewendet. –
Ach! nun wandert er jene finstre Straße,
Die man ewiglich nicht zurücke wandert.
O! wie fluch' ich dir, finstrer alter Orkus,
Der du Alles, was schön ist, gleich hinabschlingst!
Uns den Sperling zu nehmen, der so hübsch war!
Welch ein Jammer! O Sperling! Unglücksel'ger!
Hast gemacht, daß mein trautes Mädchen ihre
Lieben Äugelchen sich ganz roth geweint hat.

III

AN LESBIA

Laß uns leben, mein Mädchen, und uns lieben,
Und der mürrischen Alten üble Reden
Auch nicht höher als einen Pfennig achten.
Sieh, die Sonne, sie geht und kehret wieder;
Wir nur, geht uns das kurze Licht des Lebens   5
Unter, schlafen dort Eine lange Nacht durch.
Gib mir tausend und hundert tausend Küsse,
Noch ein Tausend und noch ein Hunderttausend,
Wieder tausend und aber hunderttausend!
Sind viel Tausend geküßt, dann mischen wir sie   10
Durcheinander, daß keins die Zahl mehr wisse,
Und kein Neider ein böses Stück uns spiele,
Wenn er weiß, wie der Küsse gar so viel sind.

IV

QUINTIA UND LESBIA

Quintia findet man schön; soll ich urtheilen, so ist sie
    Weiß, lang, kerzengerad'; Einzelnes streit' ich ihr nicht.
Aber die *Schönheit* sprech' ich ihr ab: So gar nichts von Anmuth,
    Auch nicht ein Körnchen Salz ist in dem großen Gewächs.
5 Schön ist Lesbia, ist es so ganz, als hätte die Eine
    Allem, was lieb und hold, jeglichen Zauber entwandt.

V

DER FELDGOTT

Hört, ihr Jungen, dieß Feld und das Meierhöfchen im Moorgrund,
Leicht mit Röhrig gedeckt, mit geflochtenen Binsen und Riedgras,
Wurde gesegnet von mir, den ein ländliches Beil aus der Eiche
Trockenem Stamme geformt, und ich denk' es noch ferner zu segnen.
Denn die Besitzer des ärmlichen Hüttleins, Vater und Sohn, sind   5
Meine Verehrer, und grüßen mich Gott nach Würden; der eine
Ist gar eiferig immer bedacht, von meiner Kapelle
Weg die Dornen und wildes Gekräute zu räumen, der andre
Bringt mit reichlicher Hand mir beständig kleine Geschenke.
Mein ist das erste Kränzchen der Flur im blühenden Frühjahr;   10
Zart noch werden mir Ähren mit grünlichen Spitzen gewidmet,
Mir der gelbliche Mohn und mir die goldne Viole,
Bläßliche Kürbisse dann und lieblich duftende Quitten,
Purpurtrauben, gereift in schützender Blätter Umschattung.
Oft auch pflegt mir diesen Altar ein bärtiges Böcklein   15
(Dieß im Vertrauen gesagt) und ein Zicklein blutig zu färben.
Ehrt man so den Priapus, so muß er für Alles auch einstehn,
Muß er des Herrn Weinberg und muß ihm das Gärtchen beschützen.
Hier muthwillige Knaben, enthaltet euch also des Stehlens!
Nächst hier an ist ein Reicher und steht ein Priap, der nicht aufpaßt.   20
Nehmt euch dort was; dann mögt ihr den Fußsteig wieder zurückgehn.

VI

AN FABULLUS

Herrlich sollst du, Fabullus, nächster Tage,
So die Götter es geben, bei mir schmausen.
Wenn du nämlich ein wohlbestelltes Essen
Mitbringst, auch ein Blondinchen, und ein Fäßchen
5   Wein und Witz und ein fröhliches Gelächter.
Wenn du, Trauter, dieß Alles mitbringst, wirst du
Herrlich schmausen: denn dein Catull hat leider
Nichts im Beutel, als Spinneweben. Baare
Freundschaft sollst du dafür zurückbekommen,
10   Und, was köstlicher ist und delicater:
Einen Balsam, den meinem Mädchen neulich
Amoretten und Charitinnen schenkten.
Wenn du diesen nur einmal riechst, so wirst du
Rufen: Machet mich ganz zur Nas', ihr Götter!

VII

ENTSCHLUSS

Catullchen! armer Freund! werd' endlich klüger,
Und was zusehends hin ist, laß dahin seyn!
Wohl ehmals flossen dir die Tage heiter,
Als du noch gingst, wohin das Mädchen winkte,
Geliebt von uns, wie keine je geliebt ward.   5
Da gab es mancherlei der Tändeleien,
Die dir behagten, ihr nicht mißbehagten.
Da, wahrlich! flossen dir die Tage heiter.
Nun weigert sich das Ding: nun zwing' auch du dich;
Verfolge nicht was läuft, und thu' nicht kläglich;   10
Halt' aus, halt' eigensinnig aus, sey standhaft!
– Nun, Mädchen, lebe wohl! Catull ist standhaft.
Sucht dich nicht auf, beschwert dich nicht mit Bitten.
Ha! das wird weh thun, wenn wir nichts mehr bitten!
Denk', Arge, welch' ein Leben auf dich wartet.   15
Wer wird nun zu dir gehn? wem wirst du schön seyn?
Wen lieben? wessen Mädchen dich nun nennen?
Wen küssen? wem die Lippchen wieder beißen?
Catullchen, aber du halt' aus! sey standhaft!

VIII

AN AURELIUS UND FURIUS

Mein Aurel und Furius, ihr Gefährten
Eures Freundes, ging er auch zu den fernsten
Indern am Eoïschen Meer, das fernher
    Brausend den Strand peitscht;

Zum erhizten Araber, dem Hyrkaner,
Sacer, oder köcherbehangnen Parther,
Oder, wo der Nilus mit siebenfachem
    Strome das Meer färbt.

Oder überstieg' er die hohen Alpen,
Cäsar's Ehrenmäler, den Rhein zu sehen,
Und der wilden äußersten Britten Eiland:
    Die ihr dieß Alles,

Und was sonst der Himmlischen Wille fügte,
Mit Catullus freudig bestehen würdet:
Saget meinem Mädchen ein paar nicht allzu
    Freundliche Worte:

Sie mag glücklich leben mit ihren Buhlern,
Deren sie dreihundert zugleich am Seil führt,
Keinen liebt, nur allen das Eingeweid' im
    Leibe zerreisset;

Nicht soll meine Liebe sie ferner kümmern,
Die durch ihre Schuld nun auf einmal hinsinkt,
Gleich dem Frühlingsblümchen am Saum der Wiese,
    Wenn es der Pflug knickt.

IX

ZWIESPALT

Hassen muß ich und lieben zugleich. Warum? – wenn ich's wüßte!
Aber ich fühl's, und das Herz möchte zerreissen in mir.

X

AN CORNIFICIUS

Cornificius! dein Catull ist elend;
Elend ist er, beim Himmel! und voll Mißmuth,
Und das Übel wird täglich, stündlich ärger.
Hast du wohl – und wie wenig wäre dieses! –
Ihm ein tröstliches Wörtchen zugeredet?
Zürnen sollt' ich. Ist dieß für meine Liebe?
Auch das mindeste Trostwort wäre Balsam,
Der Simonides' Thränen überträfe.

XI

AN DIE HALBINSEL SIRMIO

O Sirmio, du Perlchen alles Dessen, was
Neptun in Landsee'n oder großen Meeren hegt,
Halbinseln oder Inseln, - froh, wie herzlich froh
Besuch' ich dich! Noch glaub' ich es mir selber kaum,
Daß ich der Thyner und Bithyner Flur nunmehr   5
Entflohen bin, dich wieder sehe ungestört.
Wie selig macht doch überstandne Drangsal uns,
Wenn endlich man den Busen lüftet sorgenbaar,
Der Arbeit in der Fremde satt, zum eignen Haus
Zurückkehrt, wieder im erwünschten Bette ruht!   10
Und dieß ist auch mein ganzer Lohn für all' die Müh'.
Sey denn gegrüßt, o schönes Sirmio! nun freu'
Dich deines Herrn! Ihr Wellen meines regen Sees,
Seyd fröhlich! all' ihr Scherze meines Hauses, lacht!

XII

AUF SEIN SCHIFFCHEN

Ihr lieben Gäste, dieser Segler, den ihr seht,
Versichert, daß er aller Schiffe hurtigstes
Gewesen sey. Kein Kiel, so vogelschnell er schoß,
Wär' ihm im Fluge je zuvorgekommen, sey's,
5   Daß man mit Rudern oder mit dem Segel flog.
Dieß werde, sagt er, nie des grimmen Adria
Gestade läugnen; auch nicht die Cykladischen
Eilande, Rhodus nicht, das rauhe Thracien,
Propontis und des argen Pontus Busen nicht,
10   An dem er, nachmals Schiffchen, einst behaarter Wald
Gewesen ist, und im Cytorischen Gebirg
Oft mit den Winden tausendstimmig redete.
Dir, Pontisches Amastris, und vor allen dir,
Buxtragender Cytorus, war dieß wohl bekannt,
15   Und ist's auch noch: als Baum vom edelsten Geschlecht
Stand er auf deinem Gipfel, taucht' in deine See
Die breiten Füße, trug von dannen seinen Herrn
Durch ungestüme Meere, wo bald rechts, bald links
Der Wind die Stangen wenden hieß, auch oft der Hauch
20   Des Himmels gütig mitten in das Segel blies.
Auch durft' er keiner Gottheit des Gestades je
Gelübde thun, vom Anfang seiner Reise an
Bis zu der lezten Fahrt, als er vom Meere her
Den weiten Weg zu diesem klaren Landsee nahm.
25   Doch alles das ist nun vorbei; jezt altert er,
Versunken in die tiefste Ruh, und will sich nun
Dir, Kastor's Zwillingsbruder weihn, und, Kastor, dir.

XIII

AKME UND SEPTIMIUS

Akme, seine Geliebte, auf dem Schoose,
Rief Septimius: »Meine Akme! siehst du
Übermäßig hab' ich dich lieb, und will auch
Jahr für Jahr dich beständig also lieben,
So arg, wie nur ein Mensch jemals im Stand ist;   5
Ja, sonst mag mir's geschehn, daß ich, ganz einsam,
Sey's in Libyen, sey's im heißen Inder-
Land, dem tödtlichen Blick des Leu'n begegne!«
Wie er dieses gesagt, nies't Amor, herzlich
Es bekräftigend (sonst war er ihm abhold).   10
Akme, rückwärts ihr Köpfchen leicht gebogen,
Und die trunkenen Augen ihres süßen
Knaben küssend mit jenem Purpurmunde,
Sprach: »Mein Leben! du mein Septimchen! ewig
Dienen beide wir diesem Herrn alleine,   15
Ich, wie du, – so gewiß als mir noch weit ein
Heißer Feuer im zarten Marke glühet!«
Wie sie Dieses gesagt, nies't Amor, herzlich
Es bekräftigend (sonst war er ihr abhold).
Auf so günstige Zeichen nunmehr bauend,   20
Tauschen Beide von Herzen Lieb' um Liebe.
Und Septimius lebt nur noch in Akmen,
Die ihm mehr, als der weiten Erde Länder;
In Septimius' Arm nur findet Akme
Lust und Wonne der Lieb' unüberschwänglich.   25
Kein glückseliger Paar hat man gesehen,
Keine Liebe, so schön vom Gott besiegelt.

XIV

AN DEN JUNGEN JUVENTIUS

Der Juventier Stolz, du ihre Blume!
Nicht der jetzigen nur, auch die einst waren,
Und in künftigen Zeiten noch seyn werden:
Ach! ich wollte, du hättest lieber Güter
Dem gegeben, der weder Dach noch Fach hat,
Als dich so von ihm lieben lassen! – Ist er
Denn kein artiger Mensch? – Das ist er freilich,
Doch ein artiger, der nicht Dach, nicht Fach hat.
Wirf dieß weg, wie du willst, und dreh's und wend' es:
Wahr ist's doch, daß er weder Dach noch Fach hat.

XV

DIE SCHÖNEN AUGEN

Deine Augen, die süßen Lichter, wenn man
Nach Gefallen mir die zu küssen gäbe,
Hundert tausendmal küßt' ich sie; doch wär' ich
Nun und nimmer es satt, und hätt' ich ihnen
Mehr als rauschender Ähren auf der Flur stehn,   5
Dichte Saaten von Küssen abgeküsset.

XVI

AN VARRUS

Du kennst ja den Suffenus, Freund; er ist galant,
Sehr artig, schwazt mit vielem Witz, und macht dabei
Nicht wenig Verse: wo mir recht ist, hat er wohl
Zehntausend, oder mehr geschrieben; nicht wie sonst
5   Gewöhnlich ist, auf kleinen Täfelchen: o nein!
Sein Buch ist königlich Papier, der Umschlag neu,
Neu sind die Stäbchen, roth die Riemen, Alles glatt
Vom Bimsstein, und die Zeilen nach dem Lineal.
Doch lies sein Werk: der Weltmann, der so artige
10   Suffenus ist ganz Bauer; nein, nicht plumper ist
Ein Karrenschieber: so verwandelt ist er, so
Nicht mehr er selbst. Was denkst du? Dieser feine Herr,
Scherzhaft, gewandt, anmuthig, was man sagen kann,
Ist ungeschlachter, als das ungeschlachte Dorf,
15   Sobald er Verse macht! und ist nie glücklicher,
Als wenn er Verse macht! ich sage dir, das Herz
Lacht ihm dabei, er ist voll Selbstbewunderung. –
Doch wer hat nicht dergleichen Etwas? zeig' mir den,
Der nicht in irgend einem Stück Suffenus ist!
20   Ein Jeder hat sein Theilchen Narrheit abgekriegt,
Nur sehn wir nicht den Sack, der uns vom Rücken hängt.

XVII

WIDER EIN GEWISSES WEIB

Auf, Phaläcische Bursche! kommt zusammen!
Kommt in Rudeln herbei von allen Seiten!
Eine schändliche Metze will mich narren,
Eure Täfelchen mir nicht wiedergeben.
Ei, das leidet ihr nicht! Wohlan! verfolgt sie;   5
Fordert, was sie mir stahl, zurück. Ihr fraget
Wer sie sey? – die so schamlos dort einhergeht,
Die gleich einer Theatermaske lachet,
Einen Gallischen Jagdhundsrachen aufsperrt.
Tretet um sie herum, und mahnt sie herzhaft: 10
»Geile Metze, die Täflein gib uns wieder!
Gib die Täflein uns wieder, geile Metze!«
Wie? Das achtest du nicht? O Unflath! Schandhaus!
Oder was noch verworfner irgend seyn mag! –
Aber laßt es dabei noch nicht bewenden;   15
Und zum mindesten wollen wir ein Schamroth
In dieß eiserne Petzenantlitz jagen.
Ruft noch einmal und ruft ein wenig lauter:
»Geile Metze, die Täflein gib uns wieder!
Gib die Täflein uns wieder, geile Metze!«   20
Doch wir richten Nichts aus. Das rührt sie gar nicht.
Gut, so ändert den Angriff, und versucht, ob
Ihr im Stande seyd, doch noch durchzudringen: –
»Gib die Täflein uns wieder, fromme Keuschheit!«

XVIII

VON EINEM UNBEKANNTEN
UND
DEM REDNER CALVUS

Neulich machte mich einer herzlich lachen
Beim Gericht: da mein Calvus alle Frevel
Des Vatinius gründlich vortrug, hub mein
Mann die Hände verwundernd auf, und sagte:
5 »Götter! was hat der Bürzel für ein Mundstück!«

XIX

AUF DEN ARRIUS

»*Ordnunkh*« sagte mein trefflicher Arrius, wenn sich's von Ordnung
  Handelte; »*Hepheu*«, wo »Epheu« ein Anderer sagt.
Und er glaubte dir schön ganz über die Maßen zu reden,
  Wenn er sein »Hepheu« so recht grundaus der Lunge geholt.
(Sicherlich hatte sich seine Mama, Frau Ahne deßgleichen,   5
  Und nicht minder sein Öhm eben der Sprache bedient).
Als er nach Syrien ging, da wünschten wir unseren Ohren
  Glück, und jegliches Wort hörte man wie sich's gebührt.
Ja wir glaubten uns los und ledig der Plage für immer,
  Als man, o Schreckenspost! plötzlich die Kunde vernahm: 10
Seit Herr Arrius über das Meer ging, gibt es in aller
  Welt kein Ionisches mehr, aber ein *Hüonisches*.

ANMERKUNGEN

(Bei einigen Stücken dieses Dichters wurde die Versart des Originals mit einer andern vertauscht.)

I

Die *Jünglinge*, Altersgenossen des Bräutigams, befinden sich in dessen Hause, und mit ihm an der festlichen Tafel gelagert in Erwartung der Braut. Beim Aufgang des Abendsterns erheben sie sich, mit Ausnahme des Bräutigams, um sich an der Thüre aufzustellen. Die Freundinnen der Braut, die dieser das Geleit nach ihrer neuen Wohnung geben, nähern sich mit derselben u. s. f.

V. 7. Der Öta ist ein Gebirge Griechenlands, das sich unterhalb Thessaliens vom Malieïschen Meerbusen gegen Abend erstreckt. Hesperus wurde als Gottheit auf dem Öta und von den anwohnenden Lokrern und ihren Colonien verehrt; daher die *Ötäische Fackel*.

V. 35. Unter dem Namen Phosphorus oder Lucifer, als Morgenstern. (Bei dieser im Urtext lückenhaften Stelle hat sich der Übersetzer einige Freiheit erlaubt.)

III

V. 12. Bezieht sich auf den Volksglauben, daß man gewisse Dinge nicht zählen müsse, weil sonst Zauberer und Hexen bösen Gebrauch davon machen, die Sache »beschreien« könnten.

V

Eine kunstlos gearbeitete hölzerne Statue des *Priapus* ist in diesem Gedichte redend eingeführt.

V. 16. Im *Vertrauen*; weil solche Opfer eigentlich nur Göttern höheren Rangs gebührten.

VI

V. 11. *Balsam.* Bekanntlich pflegten sich die Alten bei ihren Gastmählern das Haupt zu salben.

VIII

V. 3–6. Asiatische Gegenden und Völker. *Eoisches M.*, der östliche Ocean, aus dem Eos (die Morgenröthe) aufstieg. – Die *Hyrkaner*, südöstlich, und die *Sacer*, nordöstlich am Kaspischen Meer. – Die *Parther* waren berühmt im Bogenschießen, besonders auf verstellter Flucht rückwärts vom Pferde.

V. 7. Der mit sieben Hauptmündungen ins Meer sich ergießende *Nil*, der durch sein schlammiges Wasser demselben eine trübe Farbe gibt.

V. 10–11. Von Gallien aus war der große *Cäsar* über den Rhein in Deutschland eingedrungen, auch ging er zweimal nach Britannien, welches die Römer vorher nicht kannten. – *Ehrenmäler*, die zurückgelassenen Siegeszeichen. – Ramler findet diese Stelle ironisch, weil jene Unternehmungen von geringem Nutzen gewesen. Doch dieser Ansicht widerspricht schon die Anlage unserer Ode, deren eigenthümlich schöne Wirkung darauf berechnet ist, daß der erste Theil einen rein erhabenen Eindruck gebe, um sodann mit V. 15 auf überraschende Weise in's Komische, in eine launige Bitterkeit umzuschlagen und sofort wehmüthig zu schließen.

X

Simonides, griech. Dichter, hatte zarte Klagelieder geschrieben, die einem gleichgestimmten Gemüthe wohlthun konnten.

XI

V. 1. *Sirmio*, eine reizende Halbinsel im Gebiete Verona's, vom See Benacus, dem heutigen Lago di Garda, gebildet, wo Catull ein Landgut hatte.

V. 5. *Bithynia*, sammt *Thynia*, römische Provinz, ein Küstenland an der Südseite des schwarzen M. östl. von der Propontis. Catull hatte den Memmius, der als Prätor nach Bith. ging, dorthin begleitet, in der Hoffnung, sein Glück zu machen; Mem. aber sorgte nur für sich, und seine Gefährten gingen leer aus, wie in den folgenden Versen angedeutet ist.

XII

Der Dichter steht mit seinen Gästen am Benacus-See (s. das vor. Stück).

V. 1. *Segler*, schnellsegelndes Schiff.

V. 6–9. Das *Adriatische* M. – Die Cykladischen Inseln im Ägäischen M. – *Rhodus*, berühmte Insel bei der südwestl. Küste Kleinasiens. – *Thracien* gränzt südlich an's Ägäische M. und an die *Propontis* (jezt Marmorameer), östlich an den *Pontus Euxinus* (schwarze M.).

V. 10. Zu einem Schiffe gehören viele Bäume, welche man also einen kleinen *Wald* nennen kann. – *Behaart*, belaubt.

V. 11–13. *Cytorus*, Gebirg in Paphlagonien an der Südseite des schwarzen M. – *Amastris*, Seestadt ebendaselbst.

V. 17. *Die breiten Füße*, Ruder.

V. 21. Den Göttern des Meeres. S. Horaz XIV, 57.

V. 27. *Kastor's Zwillingsbr.* Pollux; s. Kastor im Anh.

194

XIII

V. 7. *Libyen*, Afrika.

V. 9. Das Niesen war bei den Alten ominös. Vrgl. Theokrit X, 16.

XIV

V. 1. Das *Juventische* Geschlecht war eines der edelsten.

XVI

V. 5-8. *Kleinere* Pergamentblätter (besonders zum Concept, da das Geschriebene weggeschabt werden konnte, um von Neuem mit Schilfrohr und Tinte darauf zu schreiben). Es gab aber auch Blätter von Pergament und schneeweißem Ägyptischem Papyrus größeren Formats, die deßhalb (wie unser Royalpapier) *königliches Papier* hießen. Die zusammengeleimten Blätter wurden um Stäbchen gerollt, deren beide hervorragende Enden (Knäufe) oft mit Elfenbein, Gold oder Silber verziert waren; auch bekamen die Blätter, wenn das Buch Staat machen sollte, eine gelbe oder purpurfarbene Pergamentdecke (Umschlag) und wurden zulezt mit Riemen umbunden. Das Pergament selbst, namentl. auch den Schnitt des so gerollten Buchs, welcher nachher gefärbt wurde, glättete man mit Bimsstein.

V. 21. Nach einer Äsopischen Fabel hat Jupiter jedem Menschen einen Quersack umgehängt, dessen eine Hälfte auf der Brust, die andre auf dem Rücken liegt; in jener befinden sich die Fehler Anderer, in dieser die eigenen.

XVII

Eine Person vom übelsten Rufe hatte dem Dichter seine Schreibtäfelchen entwendet. (Dieß waren kleine hölzerne Blätter, mit Wachs überzogen, worein man die Schriftzüge rizte.) Um sie von ihr wieder zurückzufordern, ruft er, gleichsam als seine Boten, die Hendekasyllaben, elfsylbige Verse, zusammen, die von dem griech. Dichter *Phaläkus* auch Phaläcische heißen und die man besonders für Schmähgedichte geeignet hielt.

XVIII

Calvus, ein Freund Catulls, als Redner und Dichter berühmt. Er war sehr klein von Person. Auf einem öffentlichen Platze der Stadt (Forum) wurde Gericht gehalten.

V. 3. *Vatinius*, ein höchst unwürdiger Mann, der vom Dictator Cäsar zum Consul gemacht wurde.

XIX

V. 1-2. Im Latein. steht CHOMMODA (COMMODA) und HINSIDIAS (INSIDIAS).

V. 7. *Nach Syrien*; ohne Zweifel in öffentlichen Geschäften.

V. 12. Das *Meer* an der westlichen Küste des Peloponnes heißt das *Ionische*, von den Ioniern, welche dieselbe bewohnen.

HORAZ

EINLEITUNG

Quintus *Horatius Flaccus*, römischer Dichter, im Jahre 65 vor Chr. zu Venusia, einer Apulischen Stadt, geboren, war, wie er selbst gelegentlich erwähnt, von niedriger Herkunft. Sein Vater, der ein Freigelassener und wahrscheinlich Einzieher von Versteigerungsgeld war, dachte gleichwohl edel genug, der höhern Erziehung seines Sohns jedes Opfer zu bringen. Er hatte ihn nach Rom gebracht, und der junge Horaz ward in allem Wissenswürdigen und Schönen unterrichtet. Großen Fleiß widmete er besonders den Werken der griechischen Dichtkunst und der Philosophie; ja es war ihm vergönnt, die leztere an der Quelle selbst zu schöpfen und nach dem Beispiel der edelsten Jünglinge Roms nach Athen zu reisen. Er mochte kaum ein Jahr dort zugebracht haben, als die Kämpfe, die sich in seinem Vaterlande mit Ermordung Julius Cäsar's eröffneten, auch ihn in Anspruch nahmen. Die Häupter der Verschwörung, Brutus und Cassius, eilten, auswärts ein Heer zu sammeln, dem sich namentlich auch die damals in Athen studirende römische Jugend anschloß, und zwar ging Horaz als Oberster einer Legion mit nach Kleinasien und Macedonien. Hier kämpfte er die für die Sache der Freiheit so unglücklich entschiedene Schlacht in den Ebenen *Philippi's* mit, in deren Folge Brutus und Cassius eines freiwilligen Todes starben. Horaz, da er Alles verloren sah, hatte keine andere Wahl, als mit den Seinigen zu fliehen. Er konnte ohne Gefahr in's Vaterland zurückkehren, aber eines kleinen Guts, das ihm sein Vater hinterlassen, war er durch Achtserklärung verlustig geworden. Arm, wie er nun war, auf das geringe Amt eines Quästurschreibers beschränkt, wußte er sich durch sein poetisches Talent sehr bald einen Namen, Freunde und Gönner zu verschaffen. Der Dichter Virgil empfahl ihn jenem reichen Beschützer der Gelehrten, *Mäcenas*, der unserem Flaccus seine volle Gunst zuwandte, ihm ein Landgut im Sabinischen schenkte, und ihn dem Octavian, nachmaligen Kaiser *Augustus*, zuführte. Dieser zeigte bald deutlich genug, wie sehr er den Dichter sich näher zu verbinden wünsche; allein vorsichtig zog Horaz sich zurück. Dem Philosophen und Poeten mußte wohl eine ungestörte ländliche Muße bei weitem wünschenswerther als aller Glanz des Hofes seyn, und so kostete es ihm nichts, seine frühere Stellung als Patriot noch einigermaßen zu bewahren, wenn er dem Augustus so wenig wie möglich verdankte, dessen verdientes Lob er bei Gelegenheit wohl singen durfte. – Sein Tod fällt in's Jahr 8 vor Chr.

Horaz steht als Dichter sehr hoch. Eigenthümliche Anmuth entwickelt er in einer Art von launigen Lehrgedichten, den Satiren und Briefen, die freilich ihrer Natur nach nicht poetisch im strengen Sinn des Worts seyn können. Für uns kommen blos seine lyrischen Gedichte, die Oden und Epoden, in Betracht, worin er zwar meist die Griechen vor Augen hat, die sich aber durch eigenes Gefühl, durch ihren oft feierlichen Ernst, überraschende Kühnheit des Ausdrucks und sinnschwere Kürze, so wie durch einen höchst kunstreichen Organismus des Verses empfehlen. Sie sind wie prächtige, aus starrem Erz getriebene Gebilde mit sorgfältiger Ornamentirung. Nur wird man bei einem unbefangenen Überblick der *ganzen* Sammlung eingestehn, daß manche Oden, zumal in Wiederholung seiner Grundsätze der Lebensweisheit, etwas Einförmiges, und andere etwas Gemachtes haben.

I

AN KALLIOPE

O steig' herab vom Himmel, Kalliope!
Stimm' an die Flöte, Königin! oder sing'
   Ein ewig Lied mit heller Stimme,
      Sing' und begleit' es mit Phöbus' Saiten!

5   Vernehmt ihr? – oder täuscht mich ein lieblicher
Wahnsinn? Zu hören glaub' ich die Wandelnde
   Im sel'gen Götterhain, wo linde
      Säuselnde Lüftchen und Wasser strömen. – –

Mich deckten auf dem Vultur Apuliens,
10   Wo ich als Knabe, ferne dem Vaterhaus,
   Von Spiel und Schlaf bezwungen, da lag,
      Dicht'rische Tauben mit grünen Zweigen.

Ein Wunder war es allen Bewohnern, traun,
Des hohen Felsnests von Acherontia,
15   Und denen auf Bantiner Waldhöhn
      Und in der üppigen Trift Forentum's,

Wie sicher ich vor Ottern und Bären schlief,
Wie mich geweihter Lorbeer umschattete,
   Und Myrtenlaub, ein muthig Kind, das
20   Leise schon göttlichen Schutz empfunden.

Euch nur gehör' ich, Musen! mit euch besteig'
Ich nun Sabinum's Hügel, nun Tibur's Hang,
   Irr' in Präneste's Hainen, weide
      Mich an der heiteren Klarheit Bajens.

Mich, eurer Quellen, euerer Reigen Freund, 25
Hat nicht Philippi's rückwärts gewandte Schlacht
    Erlegt, nicht jener Unglücks-Stamm, kein
      Schiffe-zerschellender Palinurus.

Wo ihr mit mir seyd, wag' ich den Bosporus
In einem Nachen sonder Gefahr, und geh' 30
    Mit leichtem Stabe durch den glühnden
      Sand der Assyrischen Ufer, suche

Den Britten auf, den Mörder der Fremdlinge,
Und den mit Blut der Rosse sich letzenden
    Concaner, auch den Strom der Scythen, 35
      Und die Gelonen, die Köcherträger.

Ihr laßt den großen Cäsar, sobald der Held
Das müde Kriegesheer in die Städte legt,
    Und seiner Arbeit Ende suchet,
      In den Piërischen Grotten ausruhn. 40

O sanften Rath ertheilet ihr Freundlichen!
Und freut euch eures Rathes. Doch wissen wir,
    Der frevelnden Titanen Rotte
      Schlug er mit schmetterndem Blitze nieder.

Er, der des Erdballs Massen, das stürmische 45
Weltmeer, und Städte, gleich wie das Reich der Nacht
    Regiert, und alle Götter, alle
      Menschen beherrscht mit gerechtem Scepter.

Groß war sein Schrecken, als, auf der Arme Macht
Vertrauend, jene furchtbare Jugend mit 50
    Dem Brüderpaar anhub, den wald'gen
      Pelion auf den Olymp zu wälzen.

Doch was vermochte Typhon's und Mimas' Kraft?
Was mit der Wuth-Geberde Porphyrion?
55   Was Rhötus, und mit ausgeriss'nen
           Eichen Enceladus mächtig schleudernd,

Wo Pallas ihren donnernden Götterschild
Entgegenschwenkte? Rüstig stand hier Vulcan,
        Hier Juno, hier der auf der Schulter
60   Keinen unthätigen Bogen führet;

Der seines Delos' grünenden Mutterhain,
Und Patara's beschatteten Strand bewohnt,
        Der seines Hauptes goldne Locken
           In die Kastalischen Fluthen tauchet. –

65 Macht ohne Rath stürzt unter der eignen Last,
Mit Rath geführte Macht wird von Göttern selbst
        Gehoben; doch verhaßt ist ihnen
           Alle Gewalt, die nach Unheil trachtet.

Bewährt der hundertarmige Gyas nicht
70 Den Spruch der Weisheit? lehrt ihn Orion nicht,
        Der keuschen Cynthia Versucher,
           Durch den jungfräulichen Pfeil gebändigt?

Tellus, die Ungeheuer bedeckend, seufzt
Noch jezt, und klagt die Brut, die der Blitz gesandt
75   Zum bleichen Orkus: noch durchfraß nicht
           Gieriges Feuer die Last des Ätna.

Der Gei'r, bestellt zum Rächer der Schuld, verläßt
Des zügellosen Tityos Leber nicht,
        Und ewig drücken den verwegnen
80   Buhler Pirithous hundert Ketten.

II

AN THALIARCHUS

Du siehst, im Schneeglanz flimmert Sorakte's Haupt;
Und horch! der Wald ächzt, unter der schweren Last
    Erseufzen dumpf die Wipfel; Kälte
      Fesselt die Wasser mit scharfem Hauche.

Vertreib' den Winter! reichlich den Herd mit Holz   5
Versehn! Dann schenke Freund Thaliarchus uns
    Vierjähr'gen Weins, und ja genug, ein
      Aus dem Sabinischen Henkelkruge.

Befiehl der Götter Sorge das Übrige!
Sobald nach ihrem Wink von der Stürme Kampf   10
    Die Meeresbrandung ruht, so ruhn auch
      Alte Cypressen und Eschen wieder.

Was morgen seyn wird, frage du nicht: Gewinn
Sey jeder Tag dir, den das Geschick verleiht;
    Und nicht der Liebe Lust, o Knabe,   15
      Achte gering, noch die Reigentänze,

So lang die Jugend grünet, und ferne sind
Des Alters Launen. Kampf, und das Feld des Mars,
    Und Nachts der Liebe leises Flüstern
      Suche noch auf zur besprochnen Stunde;   20

Und jenes süße Lächeln vom Winkel her,
Wo das versteckte Mädchen sich selbst verräth,
    Und du vom Arm und von dem spröd' sich
      Stellenden Finger das Pfand ihr abziehst.

III

AN LYDIA

Wenn du, Lydia, Telephus'
Rosennacken mir lobst, Telephus' Arme dem
  Wachs vergleichest: o dann empört
Sich die schwellende Brust eifernder Galle voll,

5   Dann vergehen die Sinne mir
Und die Farbe, dann schleicht heimlich ein Tropfen sich
  Auf die Wang', und verräth den Brand,
Der mir langsam das Mark in den Gebeinen frißt.

    Wie entbrenn' ich, der Schultern Weiß
10 Dir vom trunkenen Kampf schändlich entstellt zu sehn!
    Ha! zu sehn, wie der Wüthende
Deinem Munde des Zahns Spuren zurücke ließ!

    – Hoffe keinen Bestand von dem,
Der, ein rauher Barbar, Lippen entweihen kann,
15   Denen Venus, die gütige,
Ihres Nektars ein Fünf-Theilchen verliehen hat!

    Überglückliches Paar, um das
Sich friedselig ein Band schlinget, ein dauerndes,
    Nie zerrissen vom bösen Zwist,
20 Und das Amor erst löst, wann sich das Leben schließt.

IV

AN POMPEJUS GROSPHUS

O du, dem Tod oft nahe mit mir geführt,
Da Brutus' Leitung folgte das Kriegesheer,
  Wer gab, Quirit, den Heimathgöttern
    Dich und Italischem Himmel wieder?

Pompejus! erster meiner Genossen, du,   5
Mit dem ich oft beim Becher den langen Tag
  Verkürzte, wann bekränzt die Locken
    Von der Assyrischen Narde glänzten.

Philippi fühlten wir, und die rasche Flucht,
Wobei – nicht fein! – das Schildchen verloren ging,   10
  Als hoher Muth erlag, der Trotzer
    Stirne den blutigen Boden rührte.

Doch mich enthub Mercurius schnell dem Feind,
In dichten Nebel hüllend den Ängstlichen:
  Dich trug in neuen Kampf die Woge,   15
    Die dich im brausenden Strudel fortriß.

Jezt gib dem Zeus dein schuldiges Opfermahl!
Nach langem Feldzug lege den müden Leib
  Hier unter meinem Lorbeer nieder,
    Schon' auch der Krüge nicht, die dein warten;   20

Füll' an mit sorgenbrechendem Massiker
Die blanken Kelche. Gieße den Salbenduft
  Aus weiten Muscheln. Wer flicht hurtig
    Kränze von Myrten und feuchtem Eppich?

25 Wen wird uns Venus geben zum Könige
Bei'm Trunk'? O schwärmen will ich bacchantischer
 Als ein Edone! Süßes Rasen,
  Nun ich den trautesten Freund empfange!

V

NEREUS' WEISSAGUNG

Mit dem Weibe des Gastfreundes durchschnitt die Fluth
Treuvergessen der Hirt auf dem Idäer-Schiff:
Da hieß Nereûs die lautschwärmenden Winde ruhn,
        Daß er diesem sein schreckliches

Schicksal sänge: »Du führst unter verderblichem   5
Zeichen heim, die mit Macht Hellas bald wiederheischt,
Schon verschworen, dein Fest gräßlich zu enden, zu
        Stürzen Priamus' altes Haus.

Ha, wie triefen von Schweiß Reiter und Roß zumal!
Wie der Leichen so viel häufst du dem Dardaner-   10
Volk! Schon rüstet mit Helm, Ägis und Wagen sich
        Pallas, Rachegedankenvoll.

Dann umsonst, auf den Schutz Cypria's allzukühn,
Lockst du üppig das Haar, stimmst zur unkriegrischen
Cither süße Gesäng' unter den Weibern an,   15
        Birgst umsonst in dem Brautgemach

Dich vor Kretischem Pfeilhagel und Speergedräng',
Vor dem Lärm und dem schnellfolgenden Ajax dich:
Ja dann – o nur zu spät! – werden die reizenden
        Buhler-Locken mit Staub befleckt.   20

Siehst du deines Geschlechts Tilger, Ulysses, nicht?
Nicht aus Pylos den vielweisen Neliden dort?
Rastlos ängstet dich hier Salamis' wackrer Held,
        Teucer; Sthenelus auch, im Streit

25 Wohlerfahren, und kühn, wenn er zu Wagen die
Rosse lenket. Du lernst auch den Meriones
Kennen. Siehe, dich sucht wüthend des Tydeus Sohn,
Tapfrer noch als der Vater war!

Dem du feig, wie der Hirsch, welcher das Gras vergißt,
30 Wann den Wolf in des Thals anderem End' er sieht,
Tief aufathmend vor Angst, schnell zu entfliehen suchst:
Das versprachst du der Deinen nicht.

Zwar verzögert Achill's zürnende Flotte noch
Troja's Schicksal, verschont Phrygiens Mütter noch:
35 Doch bestimmt ist der Tag, wo das Achaische
Feuer Ilion's Thürme frißt.«

VI

AN DIE FREUNDE

NACH DEM SIEG ÜBER DIE KLEOPATRA

Jezt laßt uns trinken! jezt mit entbundnem Fuß
Den Boden stampfen! jezt ist es hohe Zeit,
    Der Götter Polster auszuschmücken
        Mit Saliarischem Mahl, o Freunde!

Jüngst war es Frevel, altenden Cäcuber   5
Vom Keller holen, während dem Capitol
    Die tolle Königin den Umsturz,
        Tod und Verderben dem Reiche drohte

Mit ihrer siechen Heerde Verschnittener,
Bethört von wild ausschweifenden Hoffnungen,   10
    Und trunken aus dem Kelch des Glückes.
        Aber der rasende Taumel schwand bald,

Als kaum den Feuerflammen Ein Schiff entrann.
Bald jagte Cäsar ihr, die der Wein des Nil
    Verwirrte, wahre Furcht ein; drang ihr,   15
        Als sie dem Italer-Strand enteilte,

Mit schnellen Rudern nach, – wie der zarten Taub'
Ein Habicht, und dem Hasen im Schneegefild
    Ämoniens ein rascher Jäger, –
        Ketten dem höllischen Scheusal drohend.   20

Doch sie, die edler endigen will, erblaßt
Jezt vor dem Stahl nicht feige nach Weibes Art,

Noch sucht sie mit geschwinden Schiffen
Hinter entlegenen Küsten Zuflucht;

25 Sieht ihres Thrones Sturz, die Unbeugsame,
Mit heitrer Stirn' an, muthig das schreckliche
Gezücht der Schlangen fassend, läßt sich
Tödtendes Gift in die Adern rinnen.

Zum Tod entschlossen, trotzig vergönnte sie
30 Den lezten Sieg der Flotte nicht, wollte nicht
Herabgewürdigt vor des Siegers
Wagen – kein niedriges Weib! – einherziehn.

VII

AN DEN LIEBHABER DER JUNGEN LALAGE

Den ungebeugten Nacken wird diese noch
Nicht unter's Joch leihn, wird des Gespannes Pflicht
    Dir noch nicht halb erfüllen können:
        Sieh, es verlanget die junge Färse

Derzeit nur immerdar nach dem Wiesenplan,   5
Wo sie des Mittags drückende Hitze bald
    Im Bache lindert, bald im feuchten
        Weidengebüsche mit Kälbchen tändelt

Voll Lust und Wohlseyn. Zähme dich, rascher Freund!
Die Traub' ist unreif. Kurze Geduld, so hat   10
    Der farbenreiche Herbst die blaue
        Beere mit Purpur dir überzogen.

Bald folgt sie selbst dir; denn mit Gewalt entflieht
Die Zeit, und sezt ihr, was sie von deinen nahm,
    An Jahren zu: bald sucht mit kecker   15
        Stirne sich Lalage selbst den Gatten;

Noch mehr geliebt als Pholoë, hold im Fliehn,
Als Chloris, deren Schulter dem Monde gleicht,
    Der Nachts im Meere widerscheinet,
        Oder als Gyges, der junge Gnider,   20

Der, stünd' er mitten unter der Mädchen Schaar,
Gewiß den Scharfblick täuschte der Fremdlinge,
    So flattern ihm die losgebundnen
        Haare, so trüget das Zwitterantlitz.

VIII

AN POSTUMUS

Ach, wie im Fluge, Postumus, Postumus,
Entfliehn die Jahre! Frömmigkeit hält umsonst
    Das Alter, das die Schläfe furchet,
        Hält den unbändigen Tod umsonst auf;

5   Und brächtest du zur Sühnung auch jeden Tag
Dreihundert Opferstiere dem ehrnen Gott,
    Ihm, der den dreigestalt'gen Riesen,
        Geryon, drunten gefangen hält, und

Den ungeheuren Tityos, im Bereich
10   Des Stroms, den Alle, die wir der Erde Frucht
    Genießen, Fürstenkinder oder
        Dürftige Pflüger, beschiffen werden.

Vergebens, Freund, entgehn wir der Wuth des Mars,
Den wildgebrochnen Fluthen des Adria,
15   Vergebens sichern wir im Herbstmond
        Uns vor den schädlichen Mittagswinden:

Wir müssen doch den schwarzen Kocytus sehn
In krummen Ufern schleichen, des Danaus
    Verruchte Brut, den Äoliden
20   Sisyphus, ewig verdammt zur Arbeit.

Verlassen mußt du Felder und Haus, und ach!
Dein süßes Weib; der Bäume, die du gepflegt,
    Wird keiner seinem kurzen Eigner,
        Als die verhaßte Cypresse, folgen.

Dann trinkt ein klügrer Erbe den Cäcuber,   25
Den hundert Schlösser hüten, und nezt mit Wein,
    Den edler nicht des Oberpriesters
        Tafel gewähret, den Marmor-Estrich.

IX

AN MERCURIUS

Redegott, Mercurius, Atlas' Enkel,
Der die wilden Sitten der jungen Menschheit
Klug durch Sprache bildet' und durch der Ringbahn
    Zierliche Künste.

5   Dich, des Zeus Herold und der großen Götter,
Sing' ich jezt, dich, Vater der krummen Lyra,
Vielgewandter, was dir gefällt, im Scherze
    Heimlich zu stehlen.

Als er dich, den Knaben, mit droh'nder Stimme
10   Schreckte, wenn du nicht die geraubten Rinder
Wiedergäbst, da lachte, beraubt des Köchers,
    Phöbus Apollo.

Selbst des Atreus Söhne betrog der König,
Seine Burg verlassend, von dir geleitet,
15   Auch die Feuerwachen und Feindeslager
    Griechischer Schaaren.

Du bringst fromme Seelen zum Sitz der Freude,
Lenkest mit dem goldenen Stab die Schwärme
Leichter Schattenbilder, der obern Götter
20   Freund, und der untern.

X

AUF BACCHUS

Den Bacchus sah ich fern in der Felsenkluft
Gesänge lehren, glaube mir, Enkelwelt! –
    Sah, wie die Nymphen lauschten, und geis-
       füßige Satyrn die Ohren spizten.

Evö! auf's neu' erschaudert die Seele mir!   5
Ich fühle noch voll seliger Trunkenheit
    Den Gott im Busen. Schone, *Liber*!
       Schone, du schrecklicher Thyrsusschwinger!

Nun darf ich singen, wie die Thyade ras't,
Und wie der Wein vom Felsen herunterrinnt,   10
    Wie Milch in Bächen fleußt und Honig
       Aus der gehöhleten Eiche träufelt;

Darf deiner Gattin himmlischen Ehrenkranz
Im Sternenschimmer strahlend, und Pentheus' Burg,
    Die schwer dahingestürzte, singen,   15
       Und des Lykurgus Geschick, des Thrakers.

Dir weichen Ströme, Meere gehorchen dir,
Du knüpfest schadlos, triefend von Rebensaft,
    Der Bistoniden Haar mit Schlangen,
       Wann sie dir nach von den Bergen taumeln.   20

Du warfst den Rhötus, als der Giganten Schaar
Den hohen Thron des Vaters zu stürmen kam,
    Mit Löwenklauen durch den Äther
       Und mit entsetzlichem Löwenrachen.

25 Zwar wähnten dich die Streiter zum Reihentanz,
Zu Scherz und Spielen tüchtiger, als zum Kampf:
    Du aber zeigtest dich im Frieden
      Und im Getümmel der Schlacht gleich herrlich.

Dich, schön geziert mit goldenem Horne, sah
30 Der Höllenhund, lief friedsam mit regem Schweif
    Dich an, und leckte mit drei Zungen
      Sanft dir den Fuß, da du wieder auffuhrst.

XI

HORAZ UND LYDIA

HORAZ

Als mir Lydia günstig war,
Und kein trauterer Freund seinen verliebten Arm
    Um den glänzenden Nacken schlang,
Lebt' ich glücklicher als Persiens Könige.

LYDIA

Als du ganz für mich glühetest,   5
Keine Chloë den Rang Lydien abgewann,
    Da war Lydiens Name groß,
Nicht Roms Ilia war höher geehrt als ich.

HORAZ

Jezt beherrscht mich die Thracische
Chloë, deren Gesang lieblich zur Laute klingt;   10
    Freudig litt' ich den Tod für sie,
Wenn die Parce nur *ihr* Leben verlängerte.

LYDIA

Mit gleichseitiger Liebesgluth
Hat des Thuriers Sohn, Kalaïs, mich entflammt.
    Zweimal trüg' ich den Tod für ihn,   15
Wenn die Göttin nur *sein* Leben dann fristete.

HORAZ

Wie, wenn Amor zurückgekehrt?
Und ins eherne Joch neu die Getrennten schmiegt?
    Wenn nun Chloë, die blonde, weicht,
Und mich Lydiens Thür wieder wie sonst empfängt?   20

LYDIA

Zwar strahlt Jener wie Hesperus,
Du bist schwankend wie Rohr, zorniger als die Fluth
Des aufbrausenden Adria:
Doch gern lebt' ich für dich, stürbe, wie gern! mit dir.

XII

AN DEN BANDUSISCHEN QUELL

O Bandusiens Quell, glänzender als Krystall,
Werth des süßesten Weins, festlicher Kränze werth!
    Dein sey morgen ein Böcklein,
        Dessen Stirne schon Hörner keimt,

Das schon Kämpfe beschließt, rüstige Kämpfe mit   5
Nebenbuhlern: umsonst! weil nun der lustigen
    Heerde Liebling mit Blut dir
        Deine Welle bepurpurn soll.

Dich trifft Sirius nicht, ob er auch sengende
Flammen sprühe; du reichst liebliche Kühle dar   10
    Dem ermüdeten Pflugstier
        Und der weidenden Wollenschaar.

Auch dein Name wird groß unter den Quellen seyn:
Denn ich singe den Hain und den beschatteten
    Hohlen Felsen, aus welchem   15
        Dein geschwätziges Wasser springt.

XIII

AN TELEPHUS

Wie viel Jahre nach Inachus
Kodrus lebte, der kühn starb für sein Vaterland,
    Vom Geschlechte des Äakus,
Und vom Trojischen Krieg redest du immer nur,
5   Doch wie theuer man Chier-Wein
Kauft, wer Wasser zum Bad wärmt, und sein Haus uns leiht,
    Daß ich dieser Pelignischen
Kälte trotze: davon sprichst du mit keinem Wort.
    – Hurtig, Knabe, den Becher! – *Den*
10   *Dem* aufgehenden Mond! *Den* für die Mitternacht!
    Für den Augur Muräna *den*!
Just drei Schalen, auch neun, auf den Pokal! Ihr schenkt
    Dem begeisterten Dichter heut
Dreimal drei nach der Zahl seiner Camönen ein!
15   Mehr als drei hat die Grazie
Und ihr reizendes Paar Schwestern, aus Furcht vor Streit,
    Anzurühren euch untersagt.
Auf! wir schwärmen! Warum tönt nicht die Phrygische
    Flöte? Was soll die Pfeife jezt
20   An der Wand bei der trüb' schweigenden Leyer dort?
    Tödtlich hass' ich die müssigen
Hände! Rosen gestreut! Lykus da drüben, voll
    Gifts, hör' unsern Tumult, es hör'
Uns sein Weibchen, die sich herzlich des Alten schämt.
25   – Dir, volllockiger, schöner Freund,
Dir, dem Hesperus gleich schimmernder Telephus
    Glüht die reifende Rhode, ach!
Während Glycera mich langsam verschmachten läßt.

XIV

AN DEN MÄCENAS

Urenkelsohn Tyrrhenischer Könige,
Mäcenas! deiner harret ein volles Faß
    Gelinden Weins, und für dein Haupthaar
        Duftendes Öl und geschonte Rosen.

Laß endlich was dich fesselt! beschaue nicht   5
Das wasserreiche Tibur und Äsula's
    Gefild am Abhang und des Vater-
        Mörders Telegonus Bergflur täglich.

Hinweg von jenem lastenden Überfluß,
Dem Prachtgebäu, das hoch an die Wolken thürmt!   10
    Bewundre länger nicht die Schätze,
        Rauch und Geräusch der beglückten Roma.

Willkommen ist den Reichen Veränderung:
Oft hat im kleinen Hüttchen ein reinlich Mahl,
    Auch ohne Teppich, ohne Purpur,   15
        Ihnen die düstere Stirn erheitert.

Schon zeigt der hehre Vater Andromeda's
Verborgnes Feuer; Procyon wüthet schon
    Und auch des wilden Löwen Stern, wann
        Trockene Tage die Sonne herführt.   20

Schon sucht der matte Hirt und sein lechzend Vieh
Des Baches Kühlung auf, und des ländlichen
    Silvanus Buschwerk: und hinfort nicht
        Streifen am stillen Gestad' die Winde.

25 Du, für das Heil der Bürger nur sinnend, bist
Bekümmert, was die Seren, was Cyrus' Volk
   Im alten Baktra, was der Fehden
    Suchende Tanaïs heimlich brüten.

   Es deckt die Zukunft weislich ein Gott für uns
30 Mit dunkler Nacht, und lachet des Sterblichen,
   Der weiter als es frommt hinaus sorgt.
    Ruhig beschicke man was der Tag bringt.

   Was ferner kommt, das kommt mit des Stromes Lauf,
Der heute noch zum Tuscischen Meere sanft
35   Die Wellen wälzte; bald, wenn wilde
    Fluthen die Wasser in Aufruhr bringen,

   Durchnagte Felsenstücke, gestürzte Bäum'
Und Hütten, sammt den Heerden im Wirbel fort-
   gerissen mit sich führt: die nahen
40   Wälder erbrausen, die Hügel heulen.

   Der nur allein lebt seiner bewußt und froh,
Der täglich sagt: heut hab' ich gelebt! es mag
   Der große Vater nun den Himmel
    Morgen in finstere Wolken hüllen,

45   Er mag ihn schimmern lassen im Sonnenglanz.
Vergangnes macht sein Wille nicht ungeschehn,
   Und schafft nicht um, was schon die rastlos
    Eilende Stunde davon getragen.

   Fortuna führt ihr grausames Amt noch gern,
50 Spielt übermüthig lachend ihr altes Spiel,
   Und täuscht mit ungewissen Ehren,
    Mir jezt geneigt, und dem *Andern* morgen.

   Bleibt sie, so lob' ich's; schwingt sie die Fittige,
Zurück dann geb' ich was sie geschenkt, und hüll'

In meine Tugend mich, die Armuth 55
  Wählend, die redliche, sonder Mitgift.

Ich mag nicht kläglich flehn, wenn im Sturmgeheul
Der Mast erkracht, und mag nicht Gelübde thun,
  Daß meine schwer erkaufte Waare,
    Welche mir Tyrus und Cypern einlud, 60

Das nimmersatte Meer nicht bereichere.
Ein leichter Kahn schafft ohne Gefährde mich,
  Mit Kastor's Hülf' und seines Bruders,
    Durch der Ägäischen Wellen Aufruhr.

XV

AUF DEN SIEG DES DRUSUS ÜBER DIE RHÄTIER

So wie den Blitze-tragenden Adler einst
(Dem Zeus die Herrschaft schweifender Vögel gab,
    Weil ihn getreu der Götterkönig
        Bei Ganymedes erfand, dem blonden,)

5   Das rasche Blut des Vaters, die Jugendkraft
Vom Neste trieb, unkundig des Fluges Müh',
    Und Frühlingswinde nach verströmtem
        Regen ihn Schwünge gelehrt, den Bangen,

Die er nie wagte; und er auf Hürden bald
10   Als Feind herabschießt, feurigen Ungestüms,
    Bald, wann ihn Fraß und Streitlust reizen,
        Sich auf die sträubige Schlange stürzet;

Und wie den Löwen, der nun der Mutter Milch
Verschmäht, ein Reh sieht, das auf begras'ter Flur
15   Sein Futter suchend, von dem jungen
        Zahne den blutigen Tod erleidet:

So sahn die Rhäter jüngst an der Alpen Fuß
Den Drusus streiten. Horden, die weit umher
    Zu siegen wußten, ha! sie lernten
20   Jetzo, gewältigt durch Jünglingsklugheit,

Was angeborner Genius, was ein Geist,
Erzogen unter götterbeglücktem Dach,
    Was Vaterlieb' Augustus Cäsar's
        Über Neronisches Blut vermögen.

Vom edlen Stamm, vom Helden entsproßt der *Held*;   25
Es blüht im Stier, es blühet im Roß die Kraft
    Des Vaters, und der kühne Adler
        Wird nicht die schüchterne Taube zeugen.

Das Angeborne wächset durch Lehre groß,
Und durch gestrenge Bildung erstarkt die Brust: 30
    Wo aber Zucht und Sitte wich, da
        Schänden Verbrechen des Geistes Adel.

Wie viel, o Rom! du deinen Neronen dankst,
Bezeugt Metaurus' Ufer und Hasdrubal's
    Vernichtung: als nach langen Nächten   35
        Latien endlich der Tage schönster

Erschien; der erste lachende Siegestag,
Seit jener grimme Libyer, gleich dem Sturm
    Im Meer, der Flamm' im Föhrenwalde
        Gleich, durch Italiens Städte ras'te.   40

Seitdem erhob sich glücklicher stets im Kampf
Die Römerjugend. Alle von Punischer
    Verruchter Hand gestürzten Götter
        Standen nun wieder in ihren Tempeln.

Und endlich sprach der trügrische Hannibal: 45
»Wir, gleich den Hirschen, reissender Wölfe Raub,
    Verfolgen sie noch jezt, da unser
        Größter Triumph die geheimste Flucht ist?

Dieß Volk, das aus dem brennenden Ilion
Gerettet, auf den Tuscischen Wellen trieb,   50
    Und Götter, Kinder, greise Väter
        Nach der Ausonier Städten brachte,

Gewinnt, dem Eichbaum gleich, der in Algidus'
Schwarzgrünem Hain die Zweige durch's Beil verlor,

55   Selbst nach Verlust und Niederlagen,
          Selbst durch das Eisen, nur neue Stärke!

So wuchs, zerstückt noch wachsend, die Hydra nicht
Dem wie verzweifelt kämpfenden Herkules
      Entgegen; solch' ein Wunder hatte
60   Kolchis nicht, und nicht Echion's Theben.

Du senkst es in die Tiefe: weit schöner steigt's
Empor; bekämpf' es: herrlich mit frischer Kraft
      Wirft's in den Staub den Sieger, liefert
        Schlachten, von denen des Enkels Weib singt.

65   Kein stolzer Bote geht nach Karthago mehr.
Dahin ist alle Hoffnung; verschwunden ist
      Das Glück, das unserm Namen folgte,
        Alles, seit Hasdrubal fiel, verschwunden.

Nichts läßt der Arm der Claudier unvollbracht:
70   Sie schützet huldvoll Jupiters Götterwink,
      Und weise Umsicht führt sie glorreich
        Aus dem gewagtesten Waffenspiele.«

XVI

AN NEÄRA

Nacht war's, ohne Gewölke der Himmel, es strahlete Luna,
    Umringt von Sternen, hell herab,
Als du, Ohr und Auge der heiligen Götter zu täuschen,
    Mit schlanken Armen mich umfingst,
Dichter als Epheu dem Stamm der ragenden Eiche sich anschmiegt,   5
    Und mir auf meine Worte schwurst,
Schwurst: so lange den Schafen der Wolf, den Schiffern Orion,
    Des Meeres Wüthrich, furchtbar ist,
Und in Apollo's wallendem Haar die Lüfte noch spielen,
    Bestehe dieser Liebesbund! –   10
Ach, Neära, wie wird einst Flaccus' Kälte dich kränken,
    Der's länger nicht unmännlich trägt,
Daß dem neuen Vertrauten die Nächte du schenkest, und bald sich
    Durch eine beß're Liebe rächt,
Er, auf dessen Entschluß verhaßte Reize nicht wirken,   15
    Nachdem man ihn so schwer verlezt.
Aber, du Glücklicher, wer du auch bist, der jezt im Triumphe
    Hinschreitet über meinen Schmerz,
Ob du mit Heerden gesegnet, ob reich an Gefilden du prangest,
    Ob ein Paktolus für dich fleußt,   20
Ob dir die Lehren des zweimalgebornen Pythagoras kund sind,
    Und Nireus an Gestalt dir weicht:
Ach, wie bald wirst auch du die verlorene Liebe beweinen!
    Ich aber lache dann wie du.

XVII

SÄCULARISCHER FESTGESANG

KNABEN UND MÄDCHEN

Phöbus! und Diana, der Wälder Herrin!
Lichter Schmuck am Himmel! verehrbar ewig,
Und verehrt, o gebet uns, was am heil'gen
    Feste wir flehen!

5 Nach dem Spruch Sibyllischer Bücher singen
Auserles'ne Mädchen und keusche Knaben
Heut den Göttern, welche die sieben Hügel
    Schützen, ein Loblied.

KNABEN

Sonnengott, Allnährer, dess' heller Wagen
10 Bringt und birgt den Tag, der du gleich und anders
Stets erscheinst, o möchtest du Größ'res nimmer
    Schauen, als Roma!

MÄDCHEN

Du, die sorgsam reife Geburt an's Licht zieht,
Sanfte Ilithyia, die Mütter schütz' uns,
15 Oder ob du lieber Lucina heißest,
    Ob Genitalis.

KNABEN

Laß gedeihn das blühende Kind, und segne
Was die Väter über der Frau'n Vermählung
Angeordnet, und das Gesetz, das fruchtbar
20   Zeuget den Nachwuchs.

KNABEN UND MÄDCHEN

Daß nach elfmal zehen umkreisten Jahren
Diese Stadt euch Spiel und Gesang erneue,
Die wir durch drei festliche Tag' und holde
  Nächte begehen.

Ihr sodann, wahrsingende Schicksalschwestern,   25
Was ihr einmal sprachet, und was der Ausgang
Streng bewahrt, o füget zum schon Verlebten
  Glückliche Zukunft!

Tellus, reich an Früchten und reich an Heerden,
Schmücke Ceres' Stirne mit Ährenkränzen,   30
Nährend auch komm' Jupiter's Luft und Regen
  Über die Fluren.

KNABEN

Gnadenreich und gütig verbirg den Bogen,
Und erhör' uns flehende Knaben, Phöbus!

MÄDCHEN

Luna, Sternenkönigin, Zweigehörnte,   35
  Höre die Mädchen!

KNABEN UND MÄDCHEN

Ist Rom euer Werk, hat ein Heer aus Troja,
Euch gehorsam, Laren und Stadt verlassen,
Und meerüber flieh'nd am Etrusker-Strande
  Glücklich gelandet,   40

Welchem einst durch Ilion's Brand Äneas
Fromm und treu, sein Vaterland überlebend,
Sichre Bahn eröffnet, um mehr zu geben
  Als er zurückließ:

45 Götter! so verleihet der Jugend reine
Sitten; gebt friedseligem Alter Ruhe;
Gebt dem Römervolke zu Macht und Wachsthum
Jegliche Zierde!

Jener, der euch ehret mit weißen Rindern,
50 Venus' und Anchises' erlauchter Sprößling,
Herrsche weit vorragend im Kampf dem Feinde,
Mild dem Besiegten.

KNABEN

Seinen Arm, allmächtig in Meer und Landen,
Fürchtet schon der Meder, und Alba's Beile;
55 Seines Ausspruchs warten, noch stolz vor Kurzem,
Scythen und Inder.

MÄDCHEN

Schon kehrt Treue, Frieden und Ehre wieder,
Alte Zucht und lange vergeß'ne Tugend
Wieder, und glückspendender Überfluß hebt
60 Freudig sein Füllhorn.

KNABEN

Phöbus, hell im Glanze des Köchers strahlend,
Augur, und eu'r Liebling, ihr neun Camönen,
Welcher durch heilbringende Kraft die kranken
Glieder erquicket.

65 Wenn er gnadvoll schaut die geweihten Höhen,
Wird er Rom's Wohlfahrt und Latiner-Macht zum
Nächsten Lustrum stets und auf immer beß're
Zeiten verlängern.

MÄDCHEN

Aventin's und Algidus' Göttin, nimm auch
70 Du der fünfzehn Männer Gebet, Diana,

Huldreich auf, und neige dein Ohr der Kinder
    Bitten gefällig!

KNABEN UND MÄDCHEN

Daß uns Zeus erhört und die Götter alle,
Kehren wir nach Hause der frohen Hoffnung,
Wir, der Festchor, kundig, Diana's Lob und   75
    Phöbus' zu singen.

GEREIMTE NACHBILDUNGEN

XVIII

AN MUNATIUS PLANCUS

Sey's Rhodus' Herrlichkeit, sey's Mitylene,
Korinth mit seinem Doppelhafen,
Der hochgeweihte Sitz vom Gott der Schwäne,
Sey's Tempe, wo Zephyre schlafen,
5 Thebä, wo Bacchus' heil'ge Kraft entsprungen:
Sie sind bekannt, beliebt, besungen;
Dann, rossenährend Argos, du; Mycene,
Goldreiche, Juno's Stolz! und Sparta, Heldenwiege!
Vor allen deine Burg, jungfräuliche Athene!
10 Wen lockt sie nicht zum schönsten aller Siege,
Da vor dem Ölzweig, der ihm winket,
Der Lorbeer selbst im Preise sinket!
– Doch, seh' ich nun mit malerischem Brausen
Den Anio Felsenwände messen,
15 So hab' ich, wo die Wipfel Tibur's sausen,
Bald, was nicht Tibur heißt, vergessen.

Mein Freund! der Südsturm scheucht vom krausen Himmel
Gewölke, das er erst geschaffen,
Und unerwartet blinkt's wie Sterngewimmel
20 Aus Wettern, die vom Blitze klaffen.
So kannst du, wenn die Pulse unstet klopfen,
Des wunden Lebens bittre Schmerzen
Vertreiben, wie du willst: auf wenig Tropfen,
Wenn's Wein ist, klären sich die Herzen.
25 Sanft ruht sich's dann im Kreis der Kriegspaniere,
Sanfter in Hainen, wo dich Flaccus führe.

233

Die Heimath um des Vaters Willen fliehend,
Fand Teucer trauernde Genossen;
Und doch mit Herkul's Laub die Stirn umziehend,
Sprach also der von Telamon entsprossen: 30
»Dort Vaters Drohn, hier taube Wogen;
Doch nie hat Phöbus noch getrogen,
Ein zweites Salamis steigt aus den Wellen
Empor uns: Drum frisch auf, Gesellen!
Wir tragen nicht das erste Leid zusammen, 35
Das größte kaum; wo sind die Becher?
Bewaffnet gegen Fluthen euch mit Flammen:
Ein Flüchtling morgen, heut ein Zecher!«

XIX

AN CHLOË

Du fliehst mich, Chloë! gleich dem scheuen Reh,
Das pfadlos forteilt über Kluft und Höh',
Der Mutter nach, und ängstlich lauscht,
Wenn in dem Wald ein Lüftchen rauscht.

5 Dem Lenz entgegen schauert hier das Laub,
Eidechsen rascheln grünlich dort im Staub:
Da zuckt ihm aus dem Herzen, sieh'!
Der Schreck hinunter bis an's Knie.

Ein blut'ger Tiger, der dich würgen will,
10 Ein Löwe bin ich nicht; so halte still!
Wozu die Mutter? Einem Mann
Reift, mein' ich, solche Frucht heran.

XX

AN LICINIUS MURÄNA

Du hast, Licinius, das Maß getroffen,
Wenn du verwegen nicht in's Weite strebst,
Nicht wetterscheu dich ewig an die schroffen
    Gestade klebst.

Wer einmal liebgewann die goldne Mitte,   5
Verkriecht sich unter kein berußtes Dach,
Und reizt die Mißgunst nicht durch Fürstensitte
    Und Prunkgemach.

Die Windsbraut greift zuerst nach hohen Wipfeln,
Dumpf stürzt und schwer des Thurmes Wucht ins Thal,   10
Begierig züngelt nach der Berge Gipfeln
    Der Wetterstrahl.

Der Weise fürchtet, wenn das Glück ihm lächelt,
Und hofft die Änderung im Mißgeschick:
Derselbe Gott, der wintern lässet, fächelt   15
    Den Lenz zurück.

Es folgt auf dunkle Nacht des Tages Schimmer,
Und plötzlich weckt Apoll mit Citherklang
Die stummen Musen auf, und spannt nicht immer
    Den Bogenstrang.   20

Da wo des Schicksals Pfade sich verengen,
Soll weit dein Herz, kühn deine Hoffnung seyn;
Doch zieh', wenn allzugünst'ge Winde drängen,
    Die Segel ein!

XXI

AN MÄCENAS

»Ein Hagestolz den ersten März begehen?
Läßt Blumenduft, läßt Weihrauch um sich wehen,
Da heute Frauen nur zum Tempel gehen?«
    Hör' ich dich fragen.

5   Du kennst die Vorwelt besser als mein Leben.
Gelobt' ich Bacchus doch dieß Mahl zu geben,
Und einen Bock, als mich ein Baum nur eben
    Nicht todt geschlagen.

Und wieder in dem schnellen Lauf der Wochen
10   Ist heute dieser Tag mir angebrochen:
So springt ein Stöpsel, der schon Rauch gerochen
    Eh' ich geboren.

Auf Freundesrettung trinkt Mäcenas gerne;
Stoß an! Mein Lämpchen überwacht die Sterne;
15   Es tagt, und noch sind wir in sel'ge Ferne
    Träumend verloren.

Nicht ganz ist deine Zeit dem Staat verfallen!
Sahst Geten schon zum Capitole wallen,
Des Meders Faust sich gegen Meder ballen:
20   Sind wir nicht Sieger?

Vergeblich zeigt der span'sche Leu die Zähne,
Die Kette klirrt beim Sträuben seiner Mähne,
Auf Rückzug weis't die schlaffe Bogensehne
    Nordischer Krieger.

Und sey auch noch nicht alle Welt geborgen: 25
Genieße jezt! die Freude kennt kein Morgen;
Nur unter Kronen nisten Herrschersorgen:
    Leben ist klüger!

ANMERKUNGEN

I

V. 1–2. *Kalliope*; *Königin*, weil sie unter den Musen den ersten Rang behauptet.

V. 9–20. Man bemerke den großartig raschen Übergang von den vorhergehenden Versen zu Vers 9 und den folgenden. Indem die Muse ihm auf seinen
ersten Anruf zu Willen ist und den Begeisterten augenblicklich in ihre Nähe versezt, erinnert sich der Dichter mit hohem Selbstgefühl an eine wundersame Begebenheit, die ihn frühzeitig als einen Liebling jener Göttinnen bezeichnete. –
Mich deckten Tauben u.s.w. Sie heißen *dichtrische*, sofern sie in den Fabeln der Poeten
als dienstbare Wesen öfter vorkommen. – *Vultur*, Gebirg in Apulien und dem an-
grenzenden Lucanien. In der erstern Landschaft lag Horazens Geburtsort; er
hatte sich also weit von Hause verlaufen. *Acherontia*, *Bantia*, *Forentum* waren be-
nachbarte Städte.

V. 22–24. *Sabinum*, sein Gut in der bergigen *Sabiner*-Landschaft; in der Nähe
Tibur, eine reizend am Fluß Anio gelegene Stadt in Latium (jezt Tivoli in der
Campagna di Roma). – *Präneste*, Stadt in Latium, ihrer hohen, kühlen Lage wegen
ein beliebter Sommeraufenthalt reicher Römer. – *Bajä*, kleine Stadt in Campanien
(unweit Neapel), herrlich an einem Meerbusen gelegen, und einst durch seine war-
men Bäder berühmt.

V. 26. Siehe das Leben des Dichters.

V. 27. Horaz wäre durch einen umstürzenden Baum auf seinem Landgute beinah erschlagen worden.

V. 28. Das Vorgebirge *Palinurus* an der Lucanischen Küste, Sicilien gegenüber,
hatte von Äneens Steuermann den Namen. Bei welcher Gelegenheit Horaz hier
einen Sturm erlitt, ist unbekannt.

V. 29. *Bosporus*, die Thracische Meerenge bei dem heutigen Constantinopel.
Meerengen sind besonders gefährlich zu beschiffen.

V. 32. *Assyrien*, eigentlich Syrien, das Küstenland am mittelländischen Meer. Er
meint aber die Wüsten von Palmyrene, die sich nach Petra u.s.w. hinab strecken.

V. 33. Die *Britannier* hatten vielleicht Ursache die *Fremden*, die an ihrer Insel
landeten, für Kundschafter von Eroberern zu halten. Ein alter Scholiast sagt, sie
hätten die Fremden geopfert, (Baxter, ein guter Britte, sezt hinzu: dieß ist von den
Irländern zu verstehen).

V. 35. *Concaner*, Volk Cantabriens in Spanien. – *Strom der Scythen*, d.h. die
Scythen vom Tanaïs-Fluß, jezt Don; unter welchen die Horde der *Gelonen* um
den Borysthenes (Dnieper) am schwarzen Meer umherstreifte.

239

V. 40. *Piërisch*; siehe Musen im Anhang. Der Sinn ist: Augustus erholt sich von seiner Mühsal durch Beschäftigung mit Werken der Dichtkunst u. dergl. Dieser Beschäftigung wird auch V. 41 die Milde seiner späteren Regierung zugeschrieben.

V. 43. *Titanen*, hier mit den Giganten vermengt.

V. 51–56. *Brüderpaar*, Otus und Ephialtes; s. im Anh. – *Typhon*, sonst ein besonderes Ungeheuer, hier zu den Giganten gezählt, dergleichen *Mimas, Porphyrion, Rhötus* und *Enceladus* sind.

V. 61–64. *Delos*, Insel im Ägäischen Meer, auf welcher Apollo geboren wurde, er hatte einen Tempel und ein Orakel daselbst, hielt sich aber nur in den Sommermonaten dort auf; im Winter war er zu *Patara*, einer Seestadt Lyciens in Kleinasien, gleichfalls mit einem Tempel und Orakel. – *Kastalia*, eine dem Apollo geweihte Quelle des Parnassus (bei Delphi in Phocis).

V. 69–70. *Gyas*, eigentlich einer der Centimanen, hier mit den Giganten vermischt. – *Orion*; s. im Anhang.

V. 73–80. Die *Ungeheuer*; ihre Kinder, die Giganten. So liegt Typhon unter dem *Ätna*, aus dem er Feuer speit. Die *Brut*, die Titanen. *Tityos*, s. Orkus; *Pirithous*, s. Theseus im Anh.

II

V. 1. *Soracte*, ein einzelner Berg, fünf deutsche Meilen nordöstlich von Rom, und von dort aus sichtbar. Mehrere Erklärer nehmen indessen an, jener Thaliarchus habe in der Nähe des Soracte eine Villa gehabt, in welcher Horaz dieses Gedicht geschrieben. Die ganze Schilderung in der ersten Strophe beweist einen für Italien ungewöhnlich strengen Winter.

V. 18. Das große *Marsfeld* in Rom war unter Anderm zu Leibesübungen für die Jugend bestimmt.

V. 21 folgg. *Vom Winkel her*; etwa in einem Säulengang. Einige denken hier nicht sehr passend an ein eigentliches Versteck- und Pfänderspiel nach unsrer Art.

IV

V. 2–4. *Brutus*; s. Einleit. zu Horaz. – *Quirit*, Römer; sofern der geächtete Grosphus wieder aller Rechte eines römischen Bürgers theilhaftig geworden. – *Heimathgötter*, Penaten, Laren.

V. 5–8. *Erster*, liebster. – *Assyrisch*, für Syrisch. Die römischen Kaufleute bezogen die Indischen und Arabischen Specereien aus Syrien und Phönicien; die *Narden*blüthe lieferte ein Öl zu einer köstlichen Salbe.

V. 10–12. Der *Schild* ward als ein Hinderniß auf der Flucht weggeworfen. Dieß Geständniß hat den Scharfsinn der Gelehrten, um die Ehre des Dichters zu retten, viel beschäftigt. – Die *Trotzer*, die gefallenen Soldaten des Brutus und Cassius. Die Schlacht bei Philippi wird als eine der blutigsten beschrieben.

V. 13–16. *Mercur*, als Schutzgott der Dichter. Er hat die Leyer erfunden. – Diese Art von Entrückung aus der Gefahr ist aus Homer bekannt genug. – Horaz kehrte im Jahr 41 nach Rom zurück; Grosphus hielt sich nach der Philippi'schen Schlacht bei der Partei des Brutus, welche zu Sextus Pompejus ihre Zuflucht nahm, der sich Sardiniens und Korsika's bemächtigt hatte. Wahrscheinlich kam Grosphus nach dem zwischen Sextus Pompejus und den Triumvirn (Octavian, Antonius und Lepidus) geschlossenen Frieden, im Jahr 39, ins Vaterland zurück.

V. 17 folgg. *Schuldiges*, durch ein Gelübde. – *Massiker*, von dem Campanischen Gebirge Massicus, einer der ersten Weine. – *Die blanken Kelche*. Sie waren aus edlen Metallen in Gestalt der großen Blätter der Ägyptischen Kolokasie gearbeitet, die denen der Wasserlilie gleichen. – *Muscheln*, Salbenschalen in Muschelform. – Der glücklichste Wurf mit den (vier) Taluswürfeln war, wenn jeder eine andere Zahl zeigte; und dieser Wurf hieß die *Venus*. – *König*; der die Trinkgesetze vorschrieb u.s.w. Die *Edonen*, d.h. *Thracier*, wegen ihrer Wildheit beim Trinken berüchtigt.

V

Nereus, der Meergott, weissagt dem *Paris* (s. dens. im Anhang), welcher soeben die Helena entführt, die Folgen dieses Frevels.

V. 2. *Idäer-Sch.*, d.h. ein Trojanisches, von dem Holze des Berges Ida gebaut.

V. 10. *Dardaner*, Trojaner; von Dardanus, Stammvater der Könige von Troja.

V. 11. *Ägis*; s. Minerva im Anh.

V. 16. *Birgst dich* u.s.w.; wie dieß der Fall war, als er (nach Homer, Ilias III, 380 folgg.) durch Venus dem Menelaus entrückt ward und sich in der Umarmung Helena's vergaß.

V. 17. *Kreta*, Insel im mittelländischen Meer, lieferte vortreffliche Rohrpfeile und hatte die besten Bogenschützen.

V. 18. *Ajax*, Oileus' Sohn, Fürst der Opuntischen Lokrer, ein Held, dessen Schnelligkeit im Verfolgen berühmt war.

V. 20. Mit *Staub* und Blut.

V. 21. *Ulysses*, s. im Anh.

V. 22. *Nelide*, Nestor, Sohn des Neleus, König von Pylos (in Triphylia, Landschaft im Peloponnes), ein erfahrner Rathgeber der Griechen.

V. 24. *Teucer*, Sohn *Telamon's*, Königs von Salamis, Insel und Stadt unweit Attika. – *Sthenelus* lenkte den Streitwagen des großen Diomedes.

V. 26. *Meriones*, Begleiter des Kretischen Königs Idomeneus, ausgezeichnet im Speerwurf und Pfeilschießen.

V. 27. *Tydeus S.*, Diomedes, König von Argos, im Peloponnes.

V. 32. Iliade III, 430, sagt Helena zu ihm: »Ha! du prahltest vordem, den streitbaren Held Menelaos   Weit an Kraft und Händen und Lanzenwurf zu besiegen!«

V. 33. *Achill's Flotte* (oder Heer) zürnt, weil ihr Gebieter zürnt (s. Troja im Anh.).

V. 34–36. *Phrygien*, worin *Ilion* (Troja) gelegen. – Das *Achaiische F.*, das der Griechen.

241

VI

V. 3. Bei öffentlichen Dank- oder Sühnfesten wurden die Bildsäulen der *Götter* auf *Polstern* um die Altäre her gestellt und ihnen ein köstliches Mahl vorgesezt, das hier ein *Saliarisches* heißt, von den Saliern, den Priestern des Mars, die am ersten März zu Ehren ihres Gottes nach mancherlei anderen Feierlichkeiten eine herrliche Opfermahlzeit hielten.

V. 5. *Cäcuber*, ein vortrefflicher Wein, von Cäcubum, einer Latinischen Gegend; der Name dient aber auch zur Bezeichnung irgend eines guten Weines.

V. 6–7. *Capitol*, die alte heilige Burg auf einem Hügel innerhalb Roms; hier für den römischen Staat gesezt, weil dem allgemeinen Glauben zufolge das Capitol und mit ihm der Staat ewig bestehen sollte. – *Kleopatra*, Königin von Ägypten, Geliebte des mächtigen Triumvirs Antonius, beabsichtigte, nicht eigentlich Roms Vernichtung, doch suchte sie auch nichts Geringeres als die römische Alleinherrschaft; aber die in unserer Ode gefeierte Seeschlacht bei Aktium (Vorgebirge an der westlichen Küste Griechenlands, an dem Ambracischen Meerbusen), in welcher Cäsar Octavianus den Antonius besiegte (2. Sept. 31 vor Chr.), vernichtete ihre kühnen Hoffnungen.

V. 9. *Ihre Heerde Verschn.*; ihre Günstlinge, in deren Händen beinahe die ganze Regierung war.

V. 13. Kleop. war gleich im Anfang des Treffens mit ihren sechszig Schiffen geflohen; Ant. that es ihr blindlings nach, und ließ seine wackere Flotte im Stich, welche fast ganz verbrannt wurde.

V. 14. Bei den üppigen Gastmählern der Kleopatra ward auch der Wein in reichem Maße genossen, der von ausgezeichneter Güte bei Alexandria, zwischen dem *Nil* und dem See Mareotis erzeugt wurde.

V. 15. *Wahre Furcht*, im Gegensatz zu den verschiedenen grundlosen Befürchtungen und bösen Ahnungen, wovon sie schon zuvor wie umnebelt war.

V. 16. *Italer-Strand*; Italien, wohin sie zu segeln gedachte. Denn hätte Antonius die Schlacht gewonnen, so wäre sie mit ihm gerade auf Rom losgegangen.

V. 19. *Ämonien*, so viel als Thessalien, ein Theil des nördlichen Griechenlands.

V. 21. Als Kleopatra den Abgesandten des Siegers Octavianus erblickte, der den Auftrag hatte, sie vestzunehmen, wollte sie sich einen Dolch in die Brust stoßen, was jedoch jener verhinderte. Einige Zeit nachher bestellte sie, scheinbar beruhigt, ein köstliches Mahl. Ein Diener aber mußte ihr, in einem Korb mit Blumen und Früchten verborgen, einige Nattern bringen; sie legte sich eine derselben an den Arm und starb an ihren Bissen eines schnellen Todes. Antonius hatte sich zuvor schon selbst entleibt und war in ihren Armen verschieden. – Horaz weicht hauptsächlich insofern von der Geschichte ab, als er die Thatsachen wie in Einer raschen Folge auf einander geschehen darstellt.

V. 32. Im Triumphzug nämlich, für den Octavian sie aufsparen wollte.

VII

Man kann in dieser Ode eine Jugendarbeit des Dichters erblicken und den schnellen Wechsel der Bilder anfechten, ohne deßhalb ihre großen Schönheiten zu verkennen.

V. 4. *Färse*, junge Kuh.

V. 13–15. Die Jahre, die noch diesseits des Zeitpunkts der höchsten Jugendblüthe liegen, werden demnach als die positive und immer zunehmende Lebenszeit, die jenseitigen aber als die negative, als Abbruch, betrachtet.

V. 17. *Mehr geliebt*, d. h. sie hat mehr Anbeter. – *Im Fliehn*, als Spröde.

V. 20. *Gyges*, ein schöner Knabe aus *Gnidus* (Knidos), Stadt Kariens in Kleinasien.

VIII

V. 8–9. *Geryon*; s. im Anh. – *Tityos*, s. im Anh. Orkus. – *Dunkl. Strome*, dem Styx.

V. 14. Des stürmischen, klippenreichen *Adriatischen* Meers.

V. 16. Im Herbst führt der feuchte Südwind Krankheiten herbei.

V. 17–20. *Kocytus, Danaus, Sisyphus*, s. im Anh. Orkus.

V. 24. *Cypressen* wurden an die Gräber gepflanzt.

V. 25. *Cäcuber*, s. Ode VI, 5. Anm.

IX

V. 2–4. Um die noch im Urzustande lebenden Menschen ihrer wahren Bestimmung entgegenzuführen, und sie also zuvörderst in Gesellschaften zu vereinigen, war die erste Bedingung, ihnen eine ordentliche Sprache zu geben. Auch von der Ausbildung des Leiblichen hingen wesentliche Vortheile: Stärke, Gewandtheit, Anstand ab.

V. 6–12. Kaum vier Stunden nach seiner Geburt erfand der sinnreiche Gott die *Leyer*, indem er eine Schildkrötenschale mit Darmsaiten bezog. Ebendamals entführte der Knabe dem Apollo von den heiligen Heerden der Götter in Piërien fünfzig Rinder, die er sofort verläugnete. Apollo drohte ihm mit seinen Pfeilen, allein der Schalk hatte ihm bereits seinen Köcher entwendet.

V. 13–16. *Atreus' Söhne*, Agamemnon und Menelaus (s. Troja im Anhang). Mercur geleitete den Priamus, König von Troja, als er den Leichnam Hektors von Achilles lösen wollte, bei Nacht durch das Lager der Griechen, so daß ihn keiner bemerken konnte, zum Zelte des Helden und wieder zurück.

V. 17. *Sitz der Freude*, Elysium.

X

V. 5. »*Evö!*« war der Jubelruf der Bacchanten und Bacchantinnen (s. im Anh. Bacchus).

V. 7–8. *Liber*, Beiname des B. – *Schone*; triff mich nicht mit deinem Stabe, damit ich dem heiligen Wahnsinn nicht erliege.

V. 9–12. *Singen* wie der ganze überschwängliche Reichthum des goldenen Weltalters unter dem Schlage des Thyrsus aus der Erde hervorbricht. – *Thyade*, s. Bacchus im Anh.

V. 13. Der Ariadne hochzeitliche Krone, ein Kunstwerk des Vulcan aus Gold und Indischen Edelsteinen, wurde von Bacchus unter die Sterne versezt (s. im Anhang Theseus und Bacchus).

V. 14. *Pentheus*, König von Theben (in Böotien) hatte sich der Einführung des Bacchusdiensts gewaltsam widersezt, den Bacchus gefesselt und auf seiner Burg gefangen genommen, welche der Gott zertrümmerte, indem er sich befreite. Penth. aber wurde von den Bacchantinnen zerrissen.

V. 16. *Lykurgus*, König der Edonen, eines Thracischen Volksstamms, wurde von Jupiter geblendet, weil er den Bacchusdienst in seinem Reich nicht dulden wollte. Nach Andern hieb er sich, im Begriff Weinstöcke umzuhauen, selber die Füße ab, da B. ihn in Raserei versezte.

V. 17 bezieht sich auf Bacchus' siegreichen Indischen Heereszug. Mit seinem Wunderstab trieb er die Wasser der ihn aufhaltenden *Flüsse* Hydaspes und Orontes zurück, um trockenen Fußes hindurchzugehn; so auch stillte er das Indische Meer (s. Anh. Alte Weltk.).

V. 19. *Bistoniden*, d. h. *Bacchantinnen*. Die Bistonen sind ein Volk Thraciens, von dem die Mysterien dieses Gottes ausgingen. – *Schlangen*; zu einem wildaussehenden Kopfschmuck.

V. 21. *Rhötus*, ein Gigant.

V. 23. Bacchus hatte sich in einen *Löwen* verwandelt.

V. 29. Er hat zwei kurze goldne Hornspitzen, als Sinnbilder der Kraft, die in Bildwerken zuweilen unter dem Epheu und Weinlaubkranz hervorsehen.

V. 30. Bacchus holte seine Mutter Semele aus der Unterwelt in den Himmel.

XI

V. 8. *Ilia*, oder Rhea Silvia, Tochter des Albanischen Königs Numitor und Priesterin der Vesta, wurde von Mars umarmt und gebar ihm die Zwillinge Romulus und Remus, die Gründer Rom's.

V. 14. *Thurier*, d. h. aus Thurium, Stadt Lucaniens (in Unteritalien).

V. 23. *Adria*, das Adriatische Meer.

XII

Diese Quelle ist genaueren Untersuchungen zufolge nicht auf oder bei Horazens Landgute, sondern in seiner Heimath, sechs Miglien von Venosa zu suchen.

V. 1. Der Dichter verspricht der Nymphe ein Opfer mit Wein und Blumen, überdieß einen Bock, dessen Blut wie jenes Beides man in die Quelle schüttete.

V. 9. *Sirius* (ein vorstrahlender Stern am Rachen des großen Hundes, geht um den 25. Juli auf), hier so viel als der heiße Strahl der Sonne in den Hundstagen.

XIII

Dieß wie improvisirt lautende Gedicht versezt uns mit Einemmal in Horazens und seiner Freunde Gesellschaft. Sie waren zusammengekommen, um, vielleicht dem Muräna zu Ehren, ein Gelage, wozu man die Kosten zu gleichen Theilen trug, zu verabreden. Doch eh' man über Wann, Wo und Wie? noch einig geworden, verirrt sich das Gespräch auf gelehrte Materien, und zwar vorzüglich durch des Telephus Redseligkeit. Der Dichter, ungeduldig, schilt ihn deßhalb; er eilt zum Zweck, ja seine Einbildung reißt ihn schon mitten in's Gelage, das tief in die Nacht fortdauern soll und schon schreibt er die Trinkgesetze vor.

V. 1. *Inachus,* der älteste König von Argos (im Peloponnes) ungefähr 1800 vor Chr.

V. 2. *Kodrus,* der lezte König von Athen. Er verkleidete sich und ließ sich von den Feinden, den Doriern, die er mit Fleiß reizte, niederhauen, weil das Orakel vorhergesagt, Athen würde die Oberhand erhalten, wenn sein König umkäme. Sein Tod fällt ins Jahr 1068.

V. 3. *Äakus,* König von Ägina (Insel bei Attika), Vater des Peleus und Telamon, Großvater des Achilles, Teucer und Ajax.

V. 5. Der Wein von der griechischen Insel *Chios* war sehr geschäzt.

V. 6. *Zum Bad;* nach dem bekannten Gebrauch vor Tischgehen.

V. 7. Das Gebiet der *Peligner* war nördlich von Samnium, in Mittel-Italien, und der Gebirge wegen sehr kalt.

V. 11. Licinius Muräna, einer der Freunde, hatte kürzlich die *Augur-*Würde erhalten, ein priesterliches Amt, wobei aus dem Fluge, der Stimme der Vögel u.s.w. geweissagt und der Wille der Götter erforscht wurde.

V. 12. Ordinäre Trinker mögen drei *Schalen* Wein unter dreimal so viel Wasser nehmen; Meinesgleichen sind, um der neun Musen willen, neun Schalen Wein zu drei Schalen Wasser vergönnt.

V. 15. Die drei Göttinnen der Anmuth und Schicklichkeit.

V. 18. *Phrygisch,* erinnert an den lärmenden, aus Phrygien stammenden Cultus der Cybele.

V. 25. Bei der hübschen Nachbarin fällt ihm, und zwar im Gegensatz zu dem Liebesglück des Telephus, sein eignes Schicksal ein, daher dieß plötzliche Fallen des übermüthig bacchantischen Tons in den der Wehmuth herab.

XIV

V. 1. *Tyrrhenien,* d.h. Etrurien. Siehe Homer. Hymn. III, 7. Anm. Mäcenas leitete sein Geschlecht von den alten Etrurischen Lucumonen oder Zwölffürsten ab.

V. 5-8. *Laß endlich was d. f.;* den Zauberkreis deiner landschaftlichen Umgebung. – *Tibur,* s. Horaz I, 22. Anm. – *Äsula,* Städtchen bei Tibur. – *Telegonus,* ein Sohn des Ulysses und der Circe, soll, nachdem er unwissend seinen Vater erschlagen, nach Italien gekommen seyn und die hochgelegene Stadt Tusculum (Frascati) erbaut haben. – Mäcenas hatte in den herrlichen Gärten des Esquilinischen Bergs einen hoch aufgethürmten Palast, von dem aus er ganz Rom und alle jene Gegenden überschaute.

V. 15. Die Bänke, auf denen man bei Tische lag, waren häufig mit *Purpur* bedeckt, auch waren im Speisezimmer, wenn es keine Felderdecke hatte, Teppiche über der Tafel bevestigt, damit kein Staub von oben auf die Speisen falle.

V. 17–20. *Der Vater Androm.* (s. Perseus im Anh.), das Sternbild des Cepheüs, das nach Columella am 9. Juli Abends aufgeht. Den 15. Juli früh geht *Procyon*, ein Gestirn im kleinen Hunde auf, und den 20sten tritt die Sonne in den *Löwen.*

V. 25. Als Stadtpräfect in Augusts Abwesenheit.

V. 26. *Seren,* im nordöstlichen Asien, nach damaliger Erdkunde der Römer das äußerste Volk des Orients. Zunächst aber hat Horaz die Parther im Sinne, da sie unaufhörliche Einfälle in das römische Gebiet machten; statt ihrer ist *Baktra* (jezt Balkh), Hauptstadt Baktriana's (südliche Bucharei), genannt, wodurch das ganze, einst von *Cyrus* (Pers. König) beherrschte, Parthische Reich bezeichnet ist.

V. 28. *Tanaïs,* hier so viel als die am Fl. Tanaïs (Don) wohnenden Scythen. (*Fehden suchend,* eigentlich: mit sich selbst entzweit.)

V. 33–36. *Strom,* der Tiber-Fl. Genauer: *seine wilden Fluthen;* indem der ausgetretene Strom auch die kleinen Flüsse, die er in sich aufnimmt, den Anio u. a. austreten macht.

V. 46. *Vergangnes;* das schon genossene Gute kann Jupiter mir nicht nehmen, wenn er gleich morgen Böses über mich verhängt. Übrigens weiß ich ja, daß Fortuna u. s. w.

V. 58. *Gelübde thun,* d. h. Opfer geloben, wobei die Hülfe des Gottes bedungen wurde.

V. 60. *Cypern,* Insel im mittelländ. M. östlich, und *Tyrus,* Seestadt Phöniciens, durch Handel berühmt.

XV

Es ist diese Ode ausdrücklich durch Augustus veranlaßt worden, der seine beiden Stiefsöhne, und bei dieser Gelegenheit wohl ganz vorzüglich auch sich selbst, besungen wünschte. Zuvörderst also den Liebling Augusts, den 23jährigen *Drusus,* einen trefflichen Jüngling (der frühzeitig starb) und dessen älteren, schlimmgearteten, später als Kaiser bekannten Bruder Tiberius, Söhne des Tiberius Claudius *Nero* und Livia's, die des Augustus Gemahlin wurde. – Die Rhätier und Vindelicier (s. unten) beunruhigten vielfach das röm. Gebiet; Augustus sandte daher (im Jahre 15 vor Chr.) zuerst den Drusus gegen die Rhätier, welche derselbe in der Gegend von Trident, am Fuß der Alpen in die Flucht schlug. Bald darauf wurde Drusus zum zweitenmal, und zwar mit dem Tiberius, gegen die Rhätier und Vindelicier geschickt, da sie denn völlig besiegt und den Römern unterworfen wurden.

V. 1–4. S. im Anh. Jupiter und Ganymedes.

V. 7. Es ist hier der schon vorgerückte Frühling, oder Sommers Anfang gemeint.

V. 17. *Rhätien* erstreckte sich zwischen dem Rhein und den Norischen Alpen bis Ober-Italien herab, und gränzte nördlich an *Vindelicien.*

V. 24. *Neronisches Bl.*, eben Drusus und Tiberius.

V. 34. Der Consul Cajus Claudius Nero, der berühmte Ahn der beiden jungen Nerone, hatte sich im zweiten Punischen (Karthagischen) Krieg (im J. 207 vor Chr.) ausgezeichnet. Als nämlich *Hasdrubal*, mit einem Heer über die Alpen kommend, bereits Italien sich näherte, um seinem Bruder Hannibal Hülfe zu bringen, der sich in Unter-Italien, dem C. Nero gegenüber, befand, verließ dieser, durch aufgefangene Briefe Hasdrubals von dessen Absicht unterrichtet, heimlich mit einer auserlesenen Mannschaft sein Lager, eilte nach Umbrien, und schlug, mit dem Consul Marc. Livius vereinigt, am Fluß *Metaurus*, das überlegene Heer Hasdrubals, welcher sammt 56,000 Mann selbst auf dem Platze blieb.

V. 36. *Latium*, statt Italien.

V. 38. *Libyer*, Africaner; nämlich Hannibal.

V. 42. *Römerjugend*; das römische Kriegsheer.

V. 45. *Trügrisch*; Punische Treulosigkeit ist sprüchwörtlich; hier bezieht sich das Beiwort besonders auf die vertragswidrige Belagerung und Zerstörung Sagunts (einer mit Rom verbündeten Stadt Spaniens) durch Hannibal, der so den zweiten Punischen Krieg herbeiführte.

V. 49. Äneas, der Troer-Fürst, aus dem brennenden Troja geflüchtet, war nach verschiedenen Abenteuern zu Land und zur See mit seinem jungen Sohne Julus, seinem alten Vater Anchises und einer Schaar Trojaner nach Sicilien und endlich, auf dem Tuscischen (Tyrrhenischen) Meere, nach Italien geschifft, wo er sich in Latium mit seinen Leuten niederließ, die sich sofort mit den Landeseinwohnern vermischten und nebst diesen die Stammväter der Latiner sind. Äneas hatte auch seine heimischen *Götter* (in kleinen Bildern), die öffentlichen Penaten Troja's, die Vesta mit ihrem ewigen Feuer, mitgebracht.

V. 52. *Ausonier*, alt-Italisches Volk, hier statt Italier.

V. 53. *Algidus*, Berg bei Rom.

V. 57. *Hydra*; s. im Anh. Herkules.

V. 60. Kadmus, *Thebens* Erbauer (s. dens. im Anhang), erlegte in der Gegend, wo er seine Stadt gründen sollte, einen Drachen, der ihm seine Leute getödtet. Minervens Rath zufolge säete er die Zähne des Ungeheuers in die Erde, und es entstand eine ganze Schaar geharnischter Männer daraus, welche sich gegenseitig umbrachten; nur fünf blieben übrig; darunter *Echion*, der jene Stadt erbauen half. – Ein Rest jener wunderbaren Zähne wurde später von Iason ausgesät (s. dens. im Anh.), als sich's um das goldene Vließ in *Kolchis* handelte.

V. 65. Nun sende ich keine Siegesboten nach Karthago mehr.

V. 68. Der Consul Claudius Nero ließ Hasdrubal's Kopf vor das Lager Hannibal's werfen, der dabei ausgerufen haben soll: »Nun kenne ich das Loos Karthago's!«

XVI

V. 7. *Orion*, ein Gestirn, dessen Untergangszeit leicht Stürme bringen sollte.

V. 9. So lang Apollo unbeschnittene Haare hat; d.h. so lang Apollo jung bleibt.

V. 20. *Paktolus*, Fluß Lydiens (in Kleinasien), führte, wie man glaubte, Goldsand mit sich.

V. 21. *Pythagoras*, griechischer Weltweiser, der neben dem öffentlichen auch einen geheimen Unterricht gab, und unter Anderem eine Seelenwanderung lehrte, deßwegen er hier der Zweimalgeborne heißt. Sinn: und wenn du dich auch durch die höchste Bildung und Weisheit auszeichnetest.

V. 22. *Nireus* wird in Homers Iliade der schönste im ganzen Heer der Griechen genannt, den Achill allein ausgenommen.

XVII

Die Römer feierten ihren Göttern, und zwar in den ältesten Zeiten den unterirdischen Todesmächten, dem Dis und der Proserpina, zur Sühnung, dann mit besonderer Rücksicht auf Apollo und Diana, gewisse Feste, welche, den Sibyllinischen Büchern (d.h. den in griechischen Hexametern abgefaßten Weissagungen der Sibylla aus Cumä in Italien) gemäß, alle hundert und zehn Jahre je drei Tage und drei Nächte lang, begangen werden sollten, und unter dem Namen der säcularischen Spiele bekannt sind. Augustus erneuerte dieselben (im Jahr 17 vor Chr.) und beauftragte den Dichter mit Verfertigung der Hymne. Sie ward im Tempel des Palatinischen Apollo (s. unten zu V. 65) abgesungen, woselbst auch die Sibyllinischen Bücher in zwei goldenen Kästchen unter dem Fußgestell des Gottes verwahrt wurden.

V. 6. *Auserlesene Knaben und Mädchen.* Es mußten freigeborne Kinder seyn, und zwar aus einer feierlich geschlossenen Ehe und deren beide Eltern noch lebten.

V. 10. *Gleich und anders*; täglich mit neuem Glanze, mit frischgesammelter Kraft.

V. 14–16. *Ilithyia* (s. Diana im Anh.), oder wenn du dich in dieser Eigenschaft lieber mit deinem lateinischen Namen *Lucina* und *Genitalis* nennen hörst.

V. 18–20. *Die Väter*, der Senat. – *Gesetz*; das die Bevölkerung fördernde Ehegesetz, das August in jenem Jahre aufs Neue betrieben und dessen Durchsetzung großen Widerstand fand.

V. 25–27. *Ihr sodann*, untrügliche Parcen, deren Aussprüche jedesmal der Erfolg unausbleiblich bestätigt.

V. 30. Bei den Ernten pflegte man die Bilder der *Ceres* mit einem Ährenkranz zu schmücken.

V. 33–35. *Den Bogen*; sofern Apollo und Diana ihn auch im Zorn gebrauchten. – *Zweigehörnte*; mit dem Sichelmond über der Stirn.

V. 37 folgg. Eine Schaar Trojaner ging, auf einen Orakelspruch Apollo's unter Äneas' Anführung nach Italien, um dort ein neues Reich zu gründen, dessen Hauptsitz Rom wurde. Vergl. Horaz XV, 49, Anm.

V. 43. *Mehr zu geben.* Er gab den Nachkommen die Herrschaft über den größten Theil des Erdkreises.

V. 49–50. *Mit weißen Rindern,* die in den Sibyll. Büchern ausdrücklich vorgeschrieben waren; also mit dem prächtigsten Opfer. – *Venus' und Anch. Spr.,* nämlich Augustus, als Adoptivsohn des Julius Cäsar der Julischen Familie angehörig, die sich von Julus, dem Sohne des Äneas, des Sohns der Venus und des Anchises, herleitete.

V. 54. Die *Meder* (zunächst das Volk unterhalb der südlich am Kaspischen Meer gelegenen Landschaften) stehn hier im weitern Sinne anstatt der Parther; denen sie unterworfen waren. Der Partherkönig Phraates hatte seinen als Geissel in Rom gehaltenen Sohn unter der Bedingung von Augustus zurückbekommen, daß er die Gefangenen und die Feldzeichen, die man durch die Niederlagen des Crassus und Antonius verloren, ausliefere; nach langem Zögern that er es im Jahr 20, erschreckt durch die Nachricht, daß August mit einem Heer in Asien erschienen sey. August nahm dieß als Zeichen der Unterwerfung, und die Sache ward von seinen Lobrednern zur völligen Besiegung der Parther vergrößert. – Der Parther fürchtet *Alba's Beile,* d.h. die Fasces der Römer, Bündel von Stäben, aus denen ein Beil hervorsah, und die den höchsten Personen als Zeichen der Macht durch die Lictoren vorgetragen wurden. – Rom war eine Colonie der Latinischen Stadt Alba longa.

V. 56. Die *Scythen,* um die Donau, welche Lentulus (im Jahr 20) jenseits des Stroms zurückgetrieben hatte. – Suetonius, der Biograph des Augustus, sagt, der Ruf seiner Tapferkeit und Mäßigung habe selbst die entfernten Scythen und Inder bewogen, sich um seine und des römischen Volks Freundschaft durch Gesandte zu bewerben.

V. 57. *Treue* u.s.w.; vrgl. Theognis an Kyrnos Nr. 1, Anm.

V. 62–64. *Augur,* Apollo als Weissager. Er ist auch Arzt.

V. 65. *Die geweihten Höhen;* den Palatinischen Berg, auf welchem der von August aus weißem Marmor erbaute Tempel des Apollo stand.

V. 67. *Zum nächsten Lustrum stets* u.s.w.; von einer Periode zur andern.

V. 69. *Aventinus,* Hügel in Rom; *Algidus,* Berg in der Nähe der Stadt. Auf beiden wurde Diana verehrt.

V. 70. *Der fünfzehn Männer,* welchen die Aufsicht über das Orakel der Sibyll. Bücher und die Besorgung des Säcularfestes oblag.

V. 73. In einer Pause zwischen der vorhergehenden Strophe und dem Schlußchor mag wohl irgend ein Zeichen die Geneigtheit der Götter geoffenbart haben.

XVIII

Lucius *Munatius Plancus,* ein bedeutender Mann, Feldherr und Redner, einst Cicero's Freund. Mehrere Ausleger meinen, er habe, von August mißtrauisch angesehen, nach damaligem Vorgang anderer Römer, aus Mißmuth oder aus Ängstlichkeit auf eine freiwillige Verbannung nach Griechenland gedacht, was ihm

Horaz widerrathe. Doch hat das Gedicht auch ganz ohne solchen Bezug seinen guten Sinn.

Von V. 1–9 werden lauter ausgezeichnete griech. Städte und Gegenden aufgezählt. *Rhodus*, Insel und St. bei der Südküste von Kleinasien, durch wunderbare Heiterkeit der Natur, wie durch Luxus, Kunst und Wissenschaft glänzend. – *Mitylene*, Hauptstadt auf der Insel Lesbos (im Äg. Meer nordwärts), reich an schönen Gebäuden. – *Korinth*, prachtvolle St. in der Landenge des Peloponnes. – *Der hochgew. Sitz* u.s.w., näml. Delphi, Stadt in Phocis, wo Apollo einen Tempel mit jenem berühmten Orakel gehabt. – *Tempe*, liebliche Thalgegend in Thessalien. – *Thebä*, Hauptstadt in Böotien, von König Kadmus erbaut, mit dessen Tochter Semele Jupiter den Bacchus zeugte, um dessenwillen Theben sehr gefeiert war. – *Argos*, in Argolis, wo Juno vorzüglich verehrt wurde; das *rossenährende* bei Homer genannt. – *Mycene*, in Argolis, einst Agamemnons Königssitz, durch seine Schätze berühmt und von Juno begünstigt. *Goldreiche*; Homerisches Beiwort dieser Stadt. – Der Tempel der Minerva stand auf der Burg zu Athen, auf der sich auch der alte heilige Ölbaum dieser Schutzgöttin der Stadt befand.

V. 11. Anspielung auf die zum Theil dichterischen Wettkämpfe bei den Panathenäen, den Festen, welche zu Ehren Minerva's in Athen begangen und wobei den Siegern Kränze von *Ölzweigen* gereicht wurden.

V. 14. *Anio*, Fluß, der die Gegend von Tibur (Tivoli), unfern Horazens Villa, durchzieht.

V. 27. *Telamon*, König von Salamis (Insel und Stadt bei Attika), wollte seinen Sohn *Teucer*, der von Troja zurückkam, nicht wieder aufnehmen, weil er ohne seinen Bruder Ajax, dessen Beschimpfung und Tod er wenigstens hätte rächen sollen, heimkehrte.

V. 29. Dem *Herkules*, welchem Teucer als dem Schutzgott herumschweifender Helden ein Opfer gebracht, war die Weißpappel heilig.

V. 32. *Phöbus*; Apollo's Orakel.

V. 33. Teucer baute auf Cypern eine Stadt, die er nach seiner Vaterstadt *Salamis* nannte.

XX

Lucius *Licinius* Varro Muräna, ein Bruder der Terentia, der Gemahlin des Mäcenas, ein ehrsüchtiger Mann und unruhiger Kopf, der sich später mit Fannius Cäpio wider den Augustus verschwor und dessen Ermordung beabsichtigt haben soll, deßhalb verbannt und mit dem Tode bestraft wurde.

V. 4. d.h. an die durch Klippen für den Seefahrer ebenso gefährlichen *Gestade* dich hälst.

V. 19. *Nicht immer* zürnen die Götter.

XXI

V. 1. Der *erste März*, dem Mars und zugleich der Juno, als Schutzgöttin der Ehe, geheiligt, wurde von den Frauen mit besonderer Feierlichkeit begangen; (s. Tibull Cerinth und Sulp. VI, 1. Anm.).

V. 5. *Die Vorwelt*; als gelehrter Alterthumsforscher kennst du Bedeutung und Ursprung dieser Feste sehr gründlich.

V. 6–8. *Bacchus*, als einem ländlichen und den Dichtern günstigen Gotte, dessen Schutz er damals auf seinem Landgute erfahren; vrgl. Ode 1, 27. Anm.

V. 11. Man bewahrte den Wein, um ihm einen milden und vor der Zeit ältelnden Geschmack zu geben, in irdenen Krügen verpicht, und mit den Namen der Consuln bezeichnet, in einer Rauchkammer auf.

V. 17–20. Augustus war damals (20 vor Chr.) im Orient beschäftigt; in seinem Auftrag leitete Mäcenas die Angelegenheiten Italiens. – Die *Geten*, oder vielmehr Dacier, die ungefähr die Gegenden von Siebenbürgen, Moldau und Wallachei inne hatten, beunruhigten fortwährend das römische Gebiet, erlitten aber durch Lentulus eine große Niederlage. – Zum *Capit.*; freie Anspielung des Übers. auf den bekannten Gebrauch, daß die gefangenen Heerführer in den Triumphzügen römischer Sieger nach dem Capitol mitgingen. – *Meder*, statt Parther; s. Hor. XVII, 54. Anm. Die innerlichen Kriege der Parther entstanden zwischen ihrem verjagten tyrannischen Könige Phraates und dem auf den Thron gesezten Tiridates, welcher von jenem wieder vertrieben worden war und bei August Schutz suchte. – *Der span. Leu*; nämlich die Cantabrer, im nördl. Spanien, durch den Agrippa besiegt. – *Nordische Kr.*, die *Scythen*; s. Hor. XVII, 56. Anm.

TIBULL

EINLEITUNG

Albius Tibullus, gewiß der liebenswürdigste Elegiker unter den Römern, um das Jahr 60 vor Chr. geboren, war aus ritterlichem Geschlecht. Bei Gelegenheit als die Gewalthaber Octavian und Antonius
nach der Schlacht von Philippi ihre Soldaten durch Äckervertheilung
belohnten, ward ihm ein großer Theil seiner Besitzungen entrissen;
doch begnügte er sich mit dem mäßigen, zwischen Tibur und Präneste
(s. Horaz I, 22 ff.) am Fuß eines Waldbergs gelegenen Landgütchen, das
ihm geblieben war. Horaz, der ihn als feinen Kunstrichter hochhielt,
gehörte unter seine Freunde. Sein bedeutendster Gönner war Marcus
Valerius Messala Corvinus, welcher den Dichter zu seiner Begleitung
auf verschiedenen Feldzügen wünschte. Man rühmt seine schöne Gestalt, und er starb, tief betrauert, im frühen Mannesalter, zu Rom,
nachdem er die lezten Lebensjahre meist in abgeschiedener Stille zugebracht. – Als Dichter athmet er leidenschaftliche Liebe und eine
schöne Pietät; dabei entschiedene Neigung für ländliche Zustände.
Sein Lied bewegt sich unstet, rasch, seiner starken Empfindung gemäß.

I

GENÜGSAMKEIT

Mög' ein Anderer reich an funkelndem Golde sich sammeln,
    Mögen mit Saaten ihm weit prangen die Felder umher:
Während im Dienste des Lagers er, nah dem Feinde, sich ängstet,
    Schmetternde Hörner ihm scheuchen vom Auge den Schlaf.
5 Mich soll arme Genüge durch's ruhige Leben geleiten,
    Nur daß ein Feuerchen mir helle den eigenen Herd!
Zeitig will ich mir selbst dann kindliche Reben, ein Landmann,
    Pflanzen, und edleres Obst pfropfen mit glücklicher Hand,
Nie von der Hoffnung getäuscht; sie schenke mir Haufen der Feldfrucht,
10   Und mit köstlichem Most fülle die Kufen sie mir.
Ehr' ich doch fromm auch das ärmlichste Bild auf der Flur, und den alten
    Stein, der am Scheideweg pranget mit Blumen umkränzt.
Was mir immer das reifende Jahr an Früchten erzogen,
    Gerne dem ländlichen Gott bring' ich die Erstlinge dar.
15 Blonde Ceres, dir spende mein Feld ein Kränzchen von Ähren,
    Das, an die Pforte gehängt, deine Kapelle dir schmückt.
Auch im Garten das Obst mit drohender Hippe bewachend,
    Stehe der rothe Priap, der mir die Vögel verscheucht.
Euch, des gesegneten einst, nun dürftigen Feldes Berathern,
20   Soll das gebührende Theil nimmer, o Laren, entgehn.
Damals blutet' ein Kalb, unzählbare Rinder zu sühnen,
    Nun ist der winzigen Flur feierlich Opfer ein Lamm.
Wohl, euch falle das Lamm! und rings soll ländliche Jugend
    Rufen: »Io! gebt Korn! gebet uns lieblichen Wein!«
25 – Endlich vermag ich es, froh bei weniger Habe zu leben,
    Und nicht ruhelos nur immer die Welt zu durchziehn,
Sondern zu meiden des Sirius Gluth im dunkelen Schatten
    Eines Baumes, am Bord rieselnder Quellen gestreckt.

Doch verdrieß' es mich nicht, auch den Karst einmal zu versuchen,

    Oder mit spitzigem Stab säumenden Stieren zu drohn, 30

Gern auch trag' ich ein Lamm und gern ein verlassenes Zicklein,

    Wenn es die Mutter vergaß, sorglich im Busen nach Haus;

Aber, ihr Diebe, verschonet, und Wölfe, des wenigen Viehes;

    Gilt es Beute, so sucht größere Heerden euch aus!

Hier gewähr' ich dem Hirten der Reinigung jährliche Feier, 35

    Hier bespreng' ich dein Bild, friedliche Pales, mit Milch!

Kommt, o ihr Götter! verschmäht vom dürftigen Tisch aus dem reinen

    Irdenen Opfergeschirr nicht das geringe Geschenk!

Hirten der Vorzeit machten zuerst sich irdne Geschirre,

    Aus geschmeidigem Thon höhlten sie selber den Kelch. 40

Nein, ich wünsche mir nimmer der Väter Besitz und die Nutzung,

    Welche dem Ahnherrn einst lastende Speicher gezollt;

Wenige Saat ist genug, und genug, wenn im Hüttchen ein Lager

    Mich zu erquicklicher Ruh' morgen wie heute empfängt.

O wie wonnig, der Stürme Gebraus im Bette zu hören, 45

    Während ein Liebchen sich vest an den Umarmenden drückt;

Oder wenn kalte Gewässer der Süd im Winter herabgießt,

    Sicher zu ruhn, in den Schlaf sanfter durch's Plätschern gewiegt!

Dieß sey alle mein Glück! Reich werde mit Recht, wer des Meeres

    Wuth und Regen und Sturm kühn zu erdulden vermag: 50

Mich laßt hier! In den Pfuhl, was an Gold und Smaragden die Welt hegt,

    Eh Ein Mädchen auch nur um den Entfernten sich härmt!

II

PREIS DES FRIEDENS

Welcher der Sterblichen war des grausamen Schwertes Erfinder?
  Wahrlich ein eisernes Herz trug der Barbar in der Brust!
Mord begann nun im Menschengeschlecht, es begannen die Schlachten,
  Und du, gräßlicher Tod, hattest nun kürzeren Weg.
5 Doch was fluch' ich dem Armen? Wir kehrten zum eignen Verderben,
  Was er gegen die Wuth reissender Thiere nur bot.
Gold, dir danken wir dieß! denn damals gab es nicht Kriege,
  Als noch ein buchener Kelch stand vor dem heiligen Mahl.
Keine Veste noch war, kein Wall! Es pflegte des Schlummers
10 Sorglos unter den buntwolligen Schafen der Hirt.
Hätt' ich damals gelebt! dann kennt' ich nicht Waffen des Volkes,
  Nicht der Trompete Getön hört' ich mit klopfender Brust,
Aber nun reißt man mich fort in den Krieg, und einer der Feinde
  Trägt wohl schon das Geschoß, das mir die Seite durchbohrt.
15 Häusliche Laren, beschüzt mich, ihr habt mich gepflegt und erhalten,
  Als ich, ein munteres Kind, euch vor den Füßen noch sprang.
Kränk' es euch nicht, daß ihr aus alterndem Holze geformt seyd;
  So herbergte vorlängst hier euch im Hause der Ahn.
Damals gab es noch Treu und Glauben, als, ärmlichen Schmuckes,
20 Unter dem niedrigen Dach wohnte der hölzerne Gott.
Ihn versöhnte man leicht, man durft' ihm die Traube nur weihen,
  Oder den Ährenkranz winden in's heilige Haar.
Und wer Erhörung fand, der brachte selber den Kuchen,
  Reinlichen Honigseim trug ihm das Töchterchen nach.
25 – Götter, verschont mich mit ehr'nem Geschoß! und zum ländlichen Opfer
  Fall' euch ein Schweinchen aus vollwimmelndem Stalle dafür.
Ihm dann folg' ich im weißen Gewand, und myrten-umflocht'ne
  Körbe dann trag' ich, das Haar selber mit Myrte bekränzt.

So gefiel' ich euch gern! Ein Andrer sey tapfer in Waffen,
    Strecke, mit günstigem Mars, feindliche Führer in Staub,   30
Daß er bei'm Trunke nachher mir seine Thaten erzähle,
    Und das Lager dabei zeichne mit Wein auf den Tisch.
Welche Wuth, durch Kriege den dunkelen Tod zu berufen!
    Droht er doch immer und hebt leise den nahenden Fuß.
Drunten ist keine grünende Saat, kein Hügel mit Reben,   35
    Cerberus nur und des Styx scheußlicher Schiffer sind dort,
Und es irret, verzehrt die Wange, versenget die Locken,
    Traurig die bleiche Schaar hier zu dem düsteren Pfuhl.
O glückselig zu preisen ist der, den unter den Kindern,
    Sanft, im Hüttchen von Stroh, müssiges Alter beschleicht!   40
Selber treibt er die Schafe hinaus, und das Söhnchen die Lämmer;
    Und dem Ermüdeten wärmt Wasser zum Bade die Frau.
Wäre doch dieß mein Loos! und dürft' einst grauen mein Haupthaar
    Und erzählt' ich als Greis Thaten vergangener Zeit!
Friede bestell' indessen die Flur. Du, Göttin des Friedens,   45
    Führtest, o heitre, zuerst pflügende Farren im Joch.
Reben erzog der Friede, den Nektar der Traube verwahrt' er,
    Daß noch der Sohn sich am Wein freuet' aus Vaters Geschirr.
Pflugschaar glänzet im Frieden und Karst, wenn des grausamen Kriegers
    Jammergeräthe der Rost hinten im Winkel verzehrt.   50
Weib und Kinderchen führt der Landmann, selig vom Weine,
    Auf dem Wagen zurück von dem geheiligten Hain.
Nun entbrennen die Kriege Verliebter; das Mädchen bejammert
    Sein zerrissenes Haar, seine zerbrochene Thür,
Weint, daß die liebliche Wang' ihm der Jüngling schlug, und der Sieger   55
    Weint, daß die Faust sinnlos solch' ein Verbrechen vermocht!
Aber Cupido, der Schalk, leiht bittere Worte dem Zanke,
    Während gelassen er sizt zwischen dem zürnenden Paar.
Wahrlich, von Eisen und Stein ist der Unmensch, welcher sein Mädchen
    Schlägt in der Wuth! der reißt Götter vom Himmel herab!   60
Ist's nicht genug, ihr am Leibe das zarte Gewand zu zerreissen?
    Nicht, daß du tölpisch des Haars schönes Geflechte zerstörst?
Siehe, sie weint! – was wolltest du mehr? o glücklich, für welchen,
    Wenn er zürnet und tobt, Thränen das Mädchen noch hat!

65 Aber weß' Hand sich grausam vergreift, mag Schild nur und Stange
      Tragen und ewig fern Venus, der gütigen, seyn!
   Komm, o heiliger Friede, die Ähre haltend in Händen,
      Und dir regne das Obst reich aus dem glänzenden Schoos!

III

DER ENTFERNTE

Ohne mich, mein Messala, durchschifft ihr Ägäische Fluthen:
    Ach, so denke doch fern mit den Genossen auch mein!
Krankheit fesselt mich hier im fremden Phäacier-Lande.
    Laß, o finsterer Tod, ab mit der gierigen Hand!
Finsterer Tod, laß ab, ich flehe! hier fehlt mir die Mutter,   5
    Die das verbrannte Gebein les' in den traurigen Schoos.
Ach, die Schwester ist fern, die zur Asche den Syrischen Balsam
    Fügend, an meinem Grab weine mit flatterndem Haar;
Keine Delia hier, die, wie man versichert, die Götter
    Alle zuvor noch befragt, eh sie aus Rom mich entließ.   10
Dreimal zog sie des Knaben geweihete Loose, und dreimal
    Ward ihr der Loose Geschick deutlich vom Knaben erklärt:
Alles verhieß Rückkehr; sie achtete nichts und von Neuem
    Weinete sie, mir nach immer die Blicke gewandt.
Ich, der Tröstende selbst, da ich Alles bestellt und geordnet,   15
    Suchte mit wachsender Angst immer noch längern Verzug.
O was bracht' ich nicht vor! jezt hielten mich schreckliche Zeichen,
    Jetzo der Vögel Flug, oder der Tag des Saturn.
Und wenn ich weg schon gegangen, wie oft noch rief ich erschrocken:
    Böse Bedeutung! ich stieß mir an der Schwelle den Fuß!   20
Wag' es Keiner hinweg ohn' Amors Willen zu scheiden,
    Oder er lernt, was es heißt, reisen dem Gotte zum Trotz.
Deine Isis, was hilft sie mir nun, o Delia? was doch
    Jenes von deiner Hand häufig geschwungene Erz?
Oder daß, heiligem Brauche gemäß, du rein dich gebadet   25
    Daß du im züchtigen Bett (mir unvergeßlich!) geruht?
Nun, nun rette mich, Göttin! So manches Wundergemälde
    Deines Tempels bezeugt, daß du zu helfen vermagst.

Dann wird Delia, was sie gelobt, dir treulich erfüllend,

30   Dort vor der heiligen Thür' sitzen in Linnen gehüllt;

Zweimal täglich singe sie dir den Hymnus und strahle

      Unter dem Pharischen Chor herrlich, die Locken gelös't.

Aber mir sey es vergönnt, die Vater-Penaten zu feiern,

      Weihrauch jeglichen Mond streuend dem altenden Lar!

35   – O da Saturn noch herrschte, wie lebte man glücklich, bevor man

      Über die Erde noch weit führende Straßen gebahnt!

Ach, da trozte kein Mast noch den blauen Fluthen, kein Segel

      Gab dem Winde den hochschwellenden Busen zum Spiel.

Noch nicht hatte, so fern dem Gewinn nachschweifend, ein Schiffer

40   Schwer mit des fremden Gefilds Waaren belastet den Kiel.

Damals beugte noch nicht der gewaltige Stier in das Joch sich,

      Und mit gebändigtem Maul knirschte kein Roß in den Zaum;

Thüren hatte kein Haus und, die Grenze der Fluren zu sichern,

      Waren die Steine noch nicht zwischen die Äcker gesezt;

45   Honig gaben die Eichen von selbst; dem geruhigen Menschen

      Trug das Euter voll Milch willig entgegen das Schaf.

Keinerlei Feindschaft war, kein Krieg, zur Schärfe des Schwertes

      Formte kein Schmied noch den Stahl durch die unseligste Kunst.

Jezt, da Jupiter herrscht, gibt's Wunden und Mord, ach ein Weltmeer

50   Gibt es, und tausendfach führen die Pfade zum Tod.

Schon', o Vater! es drücket kein Meineid ängstlich das Herz mir,

      Noch daß mit frevelndem Wort heilige Götter ich schalt.

Aber wofern ich bereits die verhängten Jahre vollendet,

      Nun, so zeichne mein Grab, also beschrieben, ein Stein:

55   »Hier ruht, unbarmherzig entrafft vom Tode, Tibullus,

      Als er zu Land und zu Meer seinem Messala gefolgt.«

Ja, und weil ich dem Gott, dem zärtlichen, immer getreu war,

      Führet mich Venus auch selbst hin zu Elysiums Flur.

Dort ist ewig nur Tanz und Musik; aus melodischen Kehlen

60   Flatternder Vögelchen tönt überall süßer Gesang.

Kasia trägt das Feld ungebaut, mit duftenden Rosen

      Schmücken verschwenderisch dort rings die Gelände sich aus.

Chöre der Jünglinge sieht man gemischt, mit blühenden Mädchen

      Spielend, und immer erneut Amor den lieblichen Krieg.

Hier ist der Liebenden Sitz, die der Tod frühzeitig hinwegriß,   65
    Und die Myrte bekränzt ihnen das lockige Haar.
Aber in gräßliches Dunkel versenkt liegt tief der Verruchten
    Wohnung, es rauschet und hallt schwarzes Gewässer umher;
Und Tisiphone, wild, statt der Haare die Schlangen verwickelt,
    Wüthet, daß links und rechts flieht der Verworfenen Schaar.   70
Schrecklich zischet am Thor mit den Drachenzungen der schwarze
    Cerberus, welcher die erz-flüglichte Pforte bewacht.
Dort auch drehn sich auf sturmgewirbeltem Rad des Ixion
    Sträfliche Glieder: er hat Juno, die Hohe, versucht.
Auf neun Morgen gestreckt liegt Tityus, und des Verruchten   75
    Blutige Leber, sie dient ewig dem Geier zum Fraß.
Hier ist Tantalus, ringsum Wasser: schon hofft er zu trinken,
    Schon vor des Lechzenden Mund schwand auch die Welle hinweg.
Danaus' Töchter sind dort, die der Venus Gottheit beleidigt,
    In's durchlöcherte Faß tragen sie Wasser des Styx.   80
Ha! dort hause, wer irgend an meiner Liebe gefrevelt,
    Und mir langen Verzug unter den Waffen gewünscht.
Doch du bleibe mir, fleh' ich, getreu! und die emsige Mutter,
    Heiliger Keuschheit Schutz, weile beständig um dich.
Mährchen erzähle sie dir und ziehe beim Schimmer des Lämpchens   85
    Lange Fäden aus voll strotzender Kunkel herab;
Während dem Mädchen zur Seite, gebannt an die drückende Arbeit,
    Schon vom Schlafe besiegt, mählig die Spindel entsinkt.
Plötzlich komm' ich alsdann, von keiner Seele gemeldet,
    Wie vom Himmel gesandt stehe der Liebste vor dir.   90
Wie du dann bist so läufst du mir in die Arme, die langen
    Flatternden Haare verwirrt, nackend der reizende Fuß.
O dieß werde mir wahr! o führten so seligen Tag doch
    Balde mir Aurora's rosige Pferde herauf!

IV

DIE LEHRE DES GOTTES

An Titius

»O Priapus, so wahr du dir wünschest ein schattendes Obdach,
  Daß nicht Sonne dem Haupt schade, nicht Regen und Schnee,
Sage, durch was für Künste du fingst die reizenden Knaben!
  Wahrlich dir glänzt nicht der Bart, noch ist das Haar dir geschmückt;
5 Nackt erträgst du den Frost in den kürzesten Tagen des Winters,
  Nackt auch die brennende Zeit welche der Sirius bringt.« –
Also sprach ich. Der Gott, die gebogene Sichel erhebend,
  Bacchus' ländlicher Sohn, gab mir die Worte zurück:
»Hüte dich ja, zu vertraun dem lieblichen Volke der Knaben;
10 Denn des Bezaubernden ist hier, ich bekenn' es, genug.
Dieser gefällt, wenn das Roß er im strafferen Zügel gewältigt,
  Der, wenn mit blendender Brust schmeichelnde Fluthen er theilt,
Der, weil sein trotziger Muth ihm so schön läßt, reizt dich, und jener,
  Weil jungfräuliche Schaam lieblich die Wangen ihm färbt.
15 Aber verzweifle nur nicht, wenn er anfangs spröde sich zeigte,
  Glaube mir, nach und nach schmiegt er den Hals in das Joch.
Einzig die Zeit nur lehrte den Löwen dem Menschen gehorchen,
  Einzig die Zeit durchbricht Felsen mit tropfendem Naß.
Sie nur ist's, welche den Wein auf sonnigen Hügeln uns reifet,
20 Sie, die in ewigem Kreis lichte Gestirne bewegt. –
Scheu' auch zu schwören dich nicht; es tragen die Winde vereitelnd
  Über das Land und die See Cypriens Eide hinweg.
Ha, wie dank' ich dem Zeus! er selbst erklärte für nichtig
  Was mit wallendem Blut alberne Liebe beschwört.
25 Und so läßt ungestraft bei den eigenen Pfeilen Diana
  Dich, bei dem eigenen Haar Pallas betheuern ein Wort.
Aber, o Jüngling, ein Thor, wer lange noch zaudert! die Jugend
  Flieht so schnelle, der Tag weilt nicht und kehret nicht mehr.

265

Ach! die Flur, wie verliert sie so bald die purpurnen Farben!

    Du dein reizendes Haar, silberne Pappel, wie bald!   30

Siehe, vom Alter gebeugt, wie trauert das Roß dort am Boden,

    Welches in Elis einst herrlich den Schranken entsprang!

Manchen auch sah ich wohl schon, der im Pflichtdienst männlicher Jahre

    Jammerte, daß ihm die Zeit thörichter Jugend entflohn.

Grausame Götter! die Schlange verjüngt sich und streifet ihr Alter   35

    Ab: doch holder Gestalt wurde die Dauer versagt.

Bacchus allein und Phöbus erfreuen sich ewiger Jugend;

    Siehe, wie wallen so schön ihnen die Locken herab!

– Was er sich wünscht, dein Geliebter, gewähr' ihm, jegliche Laune:

    Denn durch gefälligen Dienst sieget ja Liebe zumeist.   40

Weigre dich nicht, wie weit auch der Weg sey, ihn zu begleiten,

    Nicht, wenn Sirius' Gluth schmachtende Fluren versengt;

Oder Gewitter verkündigt der Regen-bringende Bogen,

    Ringsum der Himmel sich tief-schwarz mit Gewölken umzieht.

Will er vielleicht die blauliche Fluth auf dem Schiffe befahren,   45

    Treibe den schwebenden Kahn selbst mit dem Ruder durch's Meer.

Ja, es verdrieße dich nicht, auch die herbere Mühe zu dulden,

    Und für das rauhste Geschäft sey dir die Hand nicht zu weich.

Will er als Jäger mit trüglichem Garn umstellen ein Waldthal,

    Trag', wenn ein Lächeln dich lohnt, selbst auf der Schulter das Netz.   50

Wünscht er zu kämpfen, so brauche nur leicht und spielend die Waffe,

    Gib ihm die Seite manchmal bloß und vergönn' ihm den Sieg.

Schau, so machst du ihn mild; nun magst du ihm feurige Küsse

    Rauben, schon bietet er dir, wenn auch mit Sträuben, den Mund.

Küsse, zuerst nur geraubt, er reicht sie dem Bittenden selber: 55

    Endlich sogar um den Hals schlingt er die Arme mit Lust.

– Ach, armselige Künste, wie lohnet die heutige Welt euch!

    Ist doch der Knabe nun auch schon an Geschenke gewöhnt.

Dir, und sey wer du willst, der du lehrtest die Liebe verkaufen,

    Drücke das schnöde Gebein ewig ein lastender Fels!   60

Ehrt mir die Musen, o Knaben, und liebt die begeisterten Sänger,

    Keinem goldenen Lohn stehe die Muse zurück.

Purpurnes Haar dankt Nisus nur ihr; von der Schulter des Pelops

    Glänzte kein Elfenbein ohne der Dichter Gesang.

65 Wessen die Muse gedenkt, der lebt, so lange die Erde
   Eichen, und Wasser der Strom, Sterne der Himmel besizt.
Doch wer Jene nicht hört, und die Liebe, der Schändliche, feil gibt,
   Sey der Idäischen Ops Wagen zu folgen verdammt!
Schmeichelnde Worte gebeut Amathusia selber, sie höret
70   Mitleidregendes Flehn, schmelzende Klagen so gern.«
   – Also der Gott; ich sollte den Rath an Titius bringen,
   Doch die Gebieterin läßt solcherlei Lehren nicht zu:
Wohl, so gehorch' er denn ihr: mich aber besuchet, den Meister,
   Ihr, die mit mancherlei Kunst listig ein Knabe bestrickt.
75 Jedem sein eigener Ruhm! Doch arme Verschmähte, sie mögen
   Mich befragen, es sey offen für Alle mein Haus.
Einst wird kommen die Zeit, da den zärtlichen Lehrer, mich Alten,
   Wie im Triumphe die Schaar dankbarer Jünglinge führt. –
Wehe! wehe! wie quält mich des Marathus zögernde Liebe!
80   Hier ist vergeblich die Kunst, ach, und vergeblich die List!
Sey barmherzig, mein Knabe! laß mich zum Mährchen nicht werden!
   Meine Weisheit, o gib sie dem Gelächter nicht preis!

V

AN MARATHUS,

DEN LIEBHABER DER PHOLOË

Mir ist ja wohl nicht fremd, was heimliche Winke bedeuten,
  Was mit zärtlichem Ton flüsternd ein Liebender sagt.
Und doch lehren Orakel mich nicht, und prophetische Fibern,
  Und der Vögel Gesang kündet mir nicht, was geschieht.
Venus, die selbst mir die Arme mit magischem Knoten zurückband,   5
  Hat mich dieß Alles, und nicht ohne zu schlagen, gelehrt.
Laß die Verstellung! Es suchet der Gott nur mit schärferer Gluth den
  Heim, an dem er gewahrt, daß er nicht willig erliegt.
Jezt, was frommt's, daß du emsig die seidenen Locken gepflegt hast,
  Daß du bald so, bald so modisch die Haare gelegt?   10
Daß ein glänzender Saft dir die Wange verschönert, so manchmal
  Eine erfahrene Hand zierlich die Nägel gekürzt?
Leider umsonst wird jetzo das Kleid und die Toga gewechselt,
  Und der knappere Schuh preßt dir vergeblich den Fuß.
Freilich, die Liebste gefällt, auch wenn sie die Wange nicht färbte,   15
  Nicht mit zögernder Kunst schmückte das reizende Haupt.
Wie? hat ein finsteres Weib mit höllekräftigen Kräutern,
  Hat sie mit Sprüchen in tief schweigender Nacht dich verwünscht?
Zaubergesang entführt von des Nachbars Acker die Früchte,
  Wüthende Schlangen im Lauf bannet ein Zaubergesang;   20
Zauber versuchte schon Lunen herab vom Wagen zu ziehen:
  Wenn nicht geschlagenes Erz tönte, gelang es gewiß.
Doch was klag' ich, daß Kräuter und Sprüche dem Armen geschadet!
  Ach, die Schönheit bedarf nimmer der magischen Kunst.
Nein, er kam der Schönen zu nah'! das ist es; er schmeckte,   25
  Hüft' an Hüfte gedrückt, lange verweilenden Kuß!
Aber, o Pholoë, du sey meinem Knaben nicht spröde;
  Stolz und Härte vergilt Venus mit rächendem Zorn.

Lohn auch fordere nicht; Lohn gebe der lüsterne Graukopf,
    30   Daß du im schwellenden Schoos frierende Glieder ihm wärmst.
Gold'ner als Gold ist der Jüngling mit glattem, blühendem Antlitz,
    Der mit stachlichtem Bart nicht die Umarmte verlezt.
Ihm, o Mädchen, nur schlinge den blendenden Arm um die Schulter,
    Und auf der Könige Gold blickst du verächtlich herab.
35 Venus ersinnt ja schon Rath, dich geheim zu ergeben dem Jüngling,
    Wo er die liebliche Brust vester und vester dir preßt,
Wo mit den Zungen ihr kämpft, und dem schwerer Athmenden feuchte
    Küsse du gibst, und des Zahns Spuren ihm drückst in den Hals.
Perl' und Juwele, sie freuen *die* nicht, die das einsame Lager
40   Hütet im Winter, um die nimmer ein Mann sich bemüht.
Ach zu spät, wenn das welkende Haupt im Alter sich bleichet,
    Ruft man die Liebe, zu spät ruft man die Jugend zurück!
Dann erkünstelt man jeglichen Reiz und, die Jahre zu bergen,
    Färbt man das Haar mit der Nuß grünender Schale sich braun;
45 Sorgsam wird nun das kleinste verdächtige Härchen entwurzelt,
    Und durch Wechsel der Haut schafft man sich neu das Gesicht.
Aber, o du, nun eben in frischester Blüthe der Jugend,
    Nutze sie! nicht langsam gleitet von dannen ihr Fuß.
Quäle den Marathus nicht! Kein Ruhm ist's, Knaben besiegen;
50   An dem veralteten Greis übe mir, Mädchen, den Trotz.
Schone des Zarten, ich flehe! nicht etwa verborgene Krankheit,
    Heftige Liebe allein machte den Jungen so blaß.
O wie verfolg' er nicht oft die entfernte Geliebte mit bittern
    Klagen, der Arme! wie oft schwamm er in Thränen vor mir!
55 »Warum verachtet sie mich? Sie konnte die Hüter gewinnen, –
    Sprach er, – es lehrt den Betrug Amor die Liebenden selbst!
Venus' Schliche, sie kenn' ich, und weiß, wie man leise den Athem
    Ziehet und unhörbar raubt den verbotenen Kuß;
Weiß um die dunkelste Stunde der Nacht in das Haus mich zu stehlen,
60   Kann gar heimlich und still Riegel eröffnen und Thor.
Aber das Alles, was hilft's, wenn ein Liebender also verschmäht wird,
    Wenn sie vom Bette sogar seiner Umarmung entspringt?
Oder auch, wenn sie verspricht, und doch, die Falsche, nicht Wort hält;
    Weh, da verbring' ich die Nacht wachend in eitlem Verdruß.

Immer dann bild' ich mir ein: nun kommt sie! beim leisesten Laute 65
    Wähn' ich, es habe der Fuß meiner Geliebten gerauscht!«
– Laß die Thränen, o Knabe! du rührst die Unbeugsame nimmer;
    Müde von Weinen, ach, schwillt, Armer, das Auge dir schon! –
Aber dich, Pholoë, warn' ich; es hassen die Götter Verachtung,
    Weihrauch streust du umsonst auf dem geheiligten Herd. 70
So hat Marathus jüngst der Verliebten gespottet, er ahnte
    Nicht, daß ein rächender Gott hinter dem Rücken ihm stand.
Herzliche Thränen um ihn, so sagt man, sah er mit Lachen,
    Und durch verstellten Verzug neckt' er den Schmachtenden oft.
Jezt, wie empört ihn Alles was Stolz heißt, o wie verwünscht er 75
    Thür und Riegel und was grausam entgegen ihm steht!
Dein auch harret die Rache, wenn du, Herzlose, dir gleich bleibst,
    Tage wie diese, dereinst rufst du sie knieend zurück.

CERINTHUS UND SULPICIA

Cerinthus, ein reicher Jüngling von griechischer Herkunft, gewann Tibull's Freundschaft und die Liebe der schönen Sulpicia, die, einer der vornehmsten Familien Roms angehörig, näheren Umgang mit Messala und Tibull hatte. Gesetzliche Vereinigung war der Wunsch beider Liebenden. Ob aber die Eltern der Sulpicia einwilligen würden, schien zweifelhaft, weil dem Cerinthus bei aller Liebenswürdigkeit der Adel römischer Geburt fehlte. – Zu den nachfolgenden, überaus zarten Gedichten epistolischer Art nun könnte unser Dichter, insoweit sie der Sulpicia in die Feder gelegt sind, den Stoff ganz wohl aus ihren an Cerinth gesandten Briefchen genommen haben. Einige wollen Sulpicia selbst zur Dichterin machen. Jedenfalls hatte das geistreiche Mädchen ein sehr nahes Verhältniß zur Poesie.

I

Sulpicia meldet dem Geliebten durch einen Vertrauten, mit welchen Empfindungen sie seinen Geburtstag in der Stille feire; denn noch ist das Verhältniß geheim.

Dieser Tag, o Cerinth, der dich mir gegeben, er soll mir
   Heilig, auf immer ein Tag festlicher Freude mir seyn.
Als dich die Mutter gebar, weissagte die Parce den Mädchen
   Neue Fesseln, und du wurdest zum Herrscher bestimmt.
5 Aber *ich* brenne vor allen, und ach gern brenn' ich, Cerinthus,
   Wenn so innige Gluth dich wie mich selber beseelt.
Lieb' um Liebe! Dieß fleh' ich bei deinen Augen, bei jenen
   Heimlichen Wonnen und beim Genius, welcher dich schüzt.
Herrlicher Gott! nimm an die Gaben, erfüll' ihm die Wünsche:
10   Aber des Jünglings Herz glühe, wann mein er gedenkt!

271

Doch er schmachtet vielleicht schon jezt nach anderer Liebe,
  Ha! dann fleh' ich, verlaß', Heil'ger, des Falschen Altar!
Du auch, Cypria, sey mir gerecht! entweder er trage
  Gleiche Fesseln mit mir, oder du nimm sie mir ab!
Nein! du lässest ein mächtiges Band uns Beide vereinen,   15
  Das, den Jahren zum Trotz, nimmer, o nimmer sich lös't!
Ja! dieß wünschet mein Jüngling sich auch, nur heimlicher wünscht er's,
  Nur nicht offen gestehn will der Verschämte sein Herz.
Bist ja ein Gott, Natalis, und weißt das Alles: gewähr's ihm!
  Ist es nicht gleich, ob er laut, ob er im Stillen es fleht?   20

II

Sulpicia empfängt an ihrem Geburtstage glückwünschende Be-
suche mit Geschenken. Es erscheint als Freund des Hauses auch
der heimlich begünstigte Cerinth. Man kann vermuthen, daß
Tibull, der Vertraute des Geheimnisses, indem er sein Geschenk
überreichte, dem Mädchen zugleich den gegenwärtigen Glück-
wunsch in die Hand drückte.

Juno, Geburtsgöttin! empfange des heiligen Weihrauchs
    Opfer; mit holder Hand streut ihn das sinnige Kind.
Ganz ist heute sie dein. Sie lockte so zierlich die Haare,
    Um vor deinen Altar schöner zu treten als je.
5   Heilige! dieser Schmuck, dir scheinet er einzig zu gelten,
    Aber noch ist Jemand, dem zu gefallen sie wünscht,
Göttin, o du sey hold, daß nichts die Liebenden trenne,
    Daß *Ein* feuriges Band feßle den Jüngling und sie.
Nimmer gelingt dir ein schöneres Werk; wo wäre doch seiner
10   Sonst ein Mädchen, wo ist ihrer ein Jüngling so werth?
Auch kein Hüter entdecke die sehnlich Verlangenden: gerne
    Lehre Cupido sie tausendfach wechselnde List.
Wink' Erfüllung! und komm' im Gewand durchsichtigen Purpurs,
    Keusche! wir opfern des Mehls dreimal, und dreimal des Weins.
15   Eiferig lehrt die Mutter das Töchterchen, was sie erflehn soll;
    Aber ein Anderes ist, was sie im Stillen sich wünscht.
Ach, sie brennt, wie die rasch auflodernde Flamme des Altars;
    Nimmer vermöchte sie's auch, will sie genesen der Gluth.
Und heut über ein Jahr noch liebe Cerinth sie wie heute,
20   Doch schon als traulicher Freund grüße dann Amor das Fest.

III

Ein geheimes Briefchen von Sulpicia während bedenklicher
Krankheit an den Geliebten gesendet.

Fühlst du denn um dein Mädchen, Cerinth, auch herzliche Sorge,
    Während ihr Fiebergluth wüthet im matten Gebein?
Ach fürwahr, zu genesen verlangt sie nur dann, wenn sie denken
    Darf: denselbigen Wunsch trägt in der Seele mein Freund.
Denn was wäre Genesung für mich, was Leben, wofern dir   5
    Alle mein Leiden nicht auch einigen Kummer gebracht?

IV

Sulpicia, im glücklich erhebenden Nachgefühl einer Zusammen-
kunft, schreibt dem Geliebten und verschmäht alles fernere Ge-
heimhalten.

Endlich erschien Gott Amor bei mir! Ich sollte wohl schamhaft
    Ihn verläugnen: o laßt stolz mich bekennen mein Glück!
Ja Cytherea brachte mir ihn, erbeten von meinen
    Musen, und legte mir ihn selbst an die hüpfende Brust.
5 Venus hat die Verheißung erfüllt; und tadle nun bitter
    Meine Seligkeit, wer nimmer ein Liebchen gehabt.
Nicht versiegelter Schrift will ich es vertrauen: sie sollen's
    Alle lesen, und selbst früher es lesen als Er.
Ist's ein Vergehn, so ist es ein himmlisches! Weg mit Verstellung!
10   Sage man, daß ich bei ihm, würdig des würdigen, war.

V

Cerinthus, jezt erklärter Bräutigam Sulpiciens, ist im Herbst auf dem Landgute seines Schwiegervaters, Servius Sulpicius, mit andern Gästen zu Besuch. Der Wirth hat die Gesellschaft auf die Jagd geführt, während die Schöne auf der Villa zurückbleibt.

Schone mir meinen Cerinth, o Eber, der du des Thales
　　Üppige Weiden bewohnst oder ein schattig Geklüft.
Schärfe du nicht für ihn die entsetzlichen Hauer zum Angriff!
　　Glücklich bringe mir ihn Amor, sein Hüter, zurück!
Weit entführte Diana den Freund durch eifrige Jagdlust,　　　　　　5
　　O wie verwünsch' ich den Wald herzlich, die Hunde dazu!
Welch unsinnige Freude, mit Garnen umstellen die dichten
　　Hügel, und da sich mit Lust ritzen die zärtliche Hand!
Was für ein Glück, die Schluchten des Wilds durchkriechen, am Dornbusch
　　Sich das schimmernde Bein röthen mit blutigem Mal!　　　　　10
Dennoch, o dürft' ich, Cerinth, nur mit dir die Forste durchstreifen,
　　Trüg' ich selber das Netz durch die Gebirge dir nach,
Selber auch forsch' ich dann wohl nach der Spur leichtfüßiger Hirsche,
　　Löste dem flüchtigen Hund selber den eisernen Ring.
Ja, dann könnte der Wald mir gefallen! und möchten sie immer　　15
　　Flüstern: »neben dem Netz liegt sie, vom Liebsten umarmt!«
Käme der Eber an's Garn, wir thäten ihm wenig, er trabe
　　Weiter und störe nur nicht inniger Liebe Genuß.
Ohne *mich* sey Venus entfernt! das bitt' ich! nach Ordnung
　　Delia's spannst du das Netz, Keuscher, mit züchtiger Hand!　　20
Oder wo irgend ein Mädchen in meine Liebe sich einschleicht,
　　Werde sie grimmig vom Zahn reissender Thiere zerfleischt!
Aber o du, laß jagen, so lang ihn lüstet, den Vater,
　　Ach, und komm an dieß Herz ohne Verweilen zurück!

VI

Mit diesen Zeilen überreicht Cerinthus der Braut zum ersten
März, dem altrömischen Neujahrstage, seine Bescherung: Schmuck,
Purpur, Specereien.

Mars! Sulpicia schmückte sich dir an deinen Kalenden:
  Hast du Gefühl, o so komm selber vom Himmel und sieh!
Venus verzeiht es gewiß; doch magst du dich, Heftiger, hüten,
  Daß im Erstaunen dir nicht schmählich entsinke die Wehr!
5 Ihr an den strahlenden Augen entzündet die doppelte Fackel
  Amor, der Schalk, wenn es euch Götter zu peinigen gilt.
Was sie beginne, wohin auch immer die Schritte sie lenke,
  Folgen ihr ungesehn schmückende Chariten nach.
Hat sie entfesselt das Haar, wohl stehn ihr die schwebenden Ringeln,
10 Kommt sie gelockt, und es gehn höhere Reize dir auf.
Ach, sie reisset uns hin, sie mag sich im Purpurgewande
  Oder im schneeigten Kleid zeigen – sie reisset dich hin!
So hat im ew'gen Olymp der wonnereiche Vertumnus
  Tausend Gestalten und er ist in den tausenden schön.
15 Ihr vor allen den Schwestern gebührt die zärteste Wolle,
  Die mit köstlichem Saft Tyrus ihr zweimal getränkt;
Sie nur verdient, was irgend der glückliche Araber erntet
  Von der duftenden Flur; reich mit Gewürzen bepflanzt,
Und was an kostbaren Perlen vom röthlichen Strande der schwarze
20 Indier nahe bei Sol's östlichen Rossen sich lies't.
Singet, o Musen, am fröhlichen Tag der Kalenden, o sing' es
  Ihr, mit dem goldenen Spiel prangender Phöbus, auch du:
Oft noch müsse dieß heilige Fest ihr erscheinen! Wo wäre
  Eures Geschwister-Chors Eine so würdig wie sie?

ANMERKUNGEN

I

Die gegenwärtige, von uns wohl nicht zu ihrem Schaden abgekürzte, Elegie, ist im Jahre 31 vor Chr., welches den erneuten Streit zwischen Cäsar Octavianus und Antonius durch die Seeschlacht bei Aktium entschied (vrgl. Horaz VI, 7. Anm.), vor diesem Kriegszug gedichtet. Tibullus sollte den Messala begleiten, was jedoch der Dichter ablehnen zu müssen glaubte. Es scheint, Cäsar's Sache war ihm nicht Sache des Vaterlands.

V. 1. In den Kriegen der römischen Staatsumwandlung gelangten Viele, durch Raub und Äckervertheilungen, zu unermeßlichen Reichthümern.

V. 4. Bei Nacht weckt ihn die zur Wache rufende Trompete immer nach drei Stunden.

V. 11. Mancherlei Feldgötter wurden auf Äckern und Scheidewegen durch unförmliche Pfähle und Steine mehr vorgestellt, als abgebildet.

V. 14. *Dem ländl. Gott;* Silvanus.

V. 18. *Der rothe Priap;* weil man ihn vollblütig dachte, wurde sein Holzbild mit Mennig übermalt.

V. 20. Die *Laren* wurden in dem Feldumgange der Frühlingsweihe zugleich mit Ceres und Bacchus und andern Feldgöttern um Gedeihen der Saaten, des Weins und der Heerden angefleht. Ihr dreimal um die Felder geführtes Opfer war bei den Reichen ein Kalb, bei Ärmeren ein Lamm, wenigstens ein Ferkel.

V. 25. Hieraus erhellt, daß Tibull, sein Schicksal zu erleichtern oder zu vergessen, mehrere Jahre gegen auswärtige Feinde gedient hatte, und daß er erst neulich in sein Landgütchen sich zurückgezogen.

V. 27. *Sirius,* der Hundsstern (s. Horaz XII, 9. Anm.).

V. 36. Der Hirtengöttin *Pales* feierte man am 21. April das Palilienfest, wobei man ihr Bild flehend mit lauer Milch besprengte und die Hirten zur Entsündigung über brennende Schober wegspringen ließ.

V. 37. Die Götter, glaubte man, kamen unsichtbar zu den Opferschmäusen, um, sammt dem süßen Geruch, die Erstlinge des Tranks und der Speise, jene gesprengt, diese auf besondern Tischen oder Altären auf ein Näpfchen gelegt, in Empfang zu nehmen.

V. 51. Das Köstlichste, was man im Heere des Antonius zu erbeuten hoffte, war Gold und Edelsteine. Nächst Diamanten und Perlen schäzte man die *Smaragde* so hoch, daß sie zu schneiden verboten war.

II

Nach der Aktischen Schlacht zog Messala gegen die aufrührischen Gallier, eigentlich Aquitanier, durch Italien; Tibullus folgte seinem Gönner und dichtete zum Abschied von seinem Landgütchen diese Elegie.

5 V. 8. *Buchene Becher* wurden in alter Zeit sogar beim Opfer gebraucht.

V. 10. Daß er Schaafe von allerlei Farbe durcheinander weidete, ist ein Zug alter Einfalt.

V. 11. *Waffen*, die der Pöbel in seinen Händeln braucht, als Messer, Beil, Feldgeräthe.

10 V. 20. Ein Lar von Holz gebildet.

V. 23–24. Opfer*kuchen*. Die *Honig*wabe kam auf die Altäre.

V. 25. Die Spieße der Aquitanier hatten, wie in der Heroenzeit, Spitzen von *Erz* oder Kupfer.

V. 27. Die *Körbe* enthielten Opfergeräth, Weihrauch u.s.w. Die fröhliche
15 *Myrte* war den Laren als Abwehrern der Feinde heilig; auch kränzte sie blutlose Sieger im kleineren Triumph (OVATIO), wie ihn der menschliche Dichter seinem Messala wünscht.

V. 29. So, nach unblutigem Siege heimgekehrt, möge ich, Opferer, im Myrtenkranz euch Wohlthätigen gefallen!

20 V. 35. Seinen *Saatfeldern* und *Rebhügeln* zu Liebe malt der Dichter die Unterwelt mit düstern Farben, ohne ein heiteres Elysium.

V. 37. Bekanntlich verbrannten die Alten ihre Leichen. Man glaubte, daß die Todten, zumal ehe Charon sie zu den ruhigen Fluren übergesetzt, in derselbigen Gestalt erschienen, die sie sterbend oder zuletzt auf dem Scheiterhaufen ge-
25 habt.

V. 41. *Lämmer* und Zicklein wurden von Knaben auf besonderer Trift geweidet.

V. 45–68. Unterdeß, während ich ferne bin, erhalte die Friedensgöttin mein Feld in schönem Anbau, und bald erscheine sie auch uns auf dem Gallischen Feld-
30 zuge!

V. 48. S. Horaz XXI, 11. Anm.

V. 52. *Haine* heißen die Bezirke um Tempel und Kapellen, die für schauerliche Gottheiten mit dichter Waldung umpflanzt waren, für heitere mit abwechselnden Bäumen, Reben und Blumen auf frischen Rasen. Bei ländlichen Festen thut sich der
35 Landmann gütlich. Nach solchen Schmäusen gibt es auch Kriege, aber nur zwischen Verliebten, Händel, die Amor aus Muthwillen stiftet.

V. 60. Er versündigt sich an Venus und Amor, wie einer, der durch Bannsprüche Götter vom Himmel reißt.

V. 65. *Stangen* oder Pfähle mit gebrannter Spitze wurden in Schlachten und
40 Belagerungen als Wurfspieße gebraucht.

V. 67. Die *Friedensgöttin* hatte, außer dem Ölzweig mancherlei sinnbildliche Abzeichen des Anbaus, des Handels, des Überflusses.

III

Nachdem Messala den Aufstand der Gallier gedämpft, schiffte er, an Korcyra und den griechischen Küsten vorbei, durch das *Ägäische* Meer nach Asien, um die Anhänger des Antonius in Cilicien, Syrien und den benachbarten Gegenden zu bezwingen. Tibull war als Gesellschafter mit ihm. In Korcyra war der Dichter auf der Flotte krank angekommen.

V. 3. Die Insel Korcyra, das heutige Korfu, ist vielleicht Homer's Scheria, wo Alcinous die *Phäacier* beherrschte.

V. 6. Das eingeäscherte Gebein sammelten die nächsten Verwandten in den Schoos ihres schwarzen Trauergewandes; und wenn es, nach der Religionssprenge von Wein und Milch, wieder getrocknet war, bargen sie es in die Urne des Grabmals, wo man Specereien und gewöhnlich ein Salbenkrüglein hinzufügte.

V. 9. *Delia*, eine schöne, von Delos gebürtige Libertinin (Freigelassene).

V. 11. Es wurden hölzerne, mit Zahlen bezeichnete *Loose* aus einem Geschirr voll Wasser gehoben.

V. 13. Ausbrüche der Traurigkeit wurden als schlimme Vorbedeutung gefürchtet.

V. 17. In dem verschiedenen Flug und Geschrei der Vögel, den Eingeweiden der Thiere und anderen Zufälligkeiten erkannte man bald günstige, bald ungünstige Vorzeichen.

V. 18. *Tag des Saturn*, der Sabbath der Juden. Es waren so viele Juden und Judengenossen in Rom, daß unter die abergläubische Menge auch einige Beobachtung des Sabbaths kam. Nicht so ganz ernsthaft bekennt hier Tibull ein Gewissenhafter aus der Menge zu seyn.

V. 24. Ein Instrument mit klingenden Stäbchen, Sistrum genannt und beim Isisdienste gebraucht.

V. 25-26. Zehn Nächte mußte die Flehende, rein und keusch, sich dem Dienste der Isis weihn. Die Antwort der Göttin wurde auf dem Tempel-Lager abgewartet.

V. 27. Wen Isis zur See oder aus Krankheit gerettet hatte, der ließ seine Geschichte malen und im Tempel aufhängen.

V. 32. Der *Chor* der glatzköpfigen *Pharischen* Priester; von Pharos, einer Insel bei Alexandria in Ägypten.

V. 35. Unter dem Gotte *Saturnus* blühte das goldne Weltalter.

V. 45. Der *Honig* schien den Alten ein ätherischer Thau, der jezt von Erddüften und einsammelnden Bienen verfälscht werde, der aber im goldnen Weltalter ganz lauter und reichlich von den Blättern, besonders der *Eichen*, und aus den Spalten hervorschwitzend, geflossen sey.

V. 51. Frühzeitiger Tod durch Krankheiten ward als Strafe großer Vergehungen gegen die Götter, wie langes Leben als Belohnung der Frömmigkeit angesehen.

V. 58. Hiernach würde das Amt Mercur's, die Seelen in das Todtenreich zu führen, ausnahmsweise von der Göttin der Liebe übernommen.

V. 61. *Kasia*, wahrscheinlich der wilde Zimmt.

V. 69. *Tisiphone*, eine Furie.

V. 71–79. S. im Anh. Orkus.

IV

Der *Titius*, dem dieses Stück gewidmet wird, ist wahrscheinlich Titius Septimius, Horazens Freund, der lyrische Gedichte und Tragödien schrieb.

V. 1. In den Gärten stand, zum Segen und Schutz, ein *Priapus*, roh geschnizt, gewöhnlich unter einem breitästigen Baume, der auch im Winter den Schnee abhielt.

V. 25. Selbst die strengen jungfräulichen Göttinnen, *Diana* und die blonde *Minerva*, lassen die Meineide der Liebenden ungestraft. Man schwur bei demjenigen, was einem selbst oder dem andern theuer war; also Jünglinge und Mädchen bei den Göttinnen jungfräulicher Zucht und Beschäftigung.

V. 32. In der Peloponnesischen Landschaft *Elis*, auf dem Platze Olympia, war die Olympische Rennbahn, in welche man die wettrennenden Gespanne aus Schranken entließ.

V. 42. *Sirius*, der Hundsstern.

V. 43. Der *Regenbogen*, glaubte man, fülle die Wolken mit aufgezogenem Wasser, und, besonders nach Mittag, bringe er Regenguß.

V. 63. *Nisus*, König von Megara (Hauptstadt von Megaris in Griechenland), hatte unter seinen grauen Locken ein purpurnes Haar, an dem das Schicksal seines Reiches hing. Dieß stahl ihm Scylla, seine Tochter, um es dem Minos, König von Kreta zu bringen, welcher die Stadt belagerte und den sie liebte; sie ward verschmäht und sammt dem Vater in Seevögel verwandelt. – *Pelops*, von seinem Vater Tantalus (siehe im Anhang Orkus) den Göttern zum Schmause vorgesetzt, wurde durch Jupiter wieder zusammengekocht, und eine Lücke in der Schulter – denn Ceres hatte unwissend ein Stückchen gegessen, mit *Elfenbein* ausgefüllt.

V. 68. *Ops*, Cybele (s. dieselbe im Anh.). Ihr Bild auf einem mit Löwen bespannten Wagen ward von schwärmerischen entmannten Priestern unter wilder Musik im Lande umhergeführt.

V. 79. *Marathus*, ein schöner Knabe aus der Phönicischen Stadt gleichen Namens.

V

Pholoë, eine Libertinin.

V. 3. *Fibern*, nannte man die Abtheilungen der edleren Eingeweide der Thiere durch Sehnen, Drüsen, Fasern und ästige Äderchen, woraus man der Götter Meinung enträthselte.

V. 5. In hartem Dienste ward ein Knecht mit gebundenen Händen aufgehängt und gezüchtigt. Die Anwendung auf den Dienst der Venus war desto natürlicher, da ihr der Volksglaube mancherlei *magische Liebesknoten*, Venusbande genannt, und eine strafende *Geißel* gab.

V. 7. Das Bild eines widersetzlichen Knechts, der zur Strafe *gebrannt* wurde.

V. 11–12. Die Zärtlinge pflegten, wie buhlerische Weiber, zur Erhaltung einer weichen und *glänzenden* Haut ihr Gesicht mit Umschlägen von feuchtem Brod und Gewürzen zu bedecken und mit Eselsmilch abzuwaschen. Die Sorge für schöne *Nägel* an den Händen und den, oft sichtbaren, Füßen war eine eigene Kunst der Barbiere und Aufwärter.

V. 21. Man glaubte, daß *Zauberinnen* den verfinsterten Mond mittelst des Kreisels herabzögen, und daß man diesem Zauber durch geschlagene Erzbecken begegnen könne; vrgl. Theokr. VII, 17. 36. Anm.

V. 25. Pholoë, von Marathus zum Gastmahle geladen, hatte ihm Küsse erlaubt und an seiner Seite auf dem Polster bei Tische geruht.

V. 29. Der *Graukopf* ist ein bestimmter Reicher, der das Mädchen jezt unterhielt und bewachen ließ (V. 35).

V. 44. Plinius sagt, mit Nußlaub werde Wolle gefärbt, und mit eben hervorkeimenden Nüßchen das Haar gebräunt.

V. 46. Gleich einer Schlange verjüngt das alte Gesicht seine Haut, natürlich durch sanftmachende Umschläge (V. 11) und Schminke.

V. 72. Amor.

ZU CERINTHUS UND SULPICIA

I

V. 8–9. *Genius*, s. im Anh. Dämonen. – Die *Gaben*, d.h. Cerinth's Opfer: Weihrauch, Kuchen und Wein.

V. 13. Wie Cerinthus, hat in ihrem Gemache Sulpicia ein Venusbild aufgestellt, zu welchem sie mit gestreuetem Weihrauch fleht.

V. 19–20. Genius natalis, d.h. Geburtsgott. Die Götter hörten den Betenden aus der Ferne nicht anders, als wenn er die Arme aufstreckend mit wehklagendem Ton laut rief. Ein leises Gebet aus der Ferne vernahmen nur die Götter der Weissagung. Wenn sie genaht waren, merkten sie mit feinerem Ohr als die Sterblichen haben, auch das leiseste Flehen, wie hier der eingeladene Genius.

II

V. 1. *Juno*, hier nicht Jupiters Gemahlin, sondern die Geburtsgöttin der Frauen; s. im Anh. Dämonen.

V. 13. Die Göttin komme ungesehn, und zwar wie ihr Bild hier, in einem Obergewand von purpurgefärbtem Seidenflor, durch welchen die Tunica hervorschimmert.

V. 15. Indem Sulpicia der Göttin dreimal von den Opferkuchen in die Flamme wirft und dreimal von dem Weine sprengt, flüstert ihr die Mutter in's Ohr, sich zum Gemahl einen edeln Römer zu erflehn; das Töchterchen fleht heimlich um Cerinthus.

V. 17. Dieß Auflodern der Flamme auf das leise Gebet war eine glückliche Vorbedeutung.

III

Die feurige Sulpicia hatte dem Cerinthus, der eine gesetzliche Verbindung nicht zu hoffen wagte, seine Zurückhaltung für Lauheit ausgelegt, und aus einem hier nicht mitgetheilten Billet an ihn ist ersichtlich, daß sie ihn von einer leichtsinnigen Dirne bestrickt glaubte; ein Argwohn, worin sie durch die List eines mitbewerbenden Patriciers mag bestärkt worden seyn. Mit bitterem Vorwurf kündigte sie ihm auf. In seiner Antwort, die wir nicht besitzen, wird sich der Gekränkte ohne Zweifel entschieden genug gereinigt haben. Nicht lange konnte die Trennung dauern. Vor Gram und Sehnsucht, scheint es, ward die Schöne krank, und sie gesteht in diesem Briefchen dem Geliebten, nur für ihn wünsche sie Genesung.

IV

Sulpicia wird hier, wie auch sonst, von Voß gegen arge Erklärer gerechtfertigt. Die beiden Liebenden, sagt er, nach einer Aussöhnung noch verbundener, hatten sich in einer der heimlichen Zusammenkünfte, deren in Nr. II, V. 11 gedacht wird, bei den Hindernissen ihrer Verehelichung ausdauernde Treue gelobt. *Endlich* (V. 1) nach langem Zweifel, bin ich seiner Liebe vollkommen gewiß.

V. 3. *Erbeten* u.s.w.; vrgl. I, V. 13–16. Vielleicht hatte sie jenen Anruf bei der Feierlichkeit selbst, oder als sie dem Cerinth davon schrieb, in die Sprache der *Musen* gefaßt. Hätte ihn aber auch erst Tibull mit dem ganzen Briefe dichterisch geordnet, so stand es ihm dennoch an, sie als die begeisterte Urheberin hier zu ehren.

V. 5. Die *Verheißung* der Venus, daß sie liebend geliebt seyn würde, hatte sie an günstigen Zeichen des Weihrauchopfers erkannt.

V. 7. Briefchen in die Nähe schrieb man auf zwei- oder dreifache Täflein von Holz, welche mit Wachs überzogen waren, und worein man mit einem Griffel rizte; seltner schrieb man auf elfenbeinerne; gesiegelt wurde mit einem geschnittenen Steine. Es war also Zweck, daß die Mutter die Vertraute anhalten und den offenen Brief lesen sollte. Solche Entschlossenheit führte der Eltern Einwilligung herbei.

V

V. 20. *Delia*, Diana.

VI

V. 1. An den *Kalenden des Mars*, oder am ersten März, verehrte die Gattin sammt dem Gemahl, mit Frühlingsblumen geschmückt, des Festes Gottheiten, Mars und Juno, und zugleich besondere Schutzgottheiten wie Venus und Bacchus, mit Weihrauch, Wein, Kuchen, auch Brandopfern. Wie die Gattin den Gemahl, so erwartete an diesem Tag das Mädchen den glückwünschenden Verehrer.

V. 3. *Venus* als die Geliebte des Mars.

V. 11–12. Im kunstreich umgeworfenen *Purpur*mantel, wie im häuslichen An-
zuge, der weißen Tunica.

V. 16. Zweimal gefärbter Purpur von der Phönicischen Seestadt *Tyrus*.

V. 19. Am Ost-Rande des Oceans, der dort rothes Meer hieß. Man glaubte,   5
dieß Gewässer sey roth vom Schein der dort aufgehenden Sonne, oder gluthrother
Berge und Meerkiesel; auch sollte es Perlen und Edelsteine an den Strand werfen.
S. Sol im Anh.

THEOKRITOS

VORWORT

In der hier vorliegenden Übersetzung Theokrit's sind elf Gedichte, nämlich Idyll I, II, III, IV, V, VI, XI, XIV, XV, XVI und XXVIIIb, von dem Unterzeichneten bearbeitet worden.

Ich würde zu Rechtfertigung meines kleinen Beitrags, von welchem ich wahrlich so bescheiden denke, als man nur wünschen mag, gewiß nicht viele Worte machen, wenn sich nur überall Alles von selber verstünde.

Durch meine frühere Beschäftigung mit diesem Dichter, behufs einer klassischen Blumenlese für nicht gelehrte Leser*, waren mir die ältern und neuern Übersetzer zumeist genau bekannt. *Bindemann* (1793), *Voß* (1808), *Witter* (1819) und *Naumann* (1828), – Jeder hat sein besonderes Verdienst. Voß bleibt in mancher Beziehung musterhaft, doch ist er mehr durch Kraft als Anmuth ausgezeichnet; hinsichtlich des natürlichen Ausdrucks hat der mit Unrecht fast vergessene Bindemann unstreitig einen Vorzug vor ihm.

Es liegt in der Natur der Sache, daß, auf einer bestimmten Stufe der Sprachentwicklung, die Übersetzung eines Dichters sich nicht IN INFINITUM steigern, oder beliebig oft und stets in gleichem Grade gut variiren läßt, ja daß manche Stelle, wo nicht Alles, eigentlich nur Einmal gut gegeben werden kann. Zu einer guten Verdeutschung eines Dichters aber, wie der unsrige, gehört, vornehmlich bei dem gegenwärtigen, für das allgemeine Publikum bestimmten Unternehmen, neben der Richtigkeit und Treue, ohne Zweifel eine dem deutschen Sprachgeist homogene, gefällige Form, wobei man lieber an der äußersten Strenge der Metrik etwas nachläßt, als daß man den natürlichen Vortrag preisgibt und dazu regelrechte, aber harte und gezwungene Verse liefert. Ist nun, wie ich mich gründlich überzeugte,

---

* Stuttgart, bei E. Schweizerbart, 1840. Erstes Bändchen.

von den bisherigen Verdeutschern Theokrit's in Einzelnheiten oder
stellenweise das erreichbare Maß des Geforderten wirklich zum großen Theil erreicht, so daß diese Stellen im Wesentlichen auf keine
andere Art eben so gut, geschweige besser ausgedrückt werden können – eine Behauptung, die lediglich nur durch die That widerlegt wer- 5
den will –, was liegt alsdann näher, und, sofern es ohne Kränkung
fremder Eigenthumsrechte geschehen kann, was ist vernünftiger, als
das durch Meisterhand bereits Gewonnene bei einer neuen Bearbeitung ganz unbefangen zu nutzen und den Werth desselben durch
weitere Ausbildung und Ergänzung nach besten Kräften zu erhöhen? 10
Um der Prätention der Neuheit willen das Gute und Vortreffliche
mehr oder weniger ignoriren, es künstlich umgehen und offenbar
Geringeres geben, hieße geradezu die gute Sache aufopfern und das
Vertrauen des Publikums täuschen.

Dessen ungeachtet wird mein Grundsatz vermuthlich Widerspruch 15
finden. Diese Aussicht und der geringe Dank, der überhaupt auf solchem Wege zu erholen ist, bestimmte mich, die Einladung zum Theokrit im Anfang abzulehnen. Zuletzt entschloß ich mich, mit einer Probe des fraglichen Verfahrens, von dem ich eine ähnliche schon früher
in der erwähnten Auswahl klassischer Gedichte mitgetheilt, meinen 20
guten Willen wenigstens zu zeigen.

Es kommen hier von den genannten Übersetzern zunächst nur
Voß und Bindemann in Betracht. Die schätzbaren Arbeiten Witter's
und Naumann's bekam ich leider zum zweitenmale nicht mehr zur
Hand. Da sie jedoch für jene Blumenlese seiner Zeit gleichfalls ver- 25
glichen worden sind, so kann möglicherweise aus dieser auch Ein und
Anderes, was ihnen angehört, in gegenwärtige Bearbeitung übergegangen sein. Von den beiden ältern Vorgängern habe ich nun allerdings, so weit ich sie nach sorgfältiger Prüfung unübertreffbar fand,
den freiesten Gebrauch gemacht. Indessen der Bequemlichkeit wird 30
man mich wohl bei näherer Betrachtung schwerlich anklagen. Der
Kundige weiß aus Erfahrung, wie viel Nachdenken und Geduld sich
häufig schon in einer kleinen Verbesserung verbirgt, von andern
augenfälligern Beweisen selbstständiger Bemühung nicht zu reden.
Bemerkt sei nur, daß beide Übersetzer im einen Stücke mehr als in 35
dem andern zu wünschen übrig ließen. In den *Chariten*, den *Syraku-*

serinnen z.B. waren sie glücklicher als in den *Hirten* oder in *Komatas* und *Lakon*; wie überhaupt in naiven und derben Gedichten der letzteren Art gewöhnlich Ton und Ausdruck, besonders bei Voß, verfehlt ist.

Hin und wieder habe ich mir kleine Freiheiten gegen den Buchstaben erlaubt, die einer Entschuldigung wohl kaum bedürfen werden. So trug ich Id. I, V. 15 kein Bedenken, die rein formale melische Wiederholung auf eine andere Stelle des Verses zu verlegen. So wird Id. XV, V. 26 durch Zuthat eines Wortes – *Sey's* – der zweifelhafte Sinn dahin entschieden, daß sich die vielbeschäftigte Praxinoa ironisch zu den »Müssigen« rechnet, indem sie das Sprichwort etwa mit jener Miene liebenswürdigen Leichtsinns anführt, womit sich Jemand zu einer kleinen Extravaganz entschlossen zeigt. Ganz eben so gut kann freilich jene Redensart in Praxinoa's Mund auch so verstanden werden: »du Gorgo hast immer Zeit genug für Vergnügungen übrig«; doch wird vielleicht das Erstere im Lesen geschwinder einleuchten. – Der gleiche Kunstgriff kehrt im Nächstfolgenden wieder, wo *Hermann's* scharfsinnige Textverbesserung und Erklärung aufgenommen ist, nur daß ich den Moment, in welchem die bestürzte Magd die Seife statt des Wassers bringt, nicht erst zwischen V. 29 und 30, sondern zwischen den beiden Sätzen φέρε θᾶσσον ὕδωρ und ὕδατος πρότερον δεῖ annehme; damit jedoch die Handlung augenblicklich klar sei, schien es nöthig, ein im Original nicht enthaltenes *Nein* einzuschalten. – Id. XXVIII ist in der zweiten und darum etwas freiern Übertragung ἠλακάτη nach Voßens Beispiel als *Spindel* genommen. – Wenn ich Id. II, V. 83 bei ἐτάκετο die Vorstellung des Plötzlichen ausdrücklich hinzugefügt habe, so möge man hier und in ähnlichem Andern nicht etwa einen bloßen Nothbehelf zu Ausfüllung des Verses erblicken. – Mich hat bei dergleichen die Rücksicht geleitet, daß diese Sammlung von alten Autoren insbesondere auch für den rein genießenden Leser bestimmt ist.

Mörike

IDYLLEN

I

THYRSIS

THYRSIS

Lieblich, o Geißhirt, ist das Getön, das die Pinie drüben
Säuselnd am Felsquell übt, das melodische; lieblich ertönt auch
Deine Syringe; nach Pan wird billig der andere Preis *dir*.
Wenn er den Bock sich erwarb, den gehörneten, nimmst du die Ziege,
5 Wenn zum Lohn er die Ziege behält, dann folget das Zicklein
Dir; und fein ist das Fleisch vom Zickelchen bis du es melkest.

GEISSHIRT

Lieblicher tönt, o Schäfer, dein Lied mir als mit Geplätscher
Dort von dem Fels hochher in das Thal sich ergießet der Bergquell.
Wenn die singenden Musen ein Schaf wegführen zum Preise,
10 Nimmst du das zärtliche Lamm zum Lohne dir; wählen sie aber
Lieber das Lamm für sich, wirst du mit dem Schafe davongeh'n.

THYRSIS

Wolltest du nicht, bei den Nymphen! o Geißhirt, wolltest du nicht hier
Her dich setzen, am Hang des Hügelchens voll Tamarisken,
Und die Syring' anstimmen? Ich achte derweil auf die Ziegen.

GEISSHIRT

15 Ja nicht um Mittag, Schäfer, die Syrinx blasen! um Mittag
Nicht! Pan fürchten wir da! Denn er pflegt, vom Jagen ermüdet,
Um *die* Stunde ja immer des Schlafs; gar wunderlich ist er,
Und ihm schnaubet der bittere Zorn aus der Nase beständig.

Aber du kennst ja, Thyrsis, ich weiß, die Leiden des Daphnis,
Und im Hirtengesang bist du vor Allen ein Meister: 20
Komm', dort sitzen wir unter den Ulmbaum, gegen Priapos
Über und gegen die Nymphen des Quells, wo der Schäfer sich Rasen-
Bänke gemacht in der Eichen Umschattung. Wenn du mir sängest,
Wie du einmal mit Chromis, dem Libyer, sangest im Wettkampf,
Eine Ziege bekämst du mit Zwillingen, dreimal zu melken, 25
Welche die Böcklein säugt und doch zwei Kannen mit Milch füllt.
Auch ein Gefäß sei dein, mit duftendem Wachse gebonet,
Tief, zweihenklig und neu, das Holz noch riechend vom Meisel.
Epheu schlingt sich oben im Kreis umher an der Mündung,
Epheu, versetzt mit dem Golde der Blum' Helichrysos; er ranket 30
Durch sie hin, anlachend mit safranfarbigen Träublein.
Mitten darauf ist ein Weib, kunstvoll, wie ein Göttergebilde;
Langes Gewand schmückt sie und das Stirnband. Neben derselben
Steh'n zwei lockige Männer, die streiten, ein Jeder von seiner
Seite, mit Worten um sie, doch rühret es wenig das Herz ihr: 35
Jetzo kehrt sie den Blick mit lachender Miene zum Einen,
Jetzo neigt sie den Sinn zum Andern, und Beide vor Liebe
Brennend, das Aug' vorschwellend, ereifern und mühen umsonst sich.
Außer Diesen sodann ist ein Fischer zu seh'n, ein bejahrter,
Und ein zackiger Fels, auf welchen mit Eifer der Alte 40
Schleppt zum Wurfe sein Netz, so recht wie ein Mann, der sich anstrengt.
Alle Kraft der Glieder, so glaubest du, beut er zur Arbeit
Auf: so starren ihm rings die geschwollenen Sehnen am Halse,
Zwar bei grauendem Haupt, doch die Kraft ist würdig der Jugend.
Nur ein wenig entfernt von dem meerverwitterten Greise 45
Steht, gar lieblich mit purpurnen Trauben belastet, ein Weinberg,
Welchen ein Knäblein bewacht, das sitzet am Dornengehege.
Auch zwei Füchse sind dort, der eine durchwandert die Gänge
Zwischen den Reben und nascht von zeitigen Trauben, der andre
Spitzt voll List auf die Tasche des Bübleins, und er gedenkt nicht 50
Eher zu geh'n, als bis er ihm habe genommen das Frühstück.
Jener flicht sich aus Halmen die zierliche Grillenfalle,
Wohl mit Binsen gefügt, und es kümmert ihn weder der Weinberg,
Weder die Tasche so sehr, als nun das Geflecht ihn erfreuet.

55 Ringsher endlich umläuft das Geschirr biegsamer Akanthos.
Staunen gewiß wirst du; ein äolisches Prachtstück ist es.
Eine Ziege bezahlt' ich dem kalydonischen Schiffer
Für dasselbe, zusammt dem größesten Käse von Geißmilch.
Noch nicht Einmal die Lippen berührt' es mir, sondern es steht noch
60 Ungebraucht. Dieß sollte dir jetzt mit Freuden geschenkt sein,
Ließest du jenen süßen Gesang, o Freund, mich vernehmen.
Nein, ich närre dich nicht! Fang' an denn! Sicher ja wirst du
Nicht dem Aïs dein Lied, dem allvergessenden, sparen.

THYRSIS

Hebet Gesang, ihr Musen, geliebteste, Hirtengesang an!
65 Thyrsis vom Ätna ist hier, und die liebliche Stimme des Thyrsis.
– Wo wart ihr, als Daphnis verschmachtete, wo doch, o Nymphen?
Fern im peneiischen Tempe, dem reizenden, oder am Pindos?
Denn nicht weiletet ihr um den mächtigen Strom des Anapos,
Nicht um des Ätna Geklüft, noch Akis' heilige Wasser.
70 Hebet Gesang, ihr Musen, geliebteste, Hirtengesang an!
Schakaln haben ihn ja, ihn heulende Wölfe bejammert;
Klage des Löwen um ihn, da er hinsank, scholl aus dem Walde.
Hebet Gesang, ihr Musen, geliebteste, Hirtengesang an!
Ihm zu Füßen gestreckt in Haufen, wie stöhnten die Kühe,
75 Brüllten in Haufen die Stiere umher, und Kälber und Färsen!
Hebet Gesang, ihr Musen, geliebteste, Hirtengesang an!
Jetzt kam Hermes zuerst vom Gebirg' her: Daphnis, begann er,
Wer doch quält dich? Um wen, o Guter, in Liebe vergehst du?
Hebet Gesang, ihr Musen, geliebteste, Hirtengesang an!
80 Jetzo kamen die Schäfer, der Kuhhirt kam und der Geißhirt.
Alle sie fragten: was ist mit dir? Auch selber Priapos
Kam und rief: Was schmachtest du, Daphnis, o Ärmster! Das Mägdlein
Irrt ja umher an den Quellen und irrt durch alle die Haine –
(Hebet Gesang, ihr Musen, geliebteste, Hirtengesang an!)
85 Dir nachschleichend! O Thor, der du bist, in der Lieb', unbeholfner!
Kuhhirt nennst du dich wohl, doch ein Geißhirt bist du nun eher.
Sieht so einer die Ziege der Brunst sich fügen des Männchens,
Schmachtend zerfließt sein Auge, daß nicht er selber ein Bock ward.

293

Hebet Gesang, ihr Musen, geliebteste, Hirtengesang an!

Also auch dir, wenn du siehst, wie die Jungfraun scherzen und lachen,   90

Schmachtend zerfließt dein Aug', daß du nicht mittanzest im Reigen.

Nichts antwortete jenen der Kuhhirt; sondern im Herzen

Trug er die quälende Lieb', und trug bis zum Ende das Schicksal.

Hebet Gesang, ihr Musen, geliebteste, Hirtengesang an!

Endlich kam Kythereia, die anmuthvolle, mit Lächeln,   95

Heimliches Lächeln im Aug' und bitterem Groll in der Seele.

Daphnis, sprach sie, du prahltest ja, Eros in Fesseln zu schlagen;

Bist du nicht selbst von Eros, dem schrecklichen, jetzo gefesselt?

Hebet Gesang, ihr Musen, geliebteste, Hirtengesang an!

Aber Daphnis darauf antwortete: Grausame Kypris!   100

Kypris, unselige du! o Kypris, der Sterblichen Abscheu!

Meinest du denn, schon sei mir die Sonne, die letzte, gesunken?

Doch wird Daphnis im Aïdes noch dem Eros ein Dorn sein!

Hebet Gesang, ihr Musen, geliebteste, Hirtengesang an!

Geh' doch zum Ida nur hin, wo ein Hirt, wie es heißt, Aphroditen   105

Einst ... Geh' dort zu Anchises! da grünt's von Eichen und Galgant!

Reif auch schon ist Adonis für dich: er weidet die Schafe,

Oder den Hasen erlegt er und andere Thiere des Waldes.

Hebet Gesang, ihr Musen, geliebteste, Hirtengesang an!

Tritt noch einmal entgegen dem Held Diomedes und sag' ihm: 110

Ich bin Daphnis', des Hirten, Besiegerin! Auf, in den Zweikampf!

Hebet Gesang, ihr Musen, geliebteste, Hirtengesang an!

Schakal und Wolf und Bär in den Klüften des Bergs, o ihr alle,

Lebet wohl! Ich Daphnis, der Hirt, bin nimmer in Wäldern,

Unter den Eichen mit euch und im Hain! Leb' wohl, Arethusa!   115

Wohl, ihr Bäche, vom Thymbris die lieblichen Wellen ergießend!

Hebet Gesang, ihr Musen, geliebteste, Hirtengesang an!

Daphnis bin ich, derselbe, der hier die Kühe geweidet,

Daphnis, der hier zur Tränke die Stier' und die Kälber geführet.

Hebet Gesang, ihr Musen, geliebteste, Hirtengesang an!   120

Pan, o Pan, wo du jetzt auch weilst, auf den Höh'n des Lykäos,

Auf dem gewaltigen Mänalos, komm' in der Sikeler Eiland

Her! Die helikischen Gipfel verlaß und das thürmende Grabmal

Jenes Sohns von Lykaon, das selber die Himmlischen ehren.

125 Laßt den Gesang, ihr Musen, o laßt den Hirtengesang ruh'n!

Komm' und empfang', o Herrscher, die honigathmende Flöte,

Schön mit Wachse gefügt wie sie ist, um die Lippen gebogen.

Denn schon dränget mich Eros, hinab zum Aïs zu wandern.

Laßt den Gesang, ihr Musen, o laßt den Hirtengesang ruh'n!

130 Fortan traget Violen, ihr Brombeerranken und Dornen!

Auf Wachholdergebüsch soll blühen der schöne Narkissos!

Alles verkehre sich rings! und der Pinie Frucht sei die Birne,

Jetzo da Daphnis stirbt! Und der Hirsch nun schleppe den Jagdhund,

Und mit der Nachtigall kämpf' im Gesang von den Bergen der Uhu!

135 Laßt den Gesang, ihr Musen, o laßt den Hirtengesang ruh'n!

– Als er Solches gesagt, da verstummt' er. Ihn aufrichten

Wollt' Aphrodita; doch gar nichts mehr von der Mören Gespinnst war

Übrig. Daphnis durchgieng den Acheron und das Gestrudel

Barg den Geliebten der Musen, den auch nicht haßten die Nymphen.

140 Laßt den Gesang, ihr Musen, o laßt den Hirtengesang ruh'n!

Und du gib das Gefäß, auch gib mir die Ziege, so melk' ich

Sie und sprenge den Musen zum Dank. O Heil euch, ihr Musen!

Vielmal Heil! Euch will ich hinfort noch lieblicher singen.

GEISSHIRT

Honig, o Thyrsis, fülle den reizenden Mund dir, es füll' ihn

145 Lauterer Seim! und die Feige von Ägilos reife zur süßen

Kost für dich! Du singest melodischer als die Cikade!

Hier, mein Freund, das Gefäß. O schau, wie lieblich es duftet!

Dächte man nicht, es sei in der Horen Quelle gebadet?

Komm' nun her, Kissätha! Du melke sie! – Heda, ihr Geißen,

150 Habt doch Ruh', mit den Possen! Der Bock wird über euch kommen!

II

DIE ZAUBERIN

Auf! wo hast du den Trank? wo, Thestylis, hast du die Lorbeern?
Komm', und wind' um den Becher die purpurne Blume des Schafes!
Daß ich den Liebsten beschwöre, den Grausamen, der mich zu todt quält.
Ach! zwölf Tage schon sind's, seitdem mir der Bösewicht ausbleibt!
Seit er fürwahr nicht weiß, ob am Leben wir oder gestorben!   5
Nie an der Thür' mehr lärmt mir der Unhold! Sicherlich lockte
Anderswohin den flatternden Sinn ihm Eros und Kypris.
Morgenden Tags will ich zu Timagetos' Palästra,
Daß ich ihn seh', und was er mir anthut Alles ihm sage.
Jetzo mit Zauber beschwör' ich ihn denn. – O leuchte, Selene,   10
Hold! Ich rufe zu dir in leisen Gesängen, o Göttin!
Rufe zur stygischen Hekate auch, dem Schrecken der Hunde,
Wann durch Grüfte der Todten und dunkeles Blut sie einhergeht.
Hekate! Heil! du Schreckliche! komm' und hilf mir vollbringen!
Laß unkräftiger nicht mein Werk sein, als wie der Kirke   15
Ihres, Medeia's auch, und als Perimede's, der blonden.

   Roll', o Kreisel, und zieh' in das Haus mir wieder den Jüngling!
Mehl muß erst in der Flamme verzehrt sein! Thestylis, hurtig,
Streue mir doch! wo ist dein Verstand, du Thörin, geblieben?
Bin ich, Verwünschte, vielleicht auch dir zum Spotte geworden?   20
Streu', und sage dazu: Hier streu' ich Delphis' Gebeine!

   Roll', o Kreisel, und zieh' in das Haus mir wieder den Jüngling!
Mich hat Delphis gequält, so verbrenn' ich auf Delphis den Lorbeer.
Wie sich jetzo das Reis mit lautem Geknatter entzündet,
Plötzlich sodann aufflammt und selbst nicht Asche zurückläßt,   25
Also müsse das Fleisch in der Lohe verstäuben dem Delphis.

   Roll', o Kreisel, und zieh' in das Haus mir wieder den Jüngling!
Wie ich schmelze dieß wächserne Bild mit Hilfe der Gottheit,

Also schmelze vor Liebe sogleich der Myndier Delphis;
30 Und wie die eherne Rolle sich umdreht durch Aphrodita,
Also drehe sich Jener herum nach unserer Pforte.
  Roll', o Kreisel, und zieh' in das Haus mir wieder den Jüngling!
Jetzt mit der Kleie gedampft! – Du, Artemis, zwängest ja selber
Drunten im Aïs den eisernen Gott und starrende Felsen.
35 – Thestylis, horch, in der Stadt, wie heulen die Hunde! Im Dreiweg
Wandelt die Göttin! Geschwind laß tönen das eherne Becken!
  Roll', o Kreisel, und zieh' in das Haus mir wieder den Jüngling!
– Siehe! wie still! Nun schweiget das Meer und es schweigen die Winde!
Aber es schweigt mir nicht im innersten Busen der Jammer.
40 Glühend vergeh' ich für den, der, statt zur Gattin, mich Arme
Ha! zur Buhlerin macht', und der mir die Blume gebrochen.
  Roll', o Kreisel, und zieh' in das Haus mir wieder den Jüngling!
Dreimal spreng' ich den Trank, und dreimal, Herrliche, ruf' ich.
Mag ein Mädchen ihm jetzt, ein Jüngling ihm liegen zur Seite,
45 Plötzlich ergreife Vergessenheit ihn: wie sie sagen, daß Theseus
Einst in Dia vergaß Ariadne, die reizendgelockte!
  Roll', o Kreisel, und zieh' in das Haus mir wieder den Jüngling!
Roßwuth ist ein Gewächs in Arkadien, wenn es die Füllen
Kosten, die flüchtigen Stuten, so rasen sie wild im Gebirge:
50 Also möcht' ich den Delphis hieher zu dem Hause sich stürzen
Sehen, dem Rasenden gleich, aus dem schimmernden Hof der Palästra!
  Roll', o Kreisel, und zieh' in das Haus mir wieder den Jüngling!
Dieses Stückchen vom Saum hat Delphis am Kleide verloren:
Schau, ich zerpflück's und werf' es hinein in die gierige Flamme.
55 – Weh! unseliger Eros, warum wie ein Egel des Sumpfes
Hängst du an mir und saugest mir all' mein purpurnes Blut aus!
  Roll', o Kreisel, und zieh' in das Haus mir wieder den Jüngling!
Einen Molch zerstampf' ich und bringe dir morgen den Gifttrank.
Thestylis, nimm dieß tückische Kraut und bestreiche die Schwelle
60 Jenes Verräthers damit! (Ach fest an diese geheftet
Ist noch immer mein Herz, doch er hat meiner vergessen!)
Geh', sag' spuckend darauf: Hier streich' ich Delphis' Gebeine!
  Roll', o Kreisel, und zieh' in das Haus mir wieder den Jüngling!
Jetzo bin ich allein. – Wie soll ich die Liebe beweinen?

Was bejammr' ich zuerst? Woher kommt alle mein Elend?   65
– Als Korbträgerin gieng Eubulos' Tochter, Anaxo,
Hin in Artemis' Hain; dort wurden im festlichen Umzug
Viele der Thiere geführt, auch eine Löwin darunter.
    Sieh, o Göttin Selene, woher mir die Liebe gekommen!
Und die thrakische Amme Theumarida (ruhe sie selig!)   70
Unsere Nachbarin nächst am Haus, sie bat und beschwor mich,
Mit zu sehen den Zug, und ich unglückliches Mädchen
Gieng, ein herrliches Byssosgewand nachschleppend am Boden,
Auch gar schön Klearista's Mäntelchen übergeworfen.
    Sieh, o Göttin Selene, woher mir die Liebe gekommen!   75
Schon beinah' um die Mitte des Wegs, an dem Hause des Lykon,
Sah ich Delphis zugleich mit Eudamippos einhergeh'n;
Jugendlich blond um das Kinn, wie die goldene Blum' Helichrysos;
Beiden auch glänzte die Brust weit herrlicher als du, Selene,
Wie sie vom Ringkampf eben zurück, vom rühmlichen, kehrten.   80
    Sieh, o Göttin Selene, woher mir die Liebe gekommen!
Weh! und im Hinschau'n gleich, wie durchzückt' es mich! jählings erkrankte
Tief im Grunde mein Herz; auch verfiel mir die Schöne mit Einmal.
Nimmer gedacht' ich des Fests, und wie ich nach Hause gekommen,
Weiß ich nicht; so verstörte den Sinn ein brennendes Fieber.   85
Und ich lag zehn Tage zu Bett, zehn Nächte verseufzt' ich.
    Sieh, o Göttin Selene, woher mir die Liebe gekommen!
Schon, ach! war mir die Farbe so gelb wie Thapsos geworden,
Und mir schwanden die Haare vom Haupt; die ganze Gestalt nur
Haut noch und Bein! Wen frug ich um Hilfe nicht? oder wo hauset   90
Irgend ein zauberkundiges Mütterchen, das ich vergessen?
Linderung ward mir nicht, und es gieng nur die eilende Zeit hin.
    Sieh, o Göttin Selene, woher mir die Liebe gekommen!
Meiner Sklavin gestand ich die Wahrheit endlich und sagte:
»Thestylis, schaffe mir Rath für dieß unerträgliche Leiden!   95
Völlig besitzt mich Arme der Myndier. Geh' doch und suche,
Daß du mir ihn ausspähst bei Timagetos' Palästra;
Dorthin wandelt er oft, dort pflegt er gern zu verweilen.«
    Sieh, o Göttin Selene, woher mir die Liebe gekommen!
»Und sobald du ihn irgend allein triffst, winke verstohlen,   100

Sag' ihm dann: Simätha begehrt dich zu sprechen! – und bring' ihn.«
Also sprach ich, sie gieng, und brachte den glänzenden Jüngling
Mir in das Haus, den Delphis. So wie ich ihn aber mit Augen
Sah, wie er leichten Fußes herein sich schwang zu der Thüre –
105   (Sieh, o Göttin Selene, woher mir die Liebe gekommen!)
Ganz kalt ward ich zumal, wie der Schnee, und herab von der Stirne
Rann mir in Tropfen der Schweiß, wie rieselnder Thau in der Frühe;
Kein Wort bracht' ich hervor, auch nicht so viel wie im Schlafe
Wimmert ein Kindchen und lallt, nach der lieben Mutter verlangend.
110   Und ganz wurde der blühende Leib mir starr wie ein Wachsbild.
     Sieh, o Göttin Selene, woher mir die Liebe gekommen!
Als der Verräther mich sah, da schlug er die Augen zu Boden,
Setzte sich hin auf das Lager und redete sitzend die Worte:
»Wenn du zu dir mich geladen in's Haus, noch eh' ich von selber
115   Kam, nun wahrlich, so bist du zuvor mir gekommen, Simätha,
Eben wie neulich im Lauf ich dem schönen Philinos zuvor kam.«
     Sieh, o Göttin Selene, woher mir die Liebe gekommen!
»Ja bei'm lieblichen Eros, ich wär', ich wäre erschienen!
Mit zwei Freunden bis drei, in der Dämmerung, liebenden Herzens,
120   Tragend die goldenen Äpfel des Dionysos im Busen,
Und um die Schläfe den Zweig von Herakles' heiliger Pappel,
Rings durchflochten das Laub mit purpurfarbigen Bändern.«
     Sieh, o Göttin Selene, woher mir die Liebe gekommen!
»Ward ich dann freundlich empfangen, o Seligkeit! Wisse, bei unsern
125   Jünglingen allen da heiß' ich der Schöne, ich heiße der Leichte:
Doch mir hätte genügt, dir den reizenden Mund nur zu küssen.
Wieset ihr aber mich ab und verschloss't mit dem Riegel die Pforte,
Sicherlich kamen dann Äxte zu euch und brennende Fackeln.«
     Sieh, o Göttin Selene, woher mir die Liebe gekommen!
130   »Jetzo gebühret zuerst mein Dank der erhabenen Kypris;
Nächst der Himmlischen hast *du* mich dem Feuer, o süßes
Mädchen, entrissen: hierher in dein Kämmerchen riefest du Delphis,
Halb schon verbrannt. Denn Eros, fürwahr viel wildere Gluthen
Schüret er oft, als selbst in Lipara's Esse Hephästos.«
135   Sieh, o Göttin Selene, woher mir die Liebe gekommen!
»Jungfrau'n treibt sein wüthender Brand aus einsamer Kammer,

Frauen empor aus dem Bett, das vom Schlummer des Gatten noch warm ist!«
Also sagte der Jüngling, und ich, zu schnelle vertrauend,
Faßt' ihm leise die Hand und sank auf das schwellende Polster.
Bald ward Leib an Leib wie in Wonne gelös't, und das Antlitz   140
Glühete mehr denn zuvor und wir flüsterten hold mit einander.
Daß ich nicht zu lange dir plaudere, liebe Selene:
Siehe, gescheh'n war die That, und wir stilleten Beide die Sehnsucht.
Ach, kein Vorwurf hat mich von ihm, bis gestern, betrübet,
Ihn auch keiner von mir. Nun kam zu Besuch mir die Mutter   145
Meiner Philista, der Flötenspielerin, und der Melixo,
Heute, wie eben am Himmel herauf sich schwangen die Rosse,
Aus dem Okeanos führend die rosenarmige Eos;
Und sie erzählte mir Vieles, auch daß mein Delphis verliebt sei.
Ob ein Mädchen ihn aber, ein Jüngling jetzt ihn gefesselt,   150
Wußte sie nicht; nur, daß er mit lauterem Wein sich den Becher
Immer für Eros gefüllt, daß er endlich in Eile gegangen,
Auch noch gesagt, er wolle das Haus dort schmücken mit Kränzen.
Dieses hat mir die Freundin erzählt und sie redet die Wahrheit.
Dreimal kam er vordem und viermal, mich zu besuchen,   155
Setzte, wie oft! bei mir das dorische Fläschchen mit Öl hin:
Und zwölf Tage nun sind's, seitdem ich ihn nimmer gesehen.
Hat er nicht anderswo Süßes entdeckt und meiner vergessen?
Jetzo mit Liebeszauber beschwör' ich ihn; aber wofern er
Länger mich kränkt – bei den Mören! an Aïdes' Thor soll er klopfen!   160
Solch' ein tödtliches Gift ihm bewahr' ich hier in dem Kästchen;
Ein assyrischer Gast, o Königin, lehrt' es mich mischen.
    Lebe nun wohl, und hinab zum Okeanos lenke die Rosse,
Himmlische! Meinen Kummer, den werd' ich fürder noch tragen.
Schimmernde Göttin, gehabe dich wohl! Fahrt wohl auch ihr andern   165
Sterne, so viele der ruhigen Nacht den Wagen begleiten.

III

AMARYLLIS

Auf! Ich gehe, mein Lied Amaryllis zu singen. Die Ziegen
Weiden am Berg indeß, und Tityros mag sie mir hüten.
   Tityros, du mein Freund, mein trautester, weide die Ziegen!
Führe sie d'rauf an den Quell mir, Tityros; doch vor dem weißen
5   Bock dort nimm dich in Acht, vor dem Libyer, denn er ist stößig.
   Ach, Amaryllis, du süße, warum nicht mehr aus der Grotte
Guckst du wie sonst, und nennst mich dein Schätzlein? Bist du mir böse?
Dünkt dir die Nase zu platt an mir, in der Nähe gesehen,
Mädchen? zu lang mein Bart? O du ruhst nicht, bis ich mich hänge!
10   Hier zehn Äpfel für dich, sieh her! Ich pflückte sie droben,
Wo du mich pflücken geheißen, und andere bring' ich dir morgen.
   Schau doch, was ich erleide für Herzensqualen! O wär' ich
Doch die summende Biene, so flög' ich zu dir in die Grotte,
Schlüpfte durch's Epheulaub und das dicht aufschießende Farrnkraut.
15   Jetzo kenn' ich den Eros! Ein schrecklicher Gott! an der Löwin
Brüsten gesäugt; ihn erzog im wilden Gebirge die Mutter.
Ganz durchglühet er mich und verzehrt mir das Mark im Gebeine.
   Nymphe mit lachendem Blick! du steinerne! du mit den schwarzen
Augenbrau'n, o laß im Arme des Hirten dich küssen!
20   Süße Wonne gewährt auch selber der nichtige Kuß schon.
   Wart'! in Stücke zerreiß' ich den Kranz auf der Stelle, du willst es,
Den ich trage für dich, Amaryllis, den schönen, von Epheu,
Rings mit knospenden Rosen durchwebt und würzigem Eppich.
   Ach, was soll ich beginnen? Ich Armer! – So hörst du denn gar nicht?
25   Gut – ich werfe mein Fellkleid weg und spring' in die Fluthen
Gleich, da hinab, wo Olpis, der Fischer, die Thunne belauert.
Bin ich des Tods auch nicht, doch wirst du dich freuen des Anblicks.
   Ob du mich liebest, versucht' ich noch jüngst und erfuhr es zu gut nur:

Denn es versagte den Knall das angeschlagene Mohnblatt:
Ganz matt gieng es entzwei, am fleischigen Arme zu welken.   30
    Auch was Agröo gesagt, die Siebwahrsagerin, neulich,
Als sie Ähren sich las im Rücken der Schnitter, bewährt sich:
Brünstig hieng' ich an dir, doch gar nichts fragest du mir nach.
    Wisse, die Geiß, die weiße, mit Zwillingen, zog ich für dich auf,
Mermnon's bräunliches Mädchen, Erithakis, hätte sie gerne,   35
Und ich gebe sie der, dieweil du meiner nur spottest.
    Halt! da hüpfet mein Auge, das rechte, mir! Soll ich sie doch noch
Seh'n? Ich will an die Pinie hier mich lehnen und singen.
Ist sie doch nicht von Stein, vielleicht sie thut einen Blick her.
    Als Hippomenes einst zur Braut sich wünschte die Jungfrau,   40
Lief er mit Äpfeln in Händen den Wettlauf, und Atalanta,
Im Hinschauen entbrannt, wie versank sie ganz in die Liebe!
    Trieb doch die Heerde vom Othrys daher der Seher Melampos
Froh gen Pylos zuletzt, und es lag in den Armen des Bias
Endlich die reizende Mutter der sinnigen Alphesiböa.   45
    Hat nicht, der im Gebirge die Schafe geweidet, Adonis,
Selbst Kythereia, die schöne, gebracht zum äußersten Wahnsinn,
Daß sie nimmer vom Busen ihn ließ, auch als er nun todt lag?
    Mir sei selig gepriesen Endymion, welchen der tiefe
Schlaf umfieng, und selig Iasion, trautestes Mädchen,   50
Denn er genoß, was nimmer den Ungeweihten kund wird.
    Wehe! wie schmerzt mir das Haupt! Dich kümmert es nicht. So verstumme
Nun mein Gesang. Hier lieg' ich, da mögen die Wölfe mich fressen!
Wahrlich, das wird dir süß eingeh'n wie Honig dem Gaumen!

IV

DIE HIRTEN

BATTOS

Sag' mir, Korydon, wessen die Kühe da sind? Des Philondas?

KORYDON

Nicht doch; sie sind Ägon's, der mir sie zu weiden vertraut hat.

BATTOS

Nun, und du melkst sie doch unter der Hand nach einander am Abend?

KORYDON

Ja, wenn der Alte die Kälber nicht aufzög' und mich bewachte.

BATTOS

5   Aber der Kuhhirt selber, wohin denn kam er auf einmal?

KORYDON

Weißt du noch nicht? Ihn nahm ja der Milon mit zum Alpheos.

BATTOS

Ist dem Menschen auch je Salböl vor die Augen gekommen?

KORYDON

Doch dem Herakles, sagen sie, käm' er an Kraft und Gewalt gleich.

BATTOS

Mir auch sagte die Mutter, ich sei *mehr* als Polydeukes.

KORYDON

Zwanzig Schafe denn nahm er, die Hacke zur Hand, und so gieng er.   10

BATTOS

Wenn nur Milon den Wolf auch beredete, gleich da zu würgen!

KORYDON

Unablässig verlangen nach ihm mit Brüllen die Kühe.

BATTOS

Armes Vieh! war dir kein besserer Hirte zu finden!

KORYDON

Arm, ja gewiß! Da geh'n sie umher und wollen nicht weiden.

BATTOS

Seh' mir einer die Färse! nicht mehr fürwahr als die Knochen   15
Blieben ihr. Ob sie vom Thau nur lebt, als wie die Cikade?

KORYDON

Nein, bei Gäa! Ich führe sie bald am Äsaros zur Weide,
Reich' ihr dabei wohl selber ein Büschel des zartesten Grases,
Bald auch tummelt sie sich auf den schattigen Höh'n des Latymnos.

BATTOS

Und der Stier da, der röthliche! mein doch! Solch' ein Gerippe   20
Möcht' ich den Lampriern wünschen, dem hungerleidigen Völklein,
Wenn sie einmal ein Opfer der Here haben zu bringen.

KORYDON

Aber ich treib' ihn stets nach dem Meersumpf und auf den Physkos,
Auch an Neäthos' Bord, wo die herrlichsten Kräuter gedeihen,
Dürrwurz, sammt Geißweizen, und balsamreiche Melisse.   25

Theokritos,
Bion und Moschos.

Deutsch

im Versmaße der Urschrift

von

Dr. E. Mörike

und

F. Notter.

———————

Stuttgart.
Hoffmann'sche Verlags-Buchhandlung.
1855.

Titelblatt zu »Theokritos«

BATTOS

Ach, unseliger Ägon, dir wandern die Kühe zum Hades,
Während du nur auf den leidigen Sieg die Gedanken gestellt hast!
Und die Syringe (du klebtest sie selbst), nun wird sie verschimmeln.

KORYDON

Nein, die nicht, bei den Nymphen! denn als er nach Pisa hinabzog,
30 Ließ er sie mir zum Geschenk. Auch ich, fürwahr, bin ein Sänger.
Stimm' ich doch Glauka's Lieder und Pyrrhos' lieblich genug an.
Kroton preist mein Gesang! O herrliche Stadt Zakynthos!
Und die östliche Kuppe Lakinion! dort wo der Faustheld
Ägon einmal allein an achtzig Kuchen verzehrte.
35 Dort auch schleppt' er den Stier, bei'm Huf ihn packend, herunter
Von dem Gebirg' und bracht' als Geschenk ihn dar Amaryllis.
Laut aufschrieen die Frau'n, doch der Kuhhirt lachte vergnüglich.

BATTOS

Ach, Amaryllis! wenn gleich nun todt, dich trag' ich allein doch
Immer im Sinn! Wie die Ziegen mich freuen, so freuetest du mich,
40 Liebliche, die nun dahin! Weh, wehe! zu hart ist mein Schicksal!

KORYDON

Muth, o Battos! Es kann sich mit dir leicht morgen schon bessern.
Hoffnung geht mit dem Leben, im Tod erst endet die Hoffnung.
Zeus auch regnet einmal, ein andermal blicket er heiter.

BATTOS

Ja, das ist wahr. – Ei, wirf dort unten die Kälber! am Ölbaum
45 Fressen sie Laub! das verruchte Gezücht', das! Sit – da! du Weißer!

KORYDON

Sit – da! Hinauf den Hügel, Kymätha! nun, wirst du nicht hören?
Wart', ich komme! bei'm Pan, das wird dir übel vergolten,
Trollst du dich nicht dort weg. – Schau doch, nun schleicht sie sich dahin!
Hätt' ich den Krummstab nur bei der Hand, wie wollt' ich dich bläuen!

305

BATTOS

Korydon, sieh doch, um Zeus, hierher! Da fuhr mir ein Stachel   50
Unter dem Knöchel gerade hinein! Die unbändigen Disteln
Auch, überall da herum! O fahre das Kalb in's Verderben!
Während ich hinter ihr drein war, fieng ich das. Siehst du dergleichen?

KORYDON

Ja, schon hab' ich ihn hier mit den Nägeln gepackt, und da ist er!

BATTOS

Ei, wie ein winziger Stich, und zähmt so mächtigen Lümmel!   55

KORYDON

Steigst du wieder herauf in's Gebirg', so gehe nicht barfuß
Mehr; im Gebirg' sind Dorn und stachlige Sträucher zu Hause.

BATTOS

Sage mir, Korydon, hat es dein Graukopf immer mit jenem
Lockeren Dirnlein noch, mit dem Schwarzaug' mein' ich, wie vormals?

KORYDON

Ho, das glaub' ich, du Narr! Noch gar nicht lang, daß ich selber   60
Ihn an der Stallwand traf, just da er wieder am Werk war.

BATTOS

Nun, Glück zu, du bockischer Alter! Dir wird es kein Satyr,
Kein dünnbeiniger Pan in diesem Stücke zuvorthun!

V

KOMATAS UND LAKON

KOMATAS

Kommt mir ja nicht dem Schäfer zu nah', ihr Ziegen, ich rath' euch!
Lakon aus Sybaris ist's: er maus'te mir gestern ein Geißfell.

LAKON

Sit – da! werdet ihr mir von dem Quell wegbleiben, ihr Lämmer!
Kennt ihr ihn nicht, der unlängst die Syringe mir stahl, den Komatas?

KOMATAS

5 Welche Syringe? Wann hattest du jemals, Knecht des Sibyrtas,
Eine Syring' im Besitz? Dir also wär's nicht genug mehr,
Daß du mit Korydon was auf der Halmpfeif' schnarrest wie immer?

LAKON

Die mir Lykon verehrte, du Edelgebor'ner! Doch welches
Fell nahm Lakon dir mit? Das möcht' ich wissen, Komatas.
10 Hat doch Eumaras, dein Herr, selbst keines dergleichen zum Bette.

KOMATAS

Das mir Krokylos gab, das scheckige, als er den Nymphen
Neulich geopfert die Geiß. Du, Nissiger, wolltest schon damals
Bersten vor Neid, und ruhtest auch nicht seitdem, bis ich blutt war.

LAKON

Nein, bei'm Pan, dem dieß Ufer gehört! der Sohn der Kaläthis,
15 Lakon, er raubte dir nicht dein Fell, Freund! oder ich will hier
Gleich von dem Fels wahnsinnig hinab in den Krathis mich stürzen!

KOMATAS

Nein! bei den Nymphen des Sumpfs, du Redlicher, sei es geschworen –
(Und ich wünsche sie hold mir gesinnt und gnädig für immer)
Keineswegs hat deine Syringe Komatas gestohlen!

LAKON

Wenn ich dir glaube, so mögen die Schmerzen des Daphnis mich treffen!   20
– Auf jetzt! willst du zum Preis ein Böcklein setzen? (es ist ja
Nichts so Großes) – ich biete die Wett', und singe dich nieder.

KOMATAS

Trat doch die Sau mit Athenen in Wettkampf. Siehe, da steht mein
Böcklein! so setz' ein gemästetes Lamm zum Preise dagegen.

LAKON

Wie, du Fuchs, das hieße dir wohl ganz richtige Theilung,   25
Das? Wer schiert denn Zotten für Wolle? und geht an der jungen
Ziegenmutter vorbei, um die garstige Hündin zu melken?

KOMATAS

Wer sich, wie du, so gewiß schon des Siegs hält, wenn er als Wespe
Plump mit Gesums die Cikade bekämpft. Indessen, das Böcklein
Dünkt dir zu schlecht: sieh, hier ist ein Bock: wohlan, so beginne.   30

LAKON

Eilt es dir so? dich brennt ja kein Feu'r! Weit lustiger wär' es,
Unter dem Waldoleaster im Busch da drüben zu singen,
Wo schön kalt das Gewässer daher rauscht, wo es an Gras nicht
Fehlt, noch an Moos zum Sitz und wo Feldheimengeschwätz ist.

KOMATAS

O mir eilet es nicht! Mich ärgert nur, daß du so frech kannst   35
Grad' in das Aug' mir schau'n, du, den ich vor Zeiten als Bübchen
Selber gelehrt. Wo blieb mein Dank? Ich wollte, du zögest
Wolfsbrut auf, Hundsbrut, und würdest gefressen von ihnen!

LAKON

Nun, wann lernt' ich denn je, wann hört' ich irgend was Gutes,
40 Daß ich noch wüßte, von dir, du neidischer, alberner Knorp du?

KOMATAS

Damals, als ich von hinten dich kriegte! Du schriest, und die Ziegen
Meckerten alle dazu und der Geißbock war so geschäftig!

LAKON

Gründlicher sollst du dereinst nicht verscharrt sein, Krummer, als du mich
Damals kriegtest! Nur zu, komm' her! Nun singst du dein Letztes!

KOMATAS

45 Nein, ich komme dir nicht. Da grünt's von Eichen und Galgant;
Und schön summen da rings um die Honigkörbe die Bienen;
Auch zwei kühlige Quellen ergießen sich, und von den Bäumen
Zwitschern die Vögel; ein Schatten ist hier, dagegen ist deiner
Nichts, und die Pinie wirft aus der Höhe mir Zapfen herunter.

LAKON

50 Aber du trätest bei mir auf Lammvließdecken und Wolle,
Weicher wie Schlaf, wenn du kämst. Die Geißbockfelle bei dir da
Sind abscheulicher noch von Geruch beinah' wie du selber.
Einen geräumigen Krug weißschäumender Milch für die Nymphen
Stell' ich dar, und einen gefüllt mit lieblichem Öle.

KOMATAS

55 Giengest du her, auf das zärteste Farrnkraut würdest du treten
Und auf blüh'nden Polei; ich spreitete Felle von Ziegen
Unter, wohl viermal so weich als die Lammvließdecken bei dir sind.
Aber zum Opfer dem Pan stell' ich acht Kannen mit Milch vor,
Und acht Schalen, gefüllt mit honigtriefenden Scheiben.

LAKON

60 Gut, so singe du dort dein Feldlied, kämpfe von dort her!

Nimm dir den eigenen Sitz bei deinen Eichen! Doch wer ist,
Frag' ich nun, Richter? Ich wollte, Lykopas käme, der Kuhhirt!

KOMATAS

Nicht noth thut's mir um den im mindesten. Aber es holzet
Einer da drüben bei dir, er sammelt sich Heiden zu Bündlein:
Bist du's zufrieden, so rufen den Mann wir her; es ist Morson. 65

LAKON

Mein'thalb.

KOMATAS

Rufe du ihn!

LAKON

He, Landsmann! Komm' doch ein wenig,
Und hör' uns. Wir streiten da, welcher von Beiden dem Andern
Käme zuvor im Gesang; nun richte du, wackerer Morson;
Weder mir zu Gefallen, noch daß du diesen begünstigst.

KOMATAS

Ja, bei den Nymphen! ja wohl, Freund Morson, gib dem Komatas 70
Nichts voraus, doch räum' auch dem Andern nicht über Verdienst ein.
Dort die Heerde gehört dem Thurier, Freund, dem Sibyrtas,
Und hier siehst du die Ziegen des Sybariten Eumaras.

LAKON

Aber, bei'm Zeus, wer fragte dich denn, du Wicht, ob die Heerde
Dort dem Sibyrtas gehört, ob mein? Ei über den Schwätzer! 75

KOMATAS

Ehrlicher Freund, ich rede die Wahrheit gern, und das Großthun
Lieb' ich nicht, du aber, du bist ein giftiger Zänker.

LAKON

Nun – sing', wenn du was kannst, und laß mir lebendig den Mann doch
Wieder zur Stadt! O Päan! ein Schwatznarr bist du, Komatas.

KOMATAS

80 Mir sind freundlich die Musen, ja freundlicher noch wie dem Sänger
Daphnis; ich habe noch jüngst ein Zicklein ihnen geopfert.

LAKON

Mich hat Apollon erwählt zum Liebling; ich weide den schönsten
Widder für ihn, denn die Karneen sind vor der Thüre nun wieder.

KOMATAS

Zwillinge warfen die Ziegen, nur zwei nicht; alle die melk' ich;
85 Sieht's mein Mädchen, – o Armer, so ruft sie, melkst du alleine?

LAKON

Ho! dem Dutzende nach füllt Lakon die Körbe mit Käse,
Und auf blumiger Wiese den zartesten Knaben umarmt er.

KOMATAS

Zärtlich bereits mit Äpfelchen wirft Klearista den Hirten,
Treibt er die Ziegen vorbei, und wispert ihm heimlich ein Wort zu.

LAKON

90 Kratidas brennt mir im Herzen, der glatte! Von selber dem Schäfer
Eilt er entgegen, ihm fliegt das glänzende Haar um den Nacken.

KOMATAS

Aber man wird Hambutten doch nicht, und wird Anemonen
Nicht mit den Rosen vergleichen, die blüh'n am Gartengehege!

LAKON

Eicheln mit Berg-Süßäpfeln auch nicht; in trockene Hülsen
95 Steckt sie der Baum; doch diese sind schon von außen wie Honig.

KOMATAS

Und ich bringe dann gleich ein Ringeltäubchen dem Mägdlein,
Aus dem Wachholdergebüsch; dort brütet es oben im Neste.

311

LAKON

Kratidas aber bekommt weichflockige Wolle zum Mantel
Von mir geschenkt, sobald ich mein Schaf, mein schwarzes, geschoren.

KOMATAS

Heda! vom Ölbaum fort, ihr gelüstigen! da ist die Weide!   100
Hier an dem Abhang hin, wo es voll steht mit Tamarisken.

LAKON

Willst du mir weg von der Eiche, du, Konaros, und du, Kynätha?
Dorthin suchet euch Futter, dem Aufgang zu, wie Phalaros!

KOMATAS

Mein ist ein Melkgeschirr, ein cypressenes, mein auch ein Mischkrug,
Den Praxiteles schnitzt'; ich spare sie beide dem Mädchen.   105

LAKON

Und mir dienet ein Hund bei der Heerde, der würget die Wölfe;
Diesen verehr' ich dem Knaben: er jagt dann wacker das Wild ihm.

KOMATAS

Allzeit schnellt ihr mir über den Zaun, Heuschrecken, am Weinberg!
Daß ihr mir ja nicht die Reben beschädiget, weil sie noch zart sind!

LAKON

Seht mir doch, ihr Cikaden! der Geißhirt, was er sich angreift,   110
Weil ich ihn reize! So pflegt ihr selber zu reizen die Schnitter.

KOMATAS

Feind den Füchsen bin ich, den wolligen Schwänzen, die Mikon's
Weinberg immer besuchen am Abende, Trauben zu naschen.

LAKON

Ebenso feind ich dem Käfergezücht', das an des Philondas
Feigen sich macht, und auf und davon dann geht mit dem Winde.   115

KOMATAS

Weißt du noch, wie ich zu Leib' dir gieng, und wie du mit Grinsen
Hin und her dich wandest, so schön, an der Eiche dich haltend?

LAKON

Nein, nichts weiß ich davon; doch wie einmal dich Eumaras
Dort anband und dich weidlich gegerbt, das denkt mir noch gar wohl.

KOMATAS

120 Morson, hast du gemerkt? hier steigt schon Einem die Galle.
Geh' doch, hole mir Skillen vom Grab, recht trockene, hurtig!

LAKON

Übel empfand hier Einer den Treff; du siehst es doch, Morson?
Lauf' an den Hales geschwind und grabe mir tüchtige Knollen!

KOMATAS

Himera ströme mir Milch statt Wasser! O Krathis und du sollst
125 Purpurn fließen von Wein, und das Weidicht trage mir Früchte!

LAKON

Honig mir ströme der Quell Sybaritis! da soll in der Frühe
Lauteren Seim für Wasser das Mädchen sich schöpfen im Eimer.

KOMATAS

Kytisos können bei mir und Ägilos weiden die Ziegen,
Mastixlaub streu' ich und Arbutus ihnen zum Lager.

LAKON

130 Aber den Schafen bei mir zur Sättigung wächset Melisse
Ringsum, häufig auch blüht, wie Rosen zu schauen, der Kistos.

KOMATAS

Nicht mehr lieb' ich Alkippe; sie gab kein Küßchen mir neulich,
Hold bei den Ohren mich fassend, als ich ihr brachte die Taube.

LAKON

Aber ich lieb', ich liebe Eumedes! Als ich unlängst ihm
Meine Syring' hingab, wie anmuthvoll er mich küßte!   135

KOMATAS

Lakon, die Nachtigall streitet fürwahr nicht wohl mit der Elster,
Noch mit dem Wiedhopf füglich der Schwan – Armseliger Zänker!

MORSON

Stille gebiet' ich dem Schäfer nunmehr. Hiermit, o Komatas,
Schenkt dir Morson das Lamm. Doch wann du den Nymphen es opferst,
Sende dem Morson auch des leckeren Fleisches ein Stückchen.   140

KOMATAS

Ja, das send' ich bei'm Pan! Hellauf, ihr Böcke! nun soll mir
Jubeln die Heerde zumal! Ich selbst, ich lache die Haut mir
Über den Schäfer da voll, den Lakon! Hab' ich ihm doch noch
Abgewonnen das Lamm! Ich möcht' in den Himmel ja springen!
Macht euch lustig, o Ziegen, ihr hörnergeschmückten! Ich führe   145
Morgen euch alle gesammt zum Bad im Quell Sybaritis.
– Heda, du Weißbalg dort, du stößiger, wo du mir anrührst
Eine Geiß, ich schlage dich lahm, noch eh' ich den Nymphen
Schlachte das Lamm. – Da ist er schon wieder! Nun, wenn dir das hingeht
Dießmal, will ich Melanthios heißen und nimmer Komatas!   150

VI

DIE RINDERHIRTEN

Daphnis, der Hirt, und Damötas weideten einst auf demselben
Platze die Rinder zusammen, Aratos. Der Eine war röthlich
Schon um das Kinn, wo dem Andern noch Milchhaar sproßt'. An der Quelle
Jetzo sitzend im Sommer am Mittag, sangen sie Beide.
5 Daphnis zuerst hub an, denn zuerst auch bot er die Wette.

DAPHNIS

Schau, Polyphemos! da wirft Galateia die Heerde mit Äpfeln
Dir, und Geißhirt schilt sie dich, »o du stockiger Geißhirt!«
Doch du siehst sie nicht an, Unseliger; sondern du sitzest
Nur süß flötend für dich. O sieh, da wirft sie schon wieder,
10 Nach dem Hüter der Schafe, dem Hund; der bellet und blicket
Starr in das Meer, und es zeigen die Nymphe die lieblichen Wellen,
Sanft am Gestad' aufrauschend, wie unter der Fluth sie daherläuft.
Gib nur Acht, daß er ihr nicht gar in die Füße noch fahre,
Wann aus dem Meer sie steigt, und den blühenden Leib ihr zerfleische!
15 Lüstern schon läßt sie von selbst sich herbei, und spielt, wie der Distel
Trockenes Haar sich wiegt, wann der liebliche Sommer es dörret;
Bist du zärtlich, sie flieht, unzärtlich, und schau, sie verfolgt dich.
Ja von der Linie rückt sie den Stein. Denn, weißt du, die Liebe
Nimmt ja was unschön ist gar oft für schön, Polyphemos.
20   Jetzo hub auch Damötas sein Vorspiel und den Gesang an.

DAMÖTAS

Ja, bei'm Pan, ich hab' es geseh'n, wie sie warf in die Heerde!
Nicht fehl schaute mein Süßes, mein Einziges (das mir auch bleibet
Lebenslang, so verhoff' ich, und Telemos trage das Unglück
Selber nach Haus, der böse Prophet, und behalt' es den Kindern!) –

315

Aber ich ärg're sie wieder dafür und bemerke sie gar nicht,   25
Sag' auch, ein anderes Mägdelein hätt' ich. Wenn sie das höret,
Päan! wie eifert sie dann und zergrämt sich! wild aus der Meerfluth
Springt sie hervor und schaut nach der Höhle dort und nach der Heerde.
Ließ ich doch selber den Hund auf sie bellen. Denn als ich sie liebte,
Pflegt' er freundlich zu winseln, die Schnauz' an die Hüften ihr legend.   30
Sieht sie mich also thun, vielleicht da schickt sie noch Boten
Mir auf Boten. Doch schließ' ich die Thür', bis die schwört, daß sie selber
Hier auf der Insel mir köstlich das Brautbett wolle bereiten.
Traun, ich bin von Gestalt auch so unhold nicht, wie sie sagen.
Denn ich schaut' in das Meer unlängst, wie es ruhig und still war: 35
Schön da stellte mein Bart sich dar, auch mein einziger Lichtstern
Ließ ganz schön, wie mir wenigstens daucht', und es strahlten, gespiegelt,
Weißer die Zähne zurück wie Schimmer des parischen Marmors.
Daß kein schädlicher Zauber mir beikäm', spuckt' ich mir dreimal
Gleich in den Busen. Die alte Kotyttaris lehrte mich Solches.   40

Hiermit endigend küßte Damötas den Daphnis; die Pfeife
Schenkt' ihm dieser, und er ihm die künstliche Flöte dagegen.
Pfeifend stand nun Damötas, es flötete Daphnis der Stierhirt,
Und rings tanzeten jetzt im üppigen Grase die Kälber.
Sieger jedoch war Keiner, denn fehllos sangen sie Beide.   45

XI

DER KYKLOP

Gegen die Liebe, mein Nikias, ist kein anderes Mittel,
Weder in Salbe, noch Tropfen, so däucht es mir, außer der Musen
Kunst. Ihr Balsam, so mild und lieblich, erzeuget sich mitten
Unter dem Menschengeschlecht, obwohl nicht Jeder ihn findet.
5 Doch du kennst ihn, mein' ich, genau: wie sollt' es der Arzt nicht,
Und ein Mann, vor Vielen geliebt von den neun Pieriden.

Also schuf der Kyklop sich Linderung, unseres Landes
Alter Genoß, Polyphemos, der glühete für Galateia,
Als kaum jugendlich Haar ihm keimt' um Lippen und Schläfe.
10 Rosen vertändelt' er nicht, und Äpfel und Locken: er stürmte
Hitzig auf's Ziel g'radaus, und Alles vergaß er darüber.
Oftmals kehrten die Schafe von selbst in die Hürden am Abend
Heim aus der grünenden Au; doch er, Galateia besingend,
Schmachtete dort in Jammer am Felsengestade voll Seemoos,
15 Frühe vom Morgenroth, und krankt' an der Wunde, die Kypris
Ihm, die erhabene, gab mit dem Pfeil, tief innen im Herzen.
Aber er fand, was ihm frommte; denn hoch auf der Jähe des Felsens
Saß er, den Blick zum Meere gewandt, und hub den Gesang an:

O Galateia, du weiße, den Liebenden so zu verschmähen!
20 Weiß wie geronnene Milch, und zart von Gestalt wie ein Lämmchen,
Und wie ein Kalb muthwillig, und frisch wie die schwellende Traube!
Immer nur kommst du so her, wenn der süße Schlaf mich umfänget,
Und gleich eilst du hinweg, wenn der süße Schlaf mich entlässet.
Ja du entfliehst wie ein Schaf, das eben den graulichen Wolf sah.
25 – Damals liebt' ich bereits dich, Mägdelein, als du mit meiner
Mutter das erstemal kamst, Hyakinthosblumen zu pflücken

In dem Gebirg, ich war es ja, welcher die Wege dir nachwies.
Seitdem möcht' ich dich immer nur anschau'n, immer! es läßt mir
Keine Ruh'; doch du, bei'm Zeus, nichts achtest du, gar nichts!
Ich weiß schon, holdseliges Kind, warum du mich fliehest: 30
Weil mir über die Stirn durchweg sich die borstige Braue
Streckt, ein mächtiger Bogen von einem Ohr zu dem andern,
Drunter das einzige Aug', und die breite Nas' auf der Lefze.
Aber auch so, wie ich bin, ich weide dir Schafe bei Tausend,
Und die fetteste Milch mir zum Leibtrunk melk' ich von ihnen.   35
Käs' auch mangelt mir nie, im Sommer nicht oder zur Herbstzeit,
Noch im härtesten Frost, schwervoll sind die Körbe beständig.
Auch die Syringe versteh' ich, wie keiner umher der Kyklopen,
Wenn ich, o Honigapfel, dich sing' und daneben mich selber,
Oft noch spät in der Nacht. Auch elf Hirschkälbchen dir füttr' ich   40
Auf, mit Bändern am Hals, und dazu vier Junge der Bärin.
Ei, so komm' doch zu mir! du sollst nicht schlechter es finden.
Laß du das blauliche Meer wie es will aufschäumen zum Ufer;
Lieblicher soll dir die Nacht bei mir in der Höhle vergehen.
Lorbeerbäume sind dort und schlank gestreckte Cypressen,   45
Dunkeler Epheu ist dort, und ein gar süßtraubiger Weinstock;
Kalt dort rinnet ein Bach, den mir der bewaldete Ätna
Aus hellschimmerndem Schnee zum Göttergetränke herabgießt.
O wer wählte dafür sich das Meer und die Wellen zur Wohnung?
Aber wofern ich selber zu haarig dir dünke von Anseh'n,   50
Hier ist eichenes Holz und reichliche Gluth in der Asche:
Schau, gern duld' ich's, und wenn du die Seele sogar mir versengtest,
Oder mein einziges Auge, das Liebste mir, was ich besitze!
– Weh, o hätte die Mutter mich doch mit Kiemen geboren!
Zu dir taucht' ich hinab, und deckte mit Küssen die Hand dir,   55
Wenn du den Mund nicht gäbst. Bald silberne Lilien bräct' ich,
Bald zartblumigen Mohn, mit purpurnem Blatte zum Klatschen.
(Aber es blüh'n ja im Sommer die einen, die andern im Winter,
D'rum nicht alle zugleich dir könnt' ich sie bringen die Blumen.)
Aber nun lern' ich, – gewiß, o Kind, ich lerne noch schwimmen!   60
Wenn seefahrend einmal mit dem Schiff anlandet ein Fremdling;
Daß ich seh', was es Süßes euch ist, in der Tiefe zu wohnen.

– Komm' heraus, Galateia! und bist du heraus, so vergiß auch,
So wie ich, der am Strand hier sitzt, nach Hause zu kehren.
65 Weide die Heerde zusammen mit mir, und melke die Schafe,
Gieße das bittere Lab in die Milch, und presse dir Käse.
– Meine Mutter allein ist Schuld, und ich schelte sie billig;
Niemals sprach sie dir noch ein freundliches Wörtchen von mir vor,
Und doch sah sie von Tage zu Tag mich weniger werden.
70 Aber nun sag' ich, mir klopf' und mir zuck' es im Haupt und in beiden
Füßen, damit sie sich gräme, dieweil ich selber voll Gram bin.
– O Kyklop, Kyklop! wo schwärmete dir der Verstand hin?
Wenn du giengest und flöchtest dir Körb' und brächtest den Lämmern
Abgeschnittenes Laub, wahrhaftig, da thätest du klüger.
75 Melke das stehende Schaf! was willst du dem flüchtigen nachgeh'n?
Du kannst mehr Galateien, vielleicht noch schönere, finden.
Laden mich doch oft Mädchen genug zu nächtlichen Spielen.
Geh' ich einmal mit ihnen, das ist ein Jubeln und Kichern!
Traun, ich gelte schon auch in unserem Lande noch etwas.

80 Also linderte sich damals Polyphemos die Liebe
Durch den Gesang, und schaffte sich Ruh', die mit Gold nicht erkauft wird.

XIV

DIE LIEBE DER KYNISKA

ÄSCHINES

Vielmal sei mir gegrüßt, o Thyonichos!

THYONICHOS

Sei es mir gleichfalls,

Äschines!

ÄSCHINES

Endlich einmal!

THYONICHOS

Wie so? Was hast du für Kummer?

ÄSCHINES

Hier geht's nicht zum Besten, Thyonichos.

THYONICHOS

Darum so mager
Auch, und so lang dein Bart und so wild und struppig die Locken!
Unlängst kam so Einer hieher, ein Pythagoräer,   5
Übelsichtig und unbeschuht: er sei aus Athene,
Sagt' er; es war ihm an Brod, wie mich dünkt, am meisten gelegen.

ÄSCHINES

Du kannst scherzen, o Freund! – Mich höhnt die schöne Kyniska.
Rasend macht es mich noch! kein Haar breit fehlt, und ich bin es!

THYONICHOS

10 Immer derselbe, mein Äschines, bist du! – ein wenig zu hitzig,
Geht nicht Alles nach Wunsch. Nun, sage, was gibt es denn Neues?

ÄSCHINES

Wir, der Argeier und ich, und dann der thessalische Reiter
Apis, auch Kleunikos, der Soldat, wir tranken zusammen
Jüngst auf dem Lande bei mir. Zwei Hühnlein hatt' ich geschlachtet,
15 Und ein saugendes Ferkel; auch stach ich biblinischen Wein an,
Lieblichen Dufts, vierjährig beinah' und wie von der Kelter.
Zwiebeln auch tischte ich auf und Schnecken; ein herrlicher Trunk war's.
Nachgeh'nds schenkte man lauteren ein, auf Gesundheit zu trinken,
Wessen man wollte, nur war man die Namen zu nennen verpflichtet;
20 Und wir riefen sie laut und tranken, wie Jedem beliebte.
Sie – kein Wort! Ich daneben! Wie meinst du, daß mir zur Muth war?
»Bist du stumm?« – »Du sahest den Wolf!« – scherzt' Einer – »Wie witzig!«
Sagte sie, ganz gluthroth! Du konntest ein Licht an ihr zünden.
Lykos, ja, er ist der Wolf! des Nachbars Knabe, des Labas,
25 Schlank gewachsen und zart, es halten ihn Viele für reizend.
In den ist sie verliebt zum Sterben! Die rührende Liebe!
Mir kam unter der Hand einmal auch etwas zu Ohren;
Aber ich Thor, dem der Bart nur umsonst wuchs, forschte nicht weiter.
– Jetzo stieg uns Vieren der Wein schon wacker zu Kopfe,
30 Als der Larisser auf's Neu' sein Lied vom Wolfe mir anhub –
Ganz ein thessalischer Spaß –, der Bube! Doch meine Kyniska
Brach in ein Weinen dir aus, wie kaum sechsjährige Mädchen,
Wenn sie steh'n und hinauf in den Schoos der Mutter verlangen.
Da – du kennst mich, Thyonichos – schlug ich ihr grimmig die Backe,
35 Rechts und links. Sie nahm ihr Gewand nur zusammen und eilend
Lief sie hinaus. »Gefall' ich dir nicht, du schändliche Dirne?
Taugt dir ein Anderer besser zum Schooskind? Geh' denn und hege
Deinen Knaben! Wie werden ihm süße die Thränelein dünken!«
Als wie die Schwalbe, die unter dem Dach den Jungen nur eben
40 Ätzung gebracht, mit Eile zurückfliegt, wieder zu holen,
So, und schneller noch, lief sie vom weichgepolsterten Sessel

321

Weg, durch den Hof und zur Pforte hinaus, so weit sie der Fuß trug.

Fort ist der Stier in den Wald! so heißet es hier nach dem Sprüchwort.

Zwanzig Tage, dann acht, und neun, zehn Tage dazu noch,

Heut' ist der elfte; noch zwei, und es sind zwei völlige Monat',   45

Seit auseinander wir sind, und ich nicht thrakisch mein Haar schor.

Ihr ist Lykos nun Alles; zu Nacht wird dem Lykos geöffnet;

Wir, wir gelten nun nichts, wir werden nun gar nicht gerechnet:

Megarer – ganz armselig und klein, von Allen verachtet!

Könnt' ich nur kalt dabei sein, noch wäre nicht Alles verloren;   50

Aber so bin ich die Maus, die Pech, wie sie sagen, gekostet,

Weiß auch nirgend ein Mittel, unsinnige Liebe zu heilen!

– Simos indeß, der vordem Epichalkos' Tochter geliebt hat,

Gieng ja zu Schiff und kehrte gesund, mein Jugendgenosse.

Ich auch stech' in die See, der schlechteste unter den Kriegern   55

Nicht, und auch nicht der beste vielleicht, doch zähl' ich mit andern.

THYONICHOS

Möge dir, was du beginnst, nach Herzenswunsche gelingen,

Äschines. Aber wofern du gewillt, in die Fremde zu wandern,

Schau, da wär' Ptolemäos. Er lohnt die Wackeren fürstlich,

Ist voll Huld, und ein Musenfreund, einnehmend, bezaubernd;   60

Seine Freunde, die kennt er, und besser noch sie, die es *nicht* sind.

Schenkt an Viele so Viel und gewährt dem Bittenden willig,

Wie es Königen ziemt; du mußt nur um *Alles* nicht bitten,

Äschines. Lüstet dich's nun, dir rechts um die Schulter das Kriegskleid

Anzuschnallen und, strack auf die Füße gestemmet, dem Anlauf   65

Dich des beschildeten Streiters beherzt entgegenzustellen,

Dann nur gleich nach Ägyptos! – Es setzt an den Schläfen das Alter

An bei Jedem zuerst, dann schleichen die bleichenden Haare

Uns in den Bart: d'rum Thaten gethan, da die Kniee noch grünen!

XV

DIE SYRAKUSERINNEN AM ADONISFEST

GORGO

Ist Praxinoa drinn?

EUNOA

O Gorgo, wie spät! Sie ist drinnen. –

PRAXINOA

Wirklich! du bist schon hier? – Nun, Eunoa, stell’ ihr den Sessel!
Leg’ auch ein Polster darauf.

GORGO

Es ist gut so.

PRAXINOA

Setze dich, Liebe.

GORGO

Ach! halbtodt, Praxinoa, bin ich! Lebensgefahren
5   Stand ich aus, bei der Menge des Volks und der Menge der Wagen!
Stiefel und überall Stiefel, und nichts als Krieger in Mänteln!
Dann der unendliche Weg! Du wohnst auch gar zu entfernt mir.

PRAXINOA

Ja, da hat nun der Querkopf ganz am Ende der Erde
Solch’ ein Loch, nicht ein Haus, mir genommen, damit wir doch ja nicht
10   Nachbarn würden; nur mir zum Tort, mein ewiger Quälgeist!

GORGO

Sprich doch, Beste, nicht so von deinem Dinon; der Kleine
Ist ja dabei. Sieh, Weib, wie der Junge verwundert dich anguckt!
Lustig, Zopyrion, herziges Kind! sie meinet Papa nicht.

PRAXINOA

Heilige du! ja, er merkt es, der Bube. – Der liebe Papa der!
– Jener Papa gieng neulich (wir sprechen ja immer von neulich),   15
Schmink' und Salpeter für mich aus dem Krämerladen zu holen,
Und kam wieder mit Salz, der dreizehnellige Dummkopf!

GORGO

G'rade so macht es der meine, der Geldabgrund Diokleidas!
Sieben Drachmen bezahlt' er für fünf Schafsfelle noch gestern:
Hundshaar, schäbige Klatten! nur Schmutz, nur Arbeit auf Arbeit!   20
– Aber nun lege den Mantel doch an, und das Kleid mit den Spangen!
Komm' zur Burg Ptolemäos', des hochgesegneten Königs,
Dort den Adonis zu seh'n. Etwas Prachtmäßiges, hör' ich,
Gebe die Königin dort.

PRAXINOA

Reich macht bei den Reichen sich Alles.

GORGO

Wer was geseh'n, kann Dem und Jenem erzählen, der nichts sah.   25
Komm', es ist Zeit, daß wir geh'n.

PRAXINOA

Sei's! Stets hat der Müßige Festtag.
Eunoa, nimm mein Gespinnst. So leg' es doch, Träumerin, wieder
Mitten im Zimmer da hin! Weich liegen die Katzen ja gerne.
Rühr' dich! Wasser geschwind! – Nein, Wasser ja brauch' ich am ersten!
Bringt sie mir Seife! Nun, gib! – Halt' ein – Unmäßige! gieß' doch   30
Nicht so viel! Heillose, was mußt du den Rock mir begießen!
– Jetzt hör' auf! Wie's den Göttern gefiel, so bin ich gewaschen.
Nun, wo steckt denn der Schlüssel zum großen Kasten? So hol' ihn.

GORGO

Einzig, Praxinoa, steht dieß faltige Spangengewand dir.
35 Sage mir doch, wie hoch ist das Zeug vom Stuhl dir gekommen?

PRAXINOA

Ach! erinnre mich gar nicht daran! Zwei Minen und drüber,
Baar; und ich setzte beinah' mein Leben noch zu bei der Arbeit.

GORGO

Aber auch ganz nach Wunsche gerieth sie dir.

PRAXINOA

                              Wahrlich, du schmeichelst.
– Gib den Mantel nun her, und setze den schattenden Hut mir
40 Auf nach der Art. Nicht mitgeh'n, Kind! Bubu da! das Pferd beißt!
Weine, so lange du willst; zum Krüppel mir sollst du nicht werden. –
Geh'n wir denn. – Phrygia, spiel' indeß mit dem Kleinen ein wenig;
Locke den Hund in das Haus und verschließ' die Thüre des Hofes. –

Götter! o welch' ein Gewühl! Durch dieses Gedränge zu kommen,
45 Wie und wann wird das geh'n? Ameisen, unendlich und zahllos!
Viel Preiswürdiges doch, Ptolemäos, danket man dir schon,
Seit bei den Himmlischen ist dein Vater. Es plündert kein schlauer
Dieb den Wandelnden mehr, ihn fein auf Ägyptisch beschleichend,
Wie vordem aus Betrug zusammengelöthete Kerle,
50 All' einander sich gleich, durchtriebenes, freches Gesindel!
– Süßeste Gorgo, wie wird es uns geh'n! Da kommen des Königs
Prunkpferd', siehst du? – Mein Freund, mich nicht übergeritten, das bitt' ich! –
Ha, der unbändige Fuchs, wie er bäumt! Du verwegenes Mädchen
Eunoa, wirst du nicht weichen? Der bricht dem Reiter den Hals noch.
55 O nun segn' ich mich erst, daß mir der Junge daheim blieb!

GORGO

Faß' dich, Praxinoa, Muth! wir sind schon hinter den Pferden;
Jene reiten zum Platze.

325

PRAXINOA

Bereits erhol' ich mich wieder.
Pferd' und eisige Schlangen, die scheut' ich immer am meisten,
Von Kind an. O geschwind! Was dort ein Haufen uns zuströmt!

GORGO

Mütterchen, wohl aus der Burg?

ALTE

Ja, Kinderchen.

GORGO

Kommt man denn auch noch   60
Leichtlich hinein?

DIE ALTE

Durch Versuche gelangten die Griechen nach Troja,
Schönstes Kind; durch Versuch ist Alles und Jedes zu machen.

GORGO

Fort ist die Alte, die nur mit Orakelsprüchen uns abspeis't!
Alles weiß doch ein Weib, auch Zeus' Hochzeit mit der Hera.
– Sieh, Praxinoa, sieh, was dort ein Gewühl um die Thür' ist!   65

PRAXINOA

Ach, ein erschreckliches! – Gib mir die Hand! Du, Eunoa, fasse
Eutychis an, und laß' sie nicht los, sonst gehst du verloren.
Alle mit Einmal hinein! Fest, Eunoa, an uns gehalten! –
Wehe mir Unglückskind! Da riß mein Sommergewand schon
Mitten entzwei, o Gorgo! – Bei Zeus, und soll es dir jemals   70
Glücklich ergehen, mein Freund, so hilf mir und rette den Mantel!

ERSTER FREMDER

Ja, wer's könnte! Doch sei es versucht.

PRAXINOA

Ein gräulich Gedränge!

Stoßen sie nicht wie die Schweine?

DER FREMDE

Getrost! nun haben wir Ruhe.

PRAXINOA

Jetzt und künftig sei Ruhe dein Loos, du bester der Männer,

75 Daß du für uns so gesorgt! – Der gute, mitleidige Mann der! –
Eunoa steckt in der Klemme! Du Tröpfin! frisch! mit Gewalt durch!
– Schön! wir alle sind drin! so sagt zur Braut, wer sie einschloß.

GORGO

Hier, Praxinoa, komm': sieh erst den künstlichen Teppich!
Schau, wie lieblich und zart! Du nähmst es für Arbeit der Götter.

PRAXINOA

80 Heilige Pallas Athene, wer hat die Tapeten gewoben?
Welcher Maler dazu so herrlich die Bilder gezeichnet?
Wie natürlich sie steh'n, wie in jeder Bewegung natürlich!
Wahrlich beseelt, nicht gewebt! Ein kluges Geschöpf ist der Mensch doch!
Aber er selber, wie reizend er dort auf dem silbernen Ruhbett

85 Liegt, und die Schläfe herab ihm keimet das früheste Milchhaar!
Dreimal geliebter Adonis, der selbst noch im Hades geliebt wird!

ZWEITER FREMDER

Schweigt doch, ihr Klatschen, einmal! Könnt' ihr kein Ende noch finden?
Schnattergänse! Wie breit und wie platt sie die Wörter verhunzen!

GORGO

Mein! was will doch der Mensch? Was geht dich unser Geschwätz an?

90 Warte, bis du uns kaufst! Syrakuserinnen befiehlst du?
Wiß' auch dieß noch dazu: wir sind von korinthischer Abkunft,
Gleichwie Bellerophon war; wir reden ja peloponnesisch;
Doriern wird's doch, denk' ich, erlaubt sein, dorisch zu sprechen?

PRAXINOA

O so bewahr' uns vor einem zweiten Gebieter, du liebe
Melitodes! Nur zu! Du streichst mir den ledigen Scheffel. 95

GORGO

Still, Praxinoa! Gleich nun fängt sie das Lied von Adonis
An, die Sängerin dort, der Argeierin kundige Tochter,
Die den Trauergesang auf Sperchis so trefflich gesungen.
Sicherlich macht die's fein. Schon richtet sie schmachtend ihr Köpfchen.

DIE SÄNGERIN

Herrscherin! die du Golgos erkorst und Idalion's Haine, 100
Auch des Eryx Gebirg', goldspielende du, Aphrodita!
Sage, wie kam dir Adonis von Acheron's ewigen Fluthen
Nach zwölf Monden zurück, im Geleit' sanftwandelnder Horen?
Langsam geh'n die Horen vor anderen seligen Göttern;
Aber sie kommen mit Gaben auch stets und von Allen ersehnet. 105
Kypris, Diona's Kind, du erhobst, so meldet die Sage,
In der Unsterblichen Kreis, die sterblich war, Berenika,
Hold Ambrosiasaft in die Brust der Königin träufelnd.
Dir zum Dank, vielnamige, tempelgefeierte Göttin,
Ehrt Berenika's Tochter, an Liebreiz Helenen ähnlich, 110
Ehrt Arsinoa heut mit allerlei Gaben Adonis.
Neben ihm liegt anmuthig, was hoch auf dem Baume gereifet;
Neben ihm auch Lustgärtchen, umhegt von silbergeflocht'nen
Körben, auch goldene Krüglein, gefüllt mit syrischen Düften;
Auch des Gebackenen viel, was Frau'n in den Formen bereitet, 115
Mischend das weißeste Mehl mit mancherlei Würze der Blumen,
Was sie mit lieblichem Öle getränkt und der Süße des Honigs.
Alles ist hier, das Geflügel der Luft und die Thiere der Erde.
Grünende Laubgewölbe, vom zartesten Dille beschattet,
Bauete man: und oben als Kinderchen fliegen Eroten, 120
Gleichwie der Nachtigall Brut, von üppigen Bäumen umdunkelt,
Flattert umher von Zweig zu Zweige, die Fittige prüfend.
Sehet das Ebenholz! und das Gold! und den reizenden Schenken,

Herrlich aus Elfenbein, vom Adler entführt zu Kronion!
125 Auf den purpurnen Teppichen hier (noch sanfter wie Schlummer
Würde Milet sie nennen und wer da wohnet in Samos)
Ist ein Lager bereitet, zugleich dem schönen Adonis.
Hier ruht Kypris, und dort mit rosigen Armen Adonis.
Achtzehn Jahre nur zählt ihr Geliebtester, oder auch neunzehn;
130 Kaum schon sticht sein Kuß, noch säumet die Lippen ihm Goldhaar.
Jetzo mag sich Kypris erfreu'n des schönen Gemahles.
Morgen tragen wir ihn, mit der thauenden Frühe versammelt,
Alle hinaus in die Fluth, die herauf schäumt an die Gestade:
Und mit fliegendem Haare, den Schooß tief bis auf die Knöchel,
135 Offen die Brust, so stimmen wir hell den Feiergesang an:
    Holder Adonis, du nahst bald uns, bald Acheron's Ufern,
Wie kein anderer Halbgott, sagen sie. Nicht Agamemnon
Traf dieß Loos, noch Aias, der schrecklich zürnende Heros,
Hektor auch nicht, von Hekabe's zwanzig Söhnen der erste,
140 Nicht Patroklos, noch Pyrrhos, der wiederkehrte von Troja,
Nicht die alten Lapithen und nicht die Deukalionen,
Noch die Pelasger, die grauen, in Pelops' Insel und Argos.
Schenk' uns Heil, o Adonis, und bring' ein fröhliches Neujahr!
Freundlich kamst du, Adonis, o komm', wenn du kehrest, auch freundlich!

GORGO

145 Unvergleichlich! dieß Weib, Praxinoa! Was sie nicht Alles
Weiß, das glückliche Weib! und wie süß der Göttlichen Stimme!
Doch es ist Zeit, daß ich geh'; Diokleidas erwartet das Essen.
Bös ist er immer, und hungert ihn erst, dann bleib' ihm vom Leibe!
– Freue dich, lieber Adonis, und kehre zu Freudigen wieder!

XVI

DIE CHARITEN

Immer bedacht sind die Töchter des Zeus und immer die Sänger,
Götter zu feiern, zu feiern den Ruhm großherziger Männer.
Himmlische sind sie, die Musen, und Himmlische singen von Göttern,
Wir sind Sterbliche nur, und Sterbliche singen von Menschen.
Wer von Allen doch nun, so Vielen der blauliche Tag scheint, 5
Öffnet unseren Chariten wohl, und nimmt sie mit Freuden
Auf in das Haus, und schickt sie nicht ohne Geschenke von dannen?
Murrend kehren sie wieder mit nackten Füßen nach Hause,
Schelten bitter auf mich, daß umsonst den Weg sie gewandert;
Und mit Verdruß dann wieder am Boden des ledigen Kastens 10
Harren sie, niedergebeugt auf die kalten Kniee das Antlitz.
Dort ist ihr trauriger Sitz, wenn gar nichts frommte die Sendung.
   Sagt, wo ist noch ein Freund? wer liebt den rühmenden Sänger?
Nein, nicht trachten die Männer, um herrliche Thaten wie vormals
Jetzo gepriesen zu sein, sie beherrscht nur schnöde Gewinnsucht. 15
Jeglicher hält im Busen die Hand, und sinnt, wie das Geld ihm
Wuchere; traun, er verschenkte nicht Ein verrostetes Scherflein;
Sondern da sagt er gleich: »Mir ist näher das Knie wie das Schienbein!
Hab' ich nur selber etwas! Den Dichter, ihn segnen die Götter!
Aber was brauchen wir ihn? für Alle genug ist Homeros. 20
Der ist der beste der Dichter, der nichts von dem Meinen davonträgt.«
Thoren! was nützen euch denn im Kasten die Haufen des Goldes?
Das ist nicht der Gebrauch, den Verständige machen vom Reichthum;
Sondern dem Herzen ein Theil und ein Theil den befreundeten Dienern!
Gutes an vielen Verwandten und vielen der anderen Menschen 25
Thun; allzeit auch mit Opfern der Götter Altäre besuchen;
Nimmer dem Gast ein kargender Wirth sein, sondern ihn reichlich
Pflegen am Tisch, und entlassen, wann selbst er zu gehen verlanget.

Aber in Ehren zuerst die heiligen Priester der Musen!

30 Daß du, verborgen in Aïdes' Nacht, noch werdest gepriesen,

Und nicht ruhmlos traurest an Acheron's kalten Gestaden,

Gleichwie ein Mann, dem die Hände vom Karst inwendig verschwielt sind,

Weinet sein Loos, die väterererbte, die klägliche Armuth.

Einst in Antiochos' Haus und des mächtigen Fürsten Aleuas

35 Holten sich viele die Monatskost, dienstpflichtige Leute;

Viel auch einst, in die Ställe der edeln Skopaden getrieben,

Brülleten Kälber daher, um hochgehörnete Kühe;

Und auf den Fluren um Krannon zu Tausenden ruhten im Mittags-

Schatten die trefflichen Schafe der gastlichgesinnten Kreonden:

40 Aber die Freude daran ist hin, da das liebliche Leben

Weg ist, die Seele den Kahn des traurigen Greises bestiegen.

Namlos jetzo, wie Viel und wie Köstliches auch sie verließen,

Lägen auf ewig sie unter dem Schwarm unrühmlicher Todten,

Wenn nicht der keïsche Sänger, der machtvoll sang und bezaubernd

45 Zur vielsaitigen Laute, sie noch für die kommenden Alter

Hätte verherrlicht; es theilten den Ruhm die hurtigen Rosse,

Die mit Kränzen zurück von den heiligen Spielen gekehrt.

Auch der Lykier Helden, wer kennte sie? wer die umlockten

Priamiden? und wer den mädchenfarbenen Kyknos,

50 Wenn kein Dichter die Schlachten der Vorzeit hätte gesungen?

Auch nicht Odysseus, der umirrete hundert und zwanzig

Monde bei jeglichem Volk, und zum äußersten Aïdes eingieng,

Lebend annoch, und den Klüften entrann des kyklopischen Unholds,

Freute sich dauernden Ruhms; Eumäos wäre, der Schweinhirt,

55 Lange verschollen, Philötios auch, der den Heerden der Rinder

Treu vorstand, ja sogar der hochbeherzte Laertes,

Hätte sie nicht der Gesang des ionischen Sängers erhoben.

   Nur durch die Musen erwächst den Menschen der herrliche Nachruhm.

Aber die Schätze der Todten verprassen die lebenden Erben.

60 Doch es ist ebenso schwer, am Strande die Wellen zu zählen,

Wenn sie vom blaulichen Meere der Wind zum Gestade daher treibt,

Oder im schimmernden Quell den thonigen Ziegel zu waschen,

Als zu dem Manne zu sprechen, den ganz hinnahm die Gewinnsucht.

Mag er doch geh'n! und mag sein Geld sich häufen unendlich,

Und die Begierde nach Mehr ihm rastlos zehren am Herzen, 65
Ich will lieber die Ehr' und die freundliche Liebe der Menschen
Haben, als viele Gespanne von Rossen und Mäuler in Haufen.

    Unter den Sterblichen wer, o sagt mir, heißet willkommen
Mich in der Musen Geleit'? Denn schwer sind die Pfade des Liedes
Ohne Kronion's Töchter, des mächtig waltenden Gottes. 70
– Stets noch führet der Himmel im Kreislauf Monden und Jahre,
Manch' ein Roß auch wird noch das Rad umrollen am Wagen.
Einst wird kommen der Mann, dem noth ist meines Gesanges,
Wann er vollbracht, was Achilleus der Held und der trotzige Aias
Dort in des Simoïs Flur am Mal des phrygischen Ilos. 75
Schon seh' ich den Phöniker, der nah' an der sinkenden Sonne
Wohnt, auf der äußersten Ferse von Libya, schreckvoll starren;
Schon, schon geh'n Syrakuser, die Speer' an der Mitte des Schaftes
Tragend, einher, um die Arme mit weidenen Schilden belastet!
Hieron selbst in dem Heer, an Gestalt wie Heroen der Vorwelt, 80
Strahlet von Erz, auf dem Helme die schattende Mähne des Rosses.

    Wenn doch, o Zeus, ruhmvoller! und Pallas Athen', und o Tochter,
Die du, der Mutter gesellt, habseliger Ephyräer
Große Stadt dir erkorst an der Lysimeleia Gewässern:
Wenn ihr böses Verhängniß die Feinde doch würf' aus der Insel, 85
Durch das sardonische Meer, daß der Freunde Geschick sie erzählten,
Frau'n und Kindern daheim, ein zählbarer Rest von so Vielen!
O wenn wieder die vorigen Bürger die Städte bewohnten,
Welche zu Schutt und Trümmern die Hände des Feindes verkehrten!
Würden die grünenden Fluren gebaut! und möchten der Schafe 90
Zahllos wimmelnde Schaaren, auf grasiger Weide gemästet,
Blöcken durch's Thal, und die Rinder, am Abende heim in die Hürden
Kehrend, zur Eil' antreiben den langsam schreitenden Wandrer!
Würden die Brachen gepflügt zur Einsaat, wann die Cikade,
Ruhende Hirten belauschend am Mittag, singt in der Bäume 95
Wipfel ihr Lied! O dehnte die Spinn' ihr zartes Gewebe
Über die Waffen doch aus, und verschwände der Name des Schlachtrufs!
Trügen dann Hieron's hochgefeierten Namen die Dichter
Über das skythische Meer, und hin, wo die riesige Mauer
Festigend einst mit Asphalt, Semiramis herrschte, die große. 100

Einer der Dichter sei Ich! Doch lieben die Töchter Kronion's
Auch viel andre, die alle Sikeliens Quell Arethusa
Singen, zusammt dem Volk, und Hieron's herrliche Stärke.
    Minysche Huldgöttinnen, geheiliget von Eteokles,
Die ihr Orchomenos liebt, die verhaßte vordem den Thebäern,
Laßt, wenn Keiner uns ruft, mich zurückstch'n, doch in des freundlich
Rufenden Wohnung getrost mit unseren Musen mich eingeh'n!
Nimmer doch laß ich von euch! Denn was bleibt Holdes den Menschen
Ohne die Chariten? Möcht' ich nur stets mit den Chariten leben.

XXVIII b

DIE SPINDEL

O Spindel, Wollefreundin, Angebind'
Der blaugeaugten Göttin du, den Frau'n
Gewidmet, deren Sinn auf Häuslichkeit
Gestellt ist, komm' nunmehr getrost mit mir
Zu Neleus' glanzerfüllter Stadt, allwo   5
Aus zartem Schilfgrün Kypris' Tempel steigt.
Dorthin erbitten wir von Vater Zeus
Uns schönen Fahrwind, daß ich bald des Freunds
Von Angesicht mich freuen möge, selbst
Auch ein willkomm'ner Gast dem Nikias,   10
Den sich die Chariten zum Sohn geweiht,
Die lieblichredenden. Dann leg' ich ihr,
Der Gattin meines Freundes, in die Hand
Zur Gabe dich, aus hartem Elfenbein
Mit Fleiß geglättete. Wohl künftighin   15
Vollendest du gar manch' Gespinnst mit ihr,
Zu männlichen Festkleidungen, auch viel
Meerfarb'ne zarte Hüllen, wie die Frau'n
Sie tragen. Zweimal müssen jedes Jahr
Der Lämmer Mütter auf der Au zur Schur   20
Die weichen Vließe bringen, damit ja
Der nettfüßigen Theugenis so bald
Die Arbeit nicht ausgehen mag; sie liebt,
Was kluge Frauen lieben. In das Haus
Der unwirthschaftlich Müssigen hätt' ich   25
Dich nimmermehr gebracht, o Landsmännin.
Dein Heimathort ist jene Stadt, die einst
Der Ephyräer Archias erbaut,

Das Mark Trinakria's, der Edeln Sitz.
30   Sofort nun Hausgenossin jenes Manns,
Deß' Kunst so manches feine Mittel weiß,
Das von den Menschen böse Krankheit scheucht,
Im lieblichen Miletos wohnest du,
Im Kreis der Jonier: daß Theugenis
35   Bei andern Weibchen ihres Volks die Schön-
Gezierte mit der Spindel heißen soll,
Und daß du ihren Gast ihr allezeit,
Den Liederdichter, in's Gedächtniß rufst.
Da sagt zum Andern Einer, der dich sieht:
40   »Wie viel ein klein Geschenk doch gelten kann!
So werth ist Alles, was von Freunden kommt.«

ANAKREON

UND DIE

SOGENANNTEN ANAKREONTISCHEN LIEDER

VORWORT

Die sogenannten Anakreontischen Lieder wurden bekanntlich lange
Zeit mit größter Vorliebe in den modernen Sprachen behandelt und
gelesen. Unter den ältern Verdeutschungen hat sich vornehmlich die
noch im Jahre 1821 zu Leipzig in eleganter Ausstattung wieder aufgelegte Arbeit von Joh. Fried. *Degen* ausgezeichnet, und dieß in solchem
Grade, daß geschmackvolle Kenner neuerdings der Meinung waren,
es fehle ihr nur eine sorgfältige Revision, um sich noch heute neben
jeder andern zu behaupten. Man glaubte daher den deutschen Lesern
nicht besser als eben durch eine solche, im Einverständniß mit dem
Eigenthümer des Degen'schen Werkchens unternommene Bearbeitung dienen zu können. Dabei sollte vor Allem der ächte Anakreon so
weit möglich in einer charakteristischen Auswahl seiner Überreste,
die bis jetzt außerhalb der philologischen Welt noch wenig gekannt
sind, repräsentirt werden. Der Unterzeichnete, dem dieses doppelte
Geschäft zufiel, hatte demnach zuvörderst jene von Degen nicht be-
rücksichtigten Fragmente, deßgleichen die Epigramme neu zu übertragen, – eine Bemühung, welche man neben G. *Thudichums* ausgewählten Proben (Die Griech. Lyriker. Stuttg. 1859) sehr überflüssig finden
wird; doch konnte er sich ihr nicht wohl entziehen. Hiebei hat er, was
den Text, die Feststellung der Metren und die Erklärung anbelangt,
Th. *Bergks** und *Schneidewins*** Arbeiten benützt. Nicht weniger kam
ihm die Bergk'sche Ausgabe der Griech. Lyriker auch für die Anakreontea nebst jener von Friedr. *Mehlhorn* (Glog. 1825) zu Statten; für's Bio-
graphische und Anderes der betreffende Artikel von Fr. *Jacobs* in Erschs
und Grubers Encyclopädie, so wie *Bernhardys* Grundriß der Gr. Litt.;

---

* ANACREONTIS CARMINUM RELIQUIAE. LIPS. 1834. – POETAE LYRICI GRAECI. LIPS. 1852.
** DELECTUS POESIS GRAECORUM ELEGIACAE, IAMB., MEL. GOTTING. 1839.

zur Erklärung und Beurtheilung ferner die *Welcker*'schen Abhandlungen im Rhein. Museum, 3. Jahrg., und dessen Kleine Schriften 1. und 2. Bd.; endlich besonders K. Bernh. *Starks* QUAESTIONUM ANACREONTICARUM LIBRI DUO, LIPS. 1846. In der hiernächst folgenden Einleitung, wie in den Noten zu den einzelnen Numern, sind unter Anderem die Erörterungen dieses Kritikers in freiem, gedrängtem Auszuge wiedergegeben, ohne daß der Name überall hinzugefügt wäre, deßwegen solches hier im Allgemeinen dankbar bezeugt sein soll. Was der Herausgeber da und dort von eigenen Bemerkungen eingemischt hat, kommt kaum in Betracht alle dem gegenüber, was er den eben genannten oder anderwärts namhaft gemachten Gelehrten und überdieß der Pauly'schen Real-Encyclopädie schuldig ist. In wie weit es ihm aber gelang, die verdienstvolle Leistung des ältern Übersetzers zu verbessern, kann nur eine nähere Vergleichung beider Büchlein zeigen. Die Änderungen betreffen hin und wieder die Lesarten und den Sinn, weit häufiger den Ausdruck und Wohllaut. Wenn Degen in einem Theile der Lieder von dem Griechischen Versmaß abwich, so ist dieß durch die Natur unserer Sprache gewiß hinlänglich gerechtfertigt. Die genaue Nachbildung der fraglichen Formen ist eine längere Reihe von Versen hindurch ohne fühlbaren Zwang nicht möglich, und der deutsche Leser würde dem Herausgeber gewiß den fleißigsten Versuch hierin nicht danken.

Stuttgart, Ostern 1864.

M.

EINLEITUNG

LEBENSUMSTÄNDE UND SCHRIFTEN DES DICHTERS

Anakreon aus Teos, einer ansehnlichen Handelsstadt in jenem gesegneten Küstenstriche Ioniens, ist nach der gewöhnlichen Annahme
im Jahre 559 vor Chr. geboren. Sein Vater soll Skythinos geheißen haben; doch werden auch andere Namen genannt. Zur Zeit als Kyros, der
Perserkönig, Vorder- und Mittelasien unterwarf und sein Feldherr
Harpagos Teos erobert hatte, verließ (um 540) ein Theil der Einwohner
die Stadt, um in Thrakien die Colonie Abdera neu zu gründen. Ob
Anakreon schon damals mit den Eltern oder erst viel später dorthin
gezogen, ist nicht ausgemacht; jedenfalls war sein großes Talent noch
in der Ausbildung begriffen, sein Ruf als Dichter aber bereits von Bedeutung, als er – wie sich aus einer lückenhaften Stelle in den Reden
des Himerios nach Welckers Ergänzung ergibt – von dem Vater des
jungen Polykrates zu dessen Unterricht nach Samos berufen wurde,
und zwar auf Bitten des Sohnes selbst, der an Musik und Dichtung
Freude hatte, und welchen denn sein Lehrer wie Phönix den Achilleus
(dieß Beispiel wird in gedachter Stelle gebraucht) zu Wort und That
erzog.

Polykrates bemächtigte sich, wie bekannt, nachmals (im J. 532) mit
der äußersten Kühnheit und dem unmenschlichsten Verfahren selbst
gegen seine Nächsten der Herrschaft über sein freies Vaterland, und
wußte sich darin durch eine schlaue Politik, zugleich von einem er-
staunlichen Glück in Allem, was er unternahm, begleitet, elf Jahre zu
behaupten. Er empfahl sich den Bürgern, indem er sie zu Wohlstand
und Reichthum kommen ließ, und entfaltete mit einem ungeheuern
Aufwand für öffentliche Bauten, Kunstwerke, Büchersammlung u. s. w.
nicht etwa nur eine eitle Prachtliebe, vielmehr erwies er sich als wirklicher Freund jeder höheren Art von Cultur. Nicht umsonst trug er
jenen berühmten Siegelring mit einer von Theodoros dem Samier in

Smaragd geschnittenen Lyra. Anakreons Gesellschaft aber war ihm vor
jeder ähnlichen – auch Ibykos von Rhegion verweilte einige Zeit bei
ihm – unentbehrlich geworden.

In der Üppigkeit und dem Glanze dieses Hofes fand nun das Na-
turel des Teïers ein überfließend reiches Element. Dem Fürsten selber
war bei der Unruhe seiner Regierung, seinen kriegerischen Unternehmungen und der steten argwöhnischen Sorge um die Sicherheit seiner
Macht ein gleichmäßig abwechselnder Genuß des Lebens nicht vergönnt. Polykrates hielt eine Auswahl schöner, zum Theil in musischen
Künsten unterrichteter Edelknaben, und diese Seite seiner Vergnügungen verfehlte nicht, auch auf Anakreon einen starken, bei ihm
jedoch weit seelenvoller gemischten Reiz auszuüben. Er genoß die
Zuneigung und das Vertrauen des Tyrannen in ungewöhnlichem
Maße, ohne darum seinen Charakter verläugnen zu müssen. Das Verhältniß erhielt sich, obgleich vorübergehende Störungen nicht aus-
bleiben konnten, bis zum Tode des Polykrates ungeschwächt, was bei
dem einen Theile eine seltene Liberalität, welche dem Genius die volle
Freiheit läßt, wie beim andern große Klugheit, aber keineswegs nothwendig die Schmeichelei eines Hofpoeten voraussetzt, wenn schon er
auf das, was ihm an dem Fürsten preiswürdig erschien, bei jeder Gelegenheit ein helles Licht geworfen haben wird. Als Beweis für die
Sinnesart eines weisen Mannes, der sich in glücklicher Unabhängigkeit
fühlt, kann uns die Anekdote gelten, wonach ihm Polykrates einst zwei
Talente (5500 fl.) geschenkt, die er mit der Entschuldigung zurückgegeben, ein solcher Besitz würde ihm den Schlaf rauben. Bedeutend ist
die andere von Herodot gegebene Notiz, daß, als der Abgesandte des
Persischen Statthalters Orötes, durch dessen Arglist Polykrates nachher umkam, von diesem empfangen wurde, Anakreon zugegen gewesen, woraus zuerst Lefèbre schloß, er habe auch an Staatsgeschäften
Antheil gehabt.

Nach dem unglücklichen Ende seines Gönners (522, also etwa
im siebenunddreißigsten Lebensjahre des Dichters,) war für ihn
kein Aufenthalt in Samos mehr, wo Alles sofort in die größte Ver-
wirrung gerieth. Ein zweites glänzendes Asyl that sich – wie lang
nach jener Katastrophe und wo indeß sein Bleiben war, ist unbekannt – in Athen für ihn auf. Einer der beiden Söhne des Peisistra-

tos, welche nach dessen Tode die Herrschaft daselbst hatten, der kunstliebende Hipparchos, lud ihn zu sich und ließ ihn feierlich auf einem fünfzigruderigen Schiffe abholen. Er war den beiden Fürsten vermuthlich durch einen früheren Besuch von Samos aus bereits näher gekommen.

Die mehrjährige Dauer auch dieser Verbindung beweist nur abermals die Vielgewandtheit des geistreich geselligen Mannes, die jeder Forderung gewachsen war. Unter Anderem mag sein Talent zu Verherrlichung der festlichen Mahle und Aufzüge, wodurch die Peisistratiden sich berühmt machten, als in Athen der Luxus überhand nahm, mehrfältig in Anspruch genommen worden sein. Sonst weiß man von seinem dortigen Leben, daß er mit den vornehmsten Familien Umgang gehabt, besonders mit Xanthippos, Vater des Perikles, so wie mit Kritias, dem Sohne des Archon Dropides, der ein Verwandter und inniger Freund Solons gewesen und dessen edles Haus von Solon und andern Dichtern belobt wurde. Unter den letztern wird auch der unsere genannt. Endlich ist zu bemerken, daß gleichzeitig mit ihm Simonides von Keos (vgl. Fragm. 14. Anmerk.) als Gast bei dem Tyrannen lebte.

Nun aber (514, acht Jahre nach Polykrates,) fiel Hipparch durch die Hände des Harmodios und Aristogeiton; worauf Anakreon schwerlich länger in Athen verblieb. Über den weitern Verlauf seines Lebens hat man keine sichern Nachrichten. Bergk läßt ihn zunächst seine Zuflucht nach Teos nehmen und bei der zweiten Einnahme der Stadt durch die Perser nach Abdera gehen. Er erreichte ein Alter von fünfundachtzig Jahren und starb – wie Einige wollen in Teos – der Sage nach an einem Rosinkern erstickt, was man am besten mit Teuffel als den symbolischen Ausdruck des Gedankens erklärt, daß der Gott, dem er diente, Dionysos, ihn zu sich genommen. Die Teïer errichteten ihm Bildsäulen und setzten sein Bild auf ihre Münzen. Eine derselben zeigt ihn in sitzender Figur mit dem Barte und die Leier schlagend; eine andere aufrecht stehend, nackt, mit beigeschriebenem Namen. (Die Abbildung dieser Münzen s. in den Abhandlungen der philol. histor. Classe der k. Sächs. Gesellsch. der Wissensch. III. Bd. Leipz. 1861, bei O. Jahns Abhandl. über Darstellungen Griech. Dichter auf Vasenbildern.) Auf der Akropolis zu Athen stand nach Pausanias (I, 25) seine eherne Bildsäule nahe bei der seines Freundes Xanthippos, ein Mann mit Zeichen von Trunkenheit singend*.

Eine schöne Marmorstatue Anakreons wurde im J. 1835 bei Monte-calvo in der Sabina gefunden, die sich in der Villa Borghese befindet**.

---

* Die hiermit von Pausanias angedeutete Haltung erinnert nothwendig an 5
drei Epigramme der Griech. Anthologie auf ein Bild des Dichters (ANTH. PLANUD.
IV, 306–308), von denen eines der beiden dem Leonidas von Tarent zugeschriebenen hier nach Jacobs' Übersetzung Platz finden möge.

> Sieh, wie dem Greis Anakreon vom Wein berauscht
> Die Füße wanken, wie bis zu den Knöcheln ihm 10
> Der Mantel nachschleppt! Von den Schuhen hat er nur
> Den einen noch, den andern ließ er irgendwo.
> Der Laute goldne Saiten schlagend singet er
> Bathyllos' Liebreiz oder des Megistëus.
> Trag' Sorge, Bakchos, daß der trunkne Greis nicht fällt! 15

Alle drei Epigramme enthalten dieselben Motive. Das andere des Leonidas
erwähnt noch des feuchten Blicks, worin nicht nur die Erregung des Weins, sondern auch der sehnsüchtigen Liebe ausgedrückt ist, deren Lied man von seinen
Lippen zu vernehmen glaubte. Der Fuß hat ebendaselbst das Beiwort ῥικνός, welches Jahn nicht, wie gewöhnlich, als *runzlig* versteht, vielmehr werde dadurch 20
der unsichere Schritt der aus irgendwelcher Ursache schwach gewordenen Füße
bezeichnet. Welcker (Kleine Schr. I. S.266) nahm an den starken Zügen dieser
Epigramme, besonders an jenem ῥικνός, so großen Anstoß, daß er glaubte, sie
seien frei erfunden, ohne sich auf eine wirkliche Statue zu beziehen, und rührten
nicht von dem Tarentiner Leonidas, sondern dem späteren Alexandriner her. 25
Jahn dagegen macht es wahrscheinlich, daß die Gedichte wirklich eine nähere
Beschreibung des Athenischen Bildwerks geben.

** Wir enthalten uns nicht, Jahns Schilderung der Borghesischen Statue mit-
zutheilen; wobei nur voraus bemerkt sei, daß einige Theile derselben, namentlich
die Finger der linken Hand und die Lyra, restaurirt sind. 30

Auf einem stattlichen, von Löwenfüßen gestützten Sessel sitzt hier der be-
jahrte Dichter, die Füße übereinander geschlagen, an welchen Sandalen mit zier-
lichem Riemenwerk befestigt sind. Ein Mantel von starkem, derbem Zeug – wohl-
gewählt für das höhere Alter, das wärmerer Kleidung bedarf – verhüllt den Un-
terkörper. Der eine von der rechten Schulter herabgeglittene Zipfel ist über den 35
Schooß gesunken. Dies ist die natürliche Folge von der Bewegung des rechten
Arms, welcher vorgestreckt ist, damit die Hand mit dem Plektron die Saiten der
Leier berühre, welche die erhobene Linke von der anderen Seite her oben an den
Hörnern berührte, so daß dieser Arm das Gewand festhalten konnte. Mit dem
Kopf macht er eine Wendung seitwärts, welcher auch der Oberkörper folgt, wo- 40

Nach dem einstimmigen Zeugnisse des Alterthums war die Poesie Anakreons einzig dem berauschenden Genusse des Lebens geweiht; dennoch sprechen die einsichtsvollsten Schriftsteller von dem sittlichen Werthe derselben mit hoher Anerkennung. So wie Sokrates – sagt

5 durch nicht nur die ganze Haltung lebendiger wird, sondern die für den Liebes-dichter bezeichnende Vorstellung, daß er sein Lied an einen Anwesenden richte, im Beschauer hervorgerufen wird. Die Meisterschaft, mit welcher in dem nackten Oberkörper die VIRIDIS SENECTUS anschaulich gemacht ist, steigert sich in dem lebendigen Ausdruck des bärtigen Kopfes, welcher mit dem unverkennbaren
10 Charakter des Alters soviel Geist und Gemüth vereinigt, daß eine ganz eigen-thümliche, hochbedeutende Individualität mit unwiderstehlicher Anziehungskraft hervortritt.

Die Statue ist mit Brunns Erklärung publicirt in den ANNALI DELL' INSTITUTO DI CORRISP. ARCHEOL. XXXI, p. 155 ff. MONUM. INED. D. INSTIT. VOL. VI, TAV. 25. Der
15 Kupferstich in Fol. gibt wenigstens von dem herrlichen Kopf eine vollkommene Vorstellung. – Nach Brunns Ansicht ist das Original der Borghes. Statue dasselbe, welches Pausanias gesehen und das die Epigramme beschreiben. Allein mit Recht behauptet Jahn, diese Beschreibung passe nur auf eine stehende oder vielmehr vorwärts schreitende Gestalt.

20 Eine andere Darstellung des Anakreon, welche durch eine Anspielung auf eine bedeutsame Begebenheit seines Lebens ihn charakterisire, hat Sam. Birch auf einem Vasenbilde zu finden geglaubt (OBSERVATIONS ON THE FIGURES OF ANACREON AND HIS DOG ETC. LOND. 1845). Auf einer in Vulci gefundenen Amphora des Britischen Museums nemlich ist auf der einen Seite ein mit Lorbeer bekränzter Mann, nackt
25 bis auf die über die Arme geschlungene Chlamys vorgestellt, der im Vorwärts-schreiten die Leier spielt und mit stark zurückgelehntem Kopfe laut dazu singt; neben ihm läuft ein kleiner Hund her. Auf der andern Seite ist ein epheubekränz-ter, ebenfalls bis auf die Chlamys nackter Jüngling dargestellt, der auf der linken Schulter eine Amphora trägt, die er mit der linken Hand hält und, indem er die
30 Rechte in die Seite stemmt, rüstig vorwärts schreitet. Den Grund, bei diesem Leierspieler an Anakreon zu denken, fand Birch in dem Hündchen, welches ihn begleitet, indem er an eine von Tzetzes (Chiliaden IV, 131, 234 ff.) erzählte Anek-dote erinnert, nach welcher einst Anakreon, von einem Sklaven und seinem Hund begleitet, nach Teos gegangen sei, um Einkäufe zu machen; unterwegs habe der
35 Sklave im Gebüsch die Geldbörse abgelegt und als er weiter ging, liegen lassen, der Hund aber sei, um sie zu bewachen, zurückgeblieben und bei der Rückkehr des Herrn sterbend vor Hunger neben dem treu behüteten Gelde gefunden wor-den. Allein diese auf den ersten Blick sehr ansprechende Deutung, welche auch mehrere Gelehrte gebilligt haben, ist auf ein unsicheres Fundament begründet,
40 denn ohne Zweifel hat Tzetzes eine von Älian (Thiergeschichten VII, 29.) er-zählte Anekdote nur aus Mißverständniß auf Anakreon übertragen, während sie

345

einer seiner großen Bewunderer, der Platonische Maximos Tyrios, –
so liebte auch der Teïsche Dichter jede schöne Gestalt, und pries sie
alle, und seine Lieder sind voll von des Smerdies schönem Gelock und
Kleobulos' Augen und der Jugendblüthe Bathylls: dabei aber bemerke
man seine Zucht (σωφροσύνην): – mit diesen Worten wird auf die Stelle
Fragm. 17 (unserer Auswahl) verwiesen; zugleich auf eine andere Zeile,
worin Anakreon ausspricht: schön sei es, in der Liebe was recht und
ziemlich einzuhalten (Bergk LYR. GR. ANACR. FRAGM. 120); und endlich
folgt noch das Citat Fragm. 16. – In Beziehung auf seine Trinklieder
nimmt Athenäos die Mäßigkeit des Dichters gegen die Menge in
Schutz, die nicht wisse, daß er nüchtern Trunkenheit dichte. Überhaupt nennen die Alten seine Gesänge neben ihrer Lieblichkeit auch
würdevoll (σεμνά), und einer der Tischgenossen Plutarchs, indem er
den Gebrauch tadelt, die Dialogen Platons mit dem Nachtische zu mischen, setzt hinzu: auch wenn Sapphos und Anakreons Lieder gesungen
würden, würde er aus Achtung und Scheu den Becher niedersetzen.
Er heißt nicht bloß »der anmuthige«, »der süße« (ἥδιστος, μελιχρός),
sondern bei Platon u. A. auch »der weise« (σοφός), in solchen Verbin-
dungen, wo von Kunstfertigkeit allein nicht die Rede sein kann. Bei diesen Eigenschaften seiner Muse ist der von Maximos ihr nachgerühmte
mildernde Einfluß auf den Sinn des Polykrates nicht unmöglich.

Daß Anakreons fürstliche Gönner, die ersten Gründer von Biblio-
theken, für Sammlung seiner Schriften werden Sorge getragen haben,
darf man wohl für gewiß annehmen. Wie lange sich aber dieselben
erhielten, muß dahingestellt bleiben. Bekannt ist, daß die Gelehrten
in Alexandrien ihren Fleiß auch diesem Dichter widmeten. Sie nahmen
ihn in ihren Kanon der neun größten Lyriker auf, und Aristarchos
selbst besorgte eine Ausgabe, die wahrscheinlich nach Rom gelangte,
wo sich seine Wirkung auf die lateinischen Dichter zuerst an Catullus
bewies. Bald aber scheint er durch die wachsende Menge Griechischer

von einem unbekannten Kaufmann aus Kolophon berichtet wird. Aber selbst
wenn das Geschichtchen bessere Gewähr für Anakreon hätte, würden sich Bedenken gegen die Richtigkeit der Deutung erheben, indem die Darstellung keineswegs eine vereinzelte ist, sondern sich mit mancherlei Modificationen auf mehreren Vasenbildern wiederholt. (Zu allen diesen Anmerkungen s. das Nähere bei
Jahn in der angeführten Abhandl.)

346

und Römischer Nachahmer in Vergessenheit gerathen zu sein, und es ist zweifelhaft, ob seine Poesieen in ihrer Integrität bis auf die Zeiten herab kamen, wo Byzantinische Priester (im 4. Jahrh.) die lyrischen und komischen Dichter verbrannten.

5 Die uns erhaltenen ächt Anakreontischen Reste bestehen leider fast durchaus nur in kleinen Bruchstücken, die als gelegenheitliche Citate bei verschiedenen Schriftstellern, bei den Grammatikern Athenäos, Hephästion u. A. vorkommen. Doch reicht das Wenige hin, von der hohen Vortrefflichkeit dieser Gedichte einen Begriff zu geben. Was 10 wir zu deren näherer Charakteristik hier zu sagen haben, verbinden wir am füglichsten mit der Besprechung jener unter dem Titel *Ana-kreontea* bekannten Liedersammlung, welche den größten Theil der gegenwärtigen Blätter anfüllt und deren Verhältniß zu den unbezwei-felten Reliquien des Dichters uns vorzüglich beschäftigen wird.

---

15 Die Sammlung der Anakreonteen, wie sie heutzutage vorliegt, hat zwei Quellen: die erste Ausgabe von Henr. Stephanus, Paris 1554, und die später entdeckte Pfälzische (Heidelbergische) Handschrift der An-thologie des Constantinos Kephalas oder den CODEX PALATINUS, dem jene Gedichte (Manuscript vom 10. Jahrh.) angehängt waren. Im Jahre 20 1623, nach der Einnahme von Heidelberg, kam dieser Codex mit an-dern kostbaren Handschriften der dortigen Bibliothek in die vaticani-sche nach Rom, 1797 nach Paris, von wo er 1815 an Heidelberg zurück-gegeben wurde, aber ohne den Anakreontischen Anhang. Inzwischen hatten Spaletti und Levesque den Text des Codex, der schon von Ste-25 phanus benützt worden war, wiedergegeben, und ihre Ausgaben müs-sen seither die verlorene Handschrift ersetzen.

Von Bedeutung für die Kritik ist der alte Titel dieser Sammlung; er verheißt: »*Trinklieder Anakreons* in Hemijamben *und Anakreontische Gedichte* (ἀνακρεόντεια)«, also Altes mit Jüngerem vermischt. Die 30 Absicht, eine Auswahl verwandter Lieder von verschiedenen Ver-fassern zu geben, geht überdieß aus dem Umstand hervor, daß am Anfang zwei Stücke mit dem Namen eines dieser Dichter bezeich-net sind.

Vermöge ihres allgemein menschlichen, leicht faßlichen Inhalts erhielten die Anakreontischen Liedchen seit ihrem Erscheinen in der
Ausgabe des *Stephanus* überall unerhörten Beifall. Sie wurden nicht
bloß fast in alle neueren Sprachen übersetzt: bei unsern deutschen
Dichtern des vorigen Jahrh. ward ihre Nachahmung völlig zur Mode, 5
und die sittlichsten, nüchternsten Männer erschienen mit der Neu-
Teïschen Leier im Arm beinahe in ihr Gegentheil verwandelt. Damals
bezweifelte nicht leicht Jemand die Originalität dieser Muster, ungeachtet schon sehr frühe (1557) ein namhafter Italienischer Kritiker,
Franc. *Robortello*, ohne freilich im Einzelnen sein hartes Urtheil zu be- 10
gründen, sie sammt und sonders für abgeschmackte Tändeleien einer
spätern Zeit erklärt hatte. In gleichem Sinne unerbittlich verfuhr mit
ihnen der Holländer Corn. *de Pauw* (gest. 1799), ein übrigens nicht sehr
tief gehender Philolog, der sich in einseitigem Tadel gefällt. Weit un-
befangener faßte der feine *Lefèbre* (Tanaquillus Faber, gest. 1672), Vater 15
der gelehrten Anna Dacier, die Sammlung von Seiten ihres dichterischen Werthes an. Den meisten Gelehrten imponirte der Anakreontische Titel dermaßen, daß ein *Barnes* die größten Anstrengungen
machte, dem Text um jeden Preis den Dialekt des Ioniers durchgängig
aufzuzwingen, und Andere, wie *Baxter*, die gröbsten Fehler des Me- 20
trums, die offenbarsten Ungereimtheiten des Inhalts rechtfertigen
wollten. Rich. *Bentley*, eine der ersten Autoritäten, erklärte im Allgemeinen Vieles für apokryph. In einem von *Brunck* mitgetheilten Briefe
schreibt er 1711 aus Anlaß einer Anfrage über Nr. 48: NON PAUCA ETIAM
SUNT SPURIA, QUAE A GENUINIS DIGNOSCERE PAUCORUM ERIT HOMINUM. 25
F. A. *Wolf* in den Vorlesungen über Griech. Litt. urtheilt: Die mehrsten
Stücke sind von SECULO 3 an und sind nachahmerische Spielwerke.
Ebendaselbst (um 1800) spricht er von der monotonischen Leier, worin
das Ganze fortlaufe. Das Allerwenigste erkennt auch Gottfr. *Hermann*
für ächt. Während sodann *Mehlhorn* sich begnügt, nur die gewiß un- 30
ächten Stücke zu bestimmen, deren er dreißig ausfindet, hebt *Welcker*
noch immer 9–11 Numern hervor, die er, jedoch nicht alle mit gleicher Bestimmtheit, auch einige nur dem Gehalte nach, dem Anakreon
zuspricht. Dagegen verwirft wieder *Bergk* die ganze Sammlung ohne
Unterschied, und *Bernhardy* sagt: Nichts weist in ältere, d. h. vorchrist- 35
liche, Jahrhunderte zurück; – – die Mehrzahl mag wenig vor Justinian

entstanden sein, als der Betrieb erotischer oder gesellschaftlicher Versification die feinsten und zugleich die gewöhnlichsten Köpfe beschäftigte.

Die sehr üble Stimmung der deutschen Philologie gegen das Ganze dieser Gedichte, gegen Geist und Art derselben ist, wie Welcker sagt, aus dem Gefühl und Geschmack zuerst und am meisten, und zwar nachdem hierin Joh. Friedr. *Fischer* den Ton angegeben hatte, entsprungen, eine Stimmung, deren Widerstreit nicht bloß gegen das Urtheil der vorzüglichsten unter den älteren Philologen (z. B. Brunck), gegen das eines *Lessing* und einer ganzen früheren Litteraturperiode, sondern auch gegen die Stimmen bedeutender ausländischer Dichter und anderer Gebildeten unserer Zeit Befremden und Neugierde erregen muß. Unter der zuletzt genannten Classe darf man Th. *Moore* und Esaias *Tegnér* auszeichnen. Jener, der durch die wenigstens zehnmal aufgelegte Übersetzung des Anakreon zuerst seinen Namen berühmt gemacht hat, steht nicht an, die Anakreontea für die gebildetsten Überbleibsel des Alterthums zu erklären. Der schwedische Dichter schrieb in Lund im Jahr 1801 eine Dissertation (VITA ANACREONTIS), worin er die Frage der Unächtheit ablehnend die Gedichte preist und einen fast durchgängig belehrenden und bildenden Charakter derselben behauptet.

ÜBER ANAKREONS POESIE UND DIE
SOG. ANAKREONTEA

Es werden von den Alten hauptsächlich vier Arten der Lyrik, denen
Anakreon sich widmete, genannt: die hymnische, melische, iambische,
elegische Dichtung. Von jeder sind uns Proben überliefert: von den   5
Hymnen gleich die beiden ersten Numern unserer Auswahl. Sie waren
wohl meist nicht von allgemeinem Charakter, vielmehr verwoben sie,
nach Bernhardys Ausdruck, die Götter subjectiv in die Sehnsucht und
die flüchtigen Wünsche des Herzens.

Die *melische* Poesie – überhaupt der Elegie, dem iambischen Gedicht   10
und dem Epigramm entgegengesetzt, insofern das Lied mit Begleitung eines Instruments, der Lyra, Kithar u. dgl., gesungen, niemals
gelesen wurde – zerfiel in zwei Hauptarten, wovon die eine, die cho-
rische Poesie, mit kunstreich gefügtem Strophenbau, von eigens einge-
übten Chören gesungen und mit mimischem Tanze verbunden,   15
durchaus zu öffentlichen Zwecken, bei festlichen Gelegenheiten, diente, die andere aber Lieder begreift, welche, von Einzelnen oder Mehreren zur Leier vorgetragen, entweder Zeile für Zeile in einerlei stets
wiederholtem Silbenmaße leicht hinfließend, oder in knappen, nicht
weit und künstlich angelegten Strophen die Gefühle des Dichters aus-   20
sprachen. Diese zweite Art, das vorzugsweise sogenannte Melos, ent-
wickelte seinen stofflichen Umfang ganz und entschieden nur erst vom
Ende des 7. Jahrh. an, als die Gesangspoesie aus den engen Grenzen
ihres Berufs für Staat und Religion, auf welche sie die Dorier be-
schränkten, allmälig in das mannigfaltige Gebiet des individuellen   25
Lebens überging. Was einen Jeden innerhalb seines nächsten Kreises
in Freude oder Leid, in Liebe oder Haß bewegte, Großes und Kleines,
Scherz und Humor, wie heiliger Ernst, die sämmtlichen Verhältnisse
des bürgerlichen Lebens, die Interessen der politischen Partei, die

mancherlei Anlässe zum geselligen Vergnügen, – dieß Alles umfaßte
nunmehr die *Ode* – d.h. das sangbare Lied – der Äolischen Dichter,
das eben durch sein subjectives Wesen unserer modernen Lyrik nahe
kommt, dessen köstliche Blüthe auf Lesbischem Boden uns mit den
Namen Alkäos und Sappho entgegentritt, zu dessen Schöpfung übrigens schon das vielumfassende Genie des Archilochos einen wirksamen
Anstoß gegeben. Die sinnlich heftige Natur des eben genannten Volksstamms äußert sich besonders im Erotischen, und zwar mit ebensoviel
Grazie und bündiger Plastik, als Kraft und Innigkeit. Nahe damit verwandt ist nun die Melik des Anakreon. Er repräsentirt den Ionischen
Geist, das klare, gewandte, für den feinsten Lebensgenuß empfäng-
liche Wesen in seiner höchsten Durchbildung. Vor Allem ist die Liebe
der Gegenstand des Dichters; deßhalb er auch von den Alten gewöhnlich mit Alkäos und Sappho zusammengestellt wird. Ungleich der
Letzteren jedoch geht er nicht völlig in dieser verzehrenden Leidenschaft auf. Einen großen Theil seiner Gesänge machten gesellige *Trinklieder* aus, Parönia, zu welchen als eine Species die Skolien gehören,
kleine Liedchen, mitunter Impromptus, die je von den Geschicktesten
mit mehrfältiger Variation des nemlichen Themas gesungen wurden.
Die Skolien hatten öfters eine ethische Tendenz, wovon man etwa eine
Spur in Nr. 25 u. 38 findet.

Sehr bezeichnend für Anakreons Individualität ist die Abtheilung
Iamben; eine Versform, die sich zum Ausdruck der verschiedenartig-
sten Stimmungen eignet, insonderheit jedoch der Satire und jeder leb-
haften Polemik dient. Bei unserem Dichter mischt sich ein gesunder
Hauch von Humor wohlthätig mit ein. Begreiflich werden wir bei
einem Freunde des Polykrates und der Peisistratiden auch in dieser
Richtung nichts von dem politischen Eifer eines Alkäos und Archilochos suchen: beleidigte Liebe vielmehr hat ihm seine heftig-
sten Iamben dictirt. Daß er demungeachtet nicht gleichgültig gegen
sein Vaterland war, beweist Fragm. 15 (und 27), wenn das natürlichste Gefühl bei einem Dichter seinesgleichen zweifelhaft sein
könnte. Erwähnt mag hier noch im Vorbeigehn werden, daß die
iambische Poesie von Hause aus dem Ionischen Stamm ange-
hörte, während in der melischen Anakreon sich an die Äolier an-
lehnte.

Von den *Elegieen,* die sich ihrem Inhalte nach, wie es scheint, den geselligen Liedern anschlossen, hat sich nur eine, Nr. 38, von Epigrammen mehreres Ächte neben Fremdem erhalten.

In den *Anakreonteen* ist nun von allen den aufgezählten Dichtungsarten – wenn wir ein ganz elendes Machwerk von Hymnos (EDIT. VULG. 62) ausnehmen – nur die Rubrik des *Lieds* vertreten. Wie sich hierin hinsichtlich des poetischen Gehalts die Sammlung zu den anerkannten Überresten verhält, werden wir sogleich sehen. Der Unterschied ist handgreiflich, am augenfälligsten in der Behandlung des Erotischen.

Was zuvörderst Anakreons Liebe zu schöner männlicher Jugend betrifft, so waren nach den Zeugnissen der Griech. Anthologie (s. oben S. 344) und des Maximos Tyrios (s. Fragm. 20. Anm.) vor allen Bathyllos, Megistes und Smerdies von ihm gefeiert. Der erstere kommt in den Fragm. nicht zum Vorschein, wohl aber der zweite, und Smerdies ist unverkennbar bezeichnet. Außer diesen wird darin noch ein Kleobulos, Leukaspis und Simalos erwähnt. Von Mädchen sodann nennen die Alten Eurypyle öfter als seine Geliebte; in Nr. 10 spricht er selber von ihr. In Nr. 6 erscheint eine Lesbische, in Nr. 39 eine Thrakische Schöne, und Platon (im Theages) weiß von einem Lied auf Kallikrite. In der Liebe war aber der Dichter sehr oft unglücklich. (Δυσέρωτα χέλυν nennt wohl eben in diesem Sinne Leonidas in einem Epigramm die Leier des Anakreon.) Nach den Fragmenten muß man sich ihn immer von Sehnsucht, Hoffnung, Schmerz und eifersüchtigem Groll umhergetrieben denken, und wenn sich auch dieß Alles in der vollständigen Sammlung der Gedichte, so wie im Leben um Vieles anders ausgenommen haben mag, so wird doch jener Eindruck nicht ganz grundlos sein. Bernhardy sagt von der Knabengesellschaft am Samischen Hofe, sie habe dem Dichter den Stoff zu einem künstlichen Spiel in den Formen eifersüchtiger Galanterie geliefert. Wir können dieser Anschauung des geistvollen Historikers nicht unbedingt beitreten. Der in Fragm. 20 berührte Streich des Polykrates traf gewiß die verwundbarste Seite des Dichters, und schwerlich konnte ein solcher Anlaß poetisch leicht oder heiter von ihm behandelt werden. Im Ganzen halten wir diese begeisterten Lieder für das gereinigte Product wirklicher Leidenschaft oder des innigsten Herzensantheils. Jedenfalls aber

Anakreon

und die sogenannten

Anakreontischen Lieder.

Revision und Ergänzung
der J. Fr. Degen'schen Uebersetzung

mit Erklärungen

von

Eduard Mörike.

~~~~~~~~~~~~~~~~

Stuttgart.
Krais & Hoffmann.
1864.

Titelblatt zu »Anakreon und die sogenannten Anakreontischen Lieder«

ist bei ihm alles persönlich, durchaus erlebt, nichts aus dem Blauen hergeholt, kein trivialer Zug.

Ganz anders jene Sammlung. Hier wird von Knaben nur Bathyllos, in fünf Numern, und dann ein Kybebes genannt. Ein Mädchenname findet sich nirgends, kaum daß einigemal (Nr. 31. 21. 3. 25.) von einer bestimmten Person die Rede ist. Statt jener streng unterschiedenen, in die lebendigste Beziehung zum Dichter gesetzten Gestalten schwärmt es nur von einer unbestimmten großen Menge Knaben und Mädchen. Die Glut des Affects ist in ein artiges, leichfertiges Spiel der Sinnlichkeit verwandelt, und diesem ganz entsprechend sinkt Eros selbst, der gebietende Gott, der dort, mehr Jüngling als Knabe, mit Dionysos und den Nymphen auf Bergesgipfeln schweift, der ein ander- mal den Liebenden in fürchterlichen Schlägen die Kraft seines Armes fühlen läßt und ihn aus der Feuerhitze weg in den kalten Wildbach schleudert, nunmehr fast überall zu einem neckischen Knäbchen her- ab. Nur ganz in der Ordnung erscheint es daher, daß der Sammler diese Liebesgedichte unter dem Titel Trinklieder (συμποσιακά) auf- stellte, sofern sie, durchschnittlich aller individuellen Züge baar, dem geselligen Vergnügen dienen sollten.

Bei den eigentlichen Trinkliedern ist eine specifische Verschieden- heit der Anakreonteen und der Fragmente schwerer aufzuzeigen, da der Inhalt fast nur auf das Nächstgelegene, Ermunterung der Freunde, Lob des Weins und seines göttlichen Erzeugers geht; doch bieten die ächten Bruchstücke immerhin einiges Eigenthümliche dar. So gibt sich in Nr. 25, wo der Trinkende seine Genossen von Skythischer Roh- heit abmahnt und ihnen schöne Gesänge beim Becher empfiehlt, die schon erwähnte Mäßigung des Dichters zu erkennen, womit auch die in Nr. 5 ausgedrückte Enthaltsamkeit im Wünschen stimmt. – Die Anakreontea haben bei einer ziemlich bunten Auswahl auf diesem fröhlichen Gebiete doch zugleich wieder eine lästige Eintönigkeit, dazu viel Künstliches, Gesuchtes, das gegen die Natürlichkeit und wahre Naivetät (ἀφέλεια) Anakreons gar sehr absticht. So z.B. Nr. 21. 22. 23. Oft ist der mild kräftige Wein des Dichters in ihnen verdünnt bis zum Unkenntlichen. Wenn sie ihn ferner so gerne als Greis darstellen, so spricht er freilich auch in den Fragmenten mehrmals von seinem Alter, nie aber mit jener Gleichgültigkeit von dem Tode, wie sie uns

dort so häufig aufstößt. Im grellsten Widerspruch damit stünde
Fragm. 37, dessen Ächtheit jedoch nicht ohne Grund in Zweifel gezogen wird. Wie ernsthaft aber klingt sein Nothruf nach dem letztmög-
lichen Ausweg in Fragm. 21!

Hier sei uns eine Bemerkung Welckers einzuschalten erlaubt. Er 5
setzt als natürlich voraus, daß die Lieder der langen späteren und spätesten Lebensperiode, obgleich auch von Wein und Liebe erfüllt, doch
dem Geiste nach von denen aus dem rauschenden Leben in Samos und
Athen sich sehr stark unterschieden. In ihnen, sagt er weiter, mag
der Charakter sanfter Freude und Behaglichkeit eines poetischen 10
Spiels mit der Lust und jener anmuthigen und naiven Unschuld bei
den freiesten Grundsätzen sich entwickelt haben, der diesen Dichter
von allen unterschied und der späterhin wegen der Vorliebe dafür und
vermöge der Nachahmungen aus einer Zeit, welcher die gewaltige
Leidenschaft nicht mehr gemäß und entsprechend war, als alleini- 15
ger Anakreontischer Styl aufgefaßt worden ist. – – Einen Begriff von
dieser Classe geben vorzüglich Fragm. 6, 29, 35 (Anakreont. 26); auch
16, 24, 25 möchten dahin gehören. (Welck. Rhein. Mus. Jahrg. 3.
S. 149f.).

Von dieser Seite allein kannte und malte früherhin Goethe in 20
»Wanderers Sturmlied« den Dichter, zwar nur nach dem unsichern
Bilde der vielbeliebten Sammlung, demungeachtet immer noch wahr
und lieblich genug als den »tändelnden«, »blumenglücklichen Anakreon«.

Die Anakreontea enthalten eine Reihe von Darstellungen, die theils 25
wirkliche oder gedachte Bildwerke zum Gegenstand haben, theils für
sich selbst kleine Gemälde, doch ohne ein wahrhaft persönliches Motiv, ausmachen. Sie sind zierlich und gewissermaßen witzig, stehen
aber eben dadurch unserem Meister und seiner bewegten Lyrik ganz
ferne, wie denn die ganze Art nicht vor der Blüthezeit der Alexandrini- 30
schen Poeten aufkam; ja viele solcher Stücke scheinen nur aus aufge-
lösten Epigrammen in Julians und Justinians Zeitalter entsprungen.
Dazu kommt noch, daß die Malerei, die zu Anakreons Zeit kaum
ihre ersten Anfänge hinter sich hatte und noch ausschließlich bei Göt-
terbildern blieb, nunmehr, nachdem sie aus den Tempeln auch in die 35
Privathäuser eingekehrt war und sich von jenen hohen Gegenständen

dem Menschlichen und Kleinen zugewendet hatte, sehr häufig den Anlaß zu derlei Gedichtchen gab. Uns gemahnen diese kleinen Bilder
durch ihre lebhafte, lachende Farbe, ihre feine und weiche Behandlung, an gewisse rosige Niedlichkeiten der Porcellanmalerei, bei welcher eben wie hier ein schiefer Gedanke, ein Mangel in der Composition oder Zeichnung durch das Bestechende des Colorits für manches
Auge völlig verschwindet.

Überhaupt fürchten wir, daß nach Abzug der wenigen Numern,
deren Ächtheit sich vertheidigen läßt, von den sämmtlichen Anakreonteen nicht Vieles übrig bleiben wird, was einen reinen Geschmack vollkommen befriedigen kann.

Inzwischen sind noch einige ganz wesentliche Punkte in Kürze zu
besprechen. Zunächst der *Dialekt*.

Natürlich war Anakreon als Teïer schon, und weil er sein Leben
zumeist in Ionischen Städten zubrachte, auf die dort herrschende
Mundart angewiesen, deren er sich nach dem Zeugniß der Alten bediente und die vermöge ihrer Weichheit eben seiner Muse vorzüglich
angemessen war. Nun ist man zwar über die verschiedenen Dialekte
und insbesondere über den hier in Frage stehenden, seiner Mehrfältig-
keit und Wandelbarkeit wegen, noch zu wenig im Klaren, als daß die
Kritik von dieser Seite aus überall so leicht entscheiden könnte, was
unserm Dichter zuzuschreiben sei, was nicht. Dessenungeachtet ist aus
seinen unbezweifelt ächten Überresten genugsam zu erkennen, welch
hoher Grad von Reinheit in dieser Hinsicht seiner Schreibart zukommt.
Wenn er allerdings auch Dorisches zuläßt, so geschieht es nur sehr selten, stets auf die mäßigste Weise und dem besondern Charakter, dem
Ernst und der Würde des Inhalts gemäß, nie mit Vermischung beider
Dialekte. Dagegen werden in den Anakreonteen Dorische Formen
höchst willkürlich mit Ionischen vermengt, und wiederum vulgäre,
sogar nur bei spätern Autoren vorkommende, neben epischen gebraucht. Dieß buntscheckige Wesen, das in kleinen Gedichten desto
unangenehmer auffällt, erklärt sich zunächst daher, daß die Dichter zu
einer Zeit, wo man die einzelnen Mundarten längst nicht mehr sprach,
sondern nur noch in zufälligem Durcheinander schrieb, das Ionische
mit etwas Dorischem, des vollern Klanges wegen, gern versetzten.
Sodann ist leicht zu denken, daß solche Liederchen, indem sie an den

verschiedensten Orten, in ganz verschiedenen Perioden, immer gesungen von Mund zu Munde gingen, unmöglich ihre erste Gestalt behalten konnten. Überdieß haben es auch die Bücherabschreiber nicht immer genau mit Einhaltung des Dialekts genommen.

In anderweitiger grammatischer Beziehung kann bei dem kleinen Umfang der ächt Anakreontischen Reste die Vergleichung mit den angefochtenen Liedern zu einem entscheidenden Urtheil über den Ursprung derselben nicht sehr viel thun. Gewisse syntaktische Mängel jedoch, von welchen diese Lieder strotzen, beweisen immerhin genug für die spätere Abfassung der allermeisten.

Die bewundernswürdige Mannigfaltigkeit und Schönheit der *Versmaße* endlich, worin die Poesie der Griechen überhaupt und insbesondere ihre lyrische die andern Nationen alle bei Weitem übertrifft, zeigt sich auf's Glänzendste auch bei Anakreon. Wie die Andern seinesgleichen, hat er sich seine Metra vielfach selbst geschaffen; sie wurden denn auch von den alten Grammatikern nach ihrem Erfinder benannt.

In unserer Auswahl finden sich Beispiele von folgenden Versarten.

I. *Glykonische* (von Anakreon eigenthümlich behandelt): Nr. 1. 2. 3. 4. 5. 6. 7.

II. *Choriambische*: Nr. 8. 9. 10. 11. 12. 13. 14. (Der katalektische choriambische Trimeter – in Fragm. 14 mit iamb. Dipodie statt des ersten Choriambus – wird ausdrücklich als Anakreont. Metrum angegeben.) 15.

III. *Ionische*. (Während die Äolischen Dichter den steigenden Ioniker in ganzer Gestalt festhalten, mildert Anakreon gerne den Vers durch die Anaklasis oder Brechung.) Nr. 16. 17. 18. (letztere Numer mit langer Vorschlagsilbe.) 19. 20. 21. 22. 23. 24. 25. (Der katalekt. Dimeter – 24 und 25 – von den Alten als Anakreontisch bezeichnet.) Hieher würden auch die strittigen Tetrameter Nr. 37 gehören, die aber in der Übersetzung trochäisch behandelt sind.

IV. *Daktylische*: Nr. 26. – 27. 28. (Die beiden letzteren sind logaödisch.)

V. *Trochäische*: Nr. 29 (gewöhnlich als Dimeter eingetheilt und unter diesem Titel dem Anakreon zugeschrieben.) 30. 31. 36.

VI. *Iambische*: Nr. 32. – 33. 34. 35. (Die letzteren Versmaße, akatalekt. und katalekt. Dimeter, dem Anakreon angehörig.)

Betrachten wir nunmehr die *Anakreontea* von Seiten der Metrik. –
Sie sind zum Theil strophisch gebaut und ihr Versmaß ist hauptsächlich ein zweifaches.

I. Der katalekt. *iambische* Dimeter; wie in Nr. 1 und vielen andern
Stücke. Von Anakreon selbst ist nur das oben angeführte Beispiel
Nr. 35 übrig.

II. Der katal. *Ionische* Dimeter mit den Abwechslungen des steigenden Ionikers. Eben hier hat aber der Übersetzer auf die genaue Nachbildung der Originale verzichtet; namentlich sind die beiden kurzen
Silben am Anfang vieler Gedichte mit Trochäen vertauscht worden,
indem es unserer Sprache durchaus an zweisilbigen kurzen Wörtern,
sowie an anapästischen fehlt.

In beiden Hauptversarten erscheinen diese Lieder fast ohne Ausnahme sehr kunstlos, arm und einförmig gegen Anakreons Formen-
reichthum. Sie werden aber außerdem in den spätern Zeiten nach und
nach jeder classischen Regel untreu, da die Herrschaft des Accents aus
der Sprache des täglichen Lebens auch in die der Poesie eindrang, so
daß zuletzt nach keiner Quantität der Silben mehr gefragt wurde. Wir
haben, mit Weglassung einiger Stücke dieser Art, ein Beispiel der geringsten Sorte in Nr. 12 aufgenommen, welches in sogenannten politischen Versen abgefaßt ist, wobei der Dichter blos dafür sorgte, daß
jede Verszeile von acht Silben den Accent immer auf der vorletzten
habe. – Hier ist nun auch noch der Alliteration zu erwähnen. Sie war
wohl den Griechen nie ganz fremd, und auch Anakreon hat sie (z. B.
Bergk Lyr. Nr. 1: *ποιμαίνεις πολιήτας.* Nr. 4: *Ὦ παῖ παρθένιον.* u.s.w.);
doch wandten die guten Schriftsteller, weit entfernt von der spielen-
den Neigung Römischer Poeten, dergleichen mit Bewußtsein gewiß
nur sparsam und gemäß den Sachen an, so daß man bei einem
Gedichte, worin sie öfter erscheint, mit Sicherheit auf seine neuere
Herkunft schließen darf; es wird dann stets aus einer Zeitperiode
stammen, wo man der alten Musik und der alten Rhythmen nicht
mehr gewohnt war und das Ohr jenen Gleichklang der Wörter, besonders an den Versausgängen – was also unserm Reim sehr nahe
kommt – mit Wohlgefallen aufnahm. In den Anakreonteen fehlt
es denn auch nicht an verschiedenen Beispielen dieses Mißbrauchs.
Bei Anakreon selbst erkennen wir in Nr. 2 in den Worten: *Κλευβούλῳ*

δ' ἀγαθὸς γένευ σύμβουλος etwas absichtlich Spielendes, das nicht zu loben sein möchte.

Eine allmälige Entstellung der nicht sowohl abschriftlich, als vielmehr auf dem Wege des Gesangs lebendig fortgepflanzten *Trinklieder* des Anakreon muß schon frühzeitig angefangen haben. Dieß lag in der Natur ihres geselligen Gebrauchs. Man sang bei den Gelagen das eine und das andere ächte Lied, entweder insgesammt oder je nur Einer, der Reihe nach oder außer der Ordnung, je nachdem die Einzelnen sich mehr oder weniger auf die Sache verstanden. Dem einen Sänger war der Text nicht mehr vollkommen gegenwärtig, er ließ davon aus, ergänzte wie der Augenblick es ihm eingab, ein anderer brachte aus dem Stegreif etwas ganz Neues vor, das gefiel und bei Gelegenheit wiederholt wurde, – so kamen zu derselben Zeit eine Masse Lieder von ähnlichem Inhalt und gleichem Versmaße in Umlauf, welche dann später alle auf Rechnung des alten Meisters gesetzt wurden. (Hiezu vergleiche man als Beispiel besonders Nr. 30 nebst der Anm.). Je weiter ab von der Epoche des classischen Vorbilds, desto mehr verschliff und verdunkelte sich seine Eigenthümlichkeit in den Liedern, bis endlich nur die äußerlichste Form und die allgemeinsten Gedanken von ihm übrig blieben.

Von dieser mehr nur zufälligen Reproduction des Dichters unterscheidet sich die Thätigkeit der eigentlichen Nachahmer, die, wie man aus vereinzelten Spuren schließen darf, zu vielen Hunderten im Griechisch-Römischen Reiche aufgeschossen sein müssen. Wir bezeichnen die Epochen dieser Liederdichtung mit Wenigem (nach Teuffel, Pauly R.Enc. 1. Bd. Neue Ausg. S. 944f.).

Ihr ältester Sitz war wohl Alexandria. Nächstdem wurde sie in den christlichen Jahrhunderten zu Constantinopel schwunghaft betrieben, und namentlich aus der Zeit des Julian und des Justinian kennen wir eine Reihe von Namen solcher Dichter. So verfaßten Gregor aus Nazianz, Basilios (s. Nr. 19 und 52 unserer Samml.) und Synesios ganz ähnliche Lieder, theilweise mit christlichem Inhalt. Dann im 6. Jahrh. Johannes aus Gaza, Prokopios, Timotheos, Julianos der Ägypter (s. Nr. 49), die Zeitgenossen der Epigrammatiker Paulus (Silentiarius) und

Agathias. Weiterhin färbte sich diese Fabrication immer byzantinischer.

Die christlichen Dichter bedienten sich der altbeliebten Formen, um die neue Lehre dem Volke desto leichter eingänglich zu machen, meist auf die armseligste Art. Synesios (um's Jahr 403 Christ geworden) will, wie er ankündigt,

> Nach dem Liederspiel des Teïers,
> Nach dem Lesbischen Gesange
> Nun in heiligeren Hymnen

sich erheben, kann aber dabei nicht umhin, Gedanken und Ausdrücke von Anakreon zu borgen. Dasselbe ist der Fall bei Gregor von Nazianz, Maximos Margunios, Sophronios. Der Letztere z.B. gebraucht besonders gerne das in den Anakreonteen so oft vorkommende Tanzen figürlich zu Bezeichnung der innerlichen Freude des Christen.

Also geschah es, daß ein schwacher Nachhall der bakchischen Lust unseres Dichters noch durch die Gesänge ging, die man in Klöstern und Kirchen zum Preise Gottes, Christi und Marias anstimmte.

359

ANAKREON

Fragmente etc.

VERZEICHNISS

Übers.		RELIQU.	LYR.	
Nr.		NR.	NR.	
28	Ich hasse alle	78	74	
29	Thrakisch Füllen	79	75	
30	Hör' mich Alten	80	76	5
31	Schwelgend in des	82	78	
32	Erzeigt euch jenen	85	84	
33	Ich lieb', und liebe doch	89	89	
34	Auch plaudre nicht	90	90	
35	Hat einer Lust	92	92	10
36	Dich zuerst, Aristokleides	EPIGR. 19	114	
37	Grau bereits	41	44	
	Aus den Elegien			
38	Der sei nicht mein Genoß	69	94	
39	Nicht nach der Thrakerin	71	96	15
40	Zum Weintrinker	72	97	
	Epigramme	EPIGR.		
41	Agathon	15	100	
42	Dieß ist Timokritos'	14	101	
43	Pheidolas' wackeres Roß	2	102	20
44	Dir zum Dank	9	103	
45	Vordem weihte Kalliteles	5	104	
46	Gaben, den Göttern	6	105	
47	Semeles Sprößling	7	106	
48	Pythons Schild	8	107	25
49	Die mit dem Thyrsos	1	108	
50	Dieses Gewand	3	109	
51	Du mit dem Silbergeschoß	4	110	
52	Huld und Gedeihn	10	111	
53	Maias Sohn	13	112	30
54	Dir auch wurde	16	113	
55	Weide doch abseits	17	115	
56	Nicht in der Form	18	116	

I

AN ARTEMIS

Flehend nah' ich dir, Jägerin,
Zeus' blondlockige Artemis,
   O Wild-schirmende Göttin!
Komm zum raschen Lethäos nun!
Huldreich wende die Blicke du
Auf hochherziger Männer Stadt:
Denn roh schaltende Bürger nicht
   Sind es, welche du schützest.

2

AN DIONYSOS

Herrscher! der du mit Eros' Macht,
Mit schwarzaugigen Nymphen und
   Ihr, der purpurnen Kypris,
Fröhlich spielest und gern umher
Auf hochgipfligen Bergen schweifst: 5
Auf den Knieen dich fleh' ich an,
Sei mir hold, Dionysos, komm,
   Meinem Wunsche dich neigend.
O sprich du Kleobulos selbst
Zu mit göttlichem Rath, laß dir   10
   Meine Liebe gefallen!

3

Knabe du mit dem Mädchenblick,
Nach dir such' ich, doch hörst du nicht,
Weißt nicht, wie du am Band allwärts
   Meine Seele dir nachziehst.

4

Mond Poseideon ist nun da,
Regenschweres Gewölk umher,
Und bestürmt von der Winde Wuth
   Senkt der Zeus sich zuthale.

5

Nicht das Horn der Amalthia
Möcht' ich haben, noch hundert und
Fünfzig Jahre den Königsthron
   Von Tartessos besitzen.

6

Auf mich werfend den Purpurball
Winkt mir Eros im Goldgelock,
Mit dem farbig beschuhten Kind
Spielend mich zu ergötzen.
Doch sie ist aus der herrlichen
Lesbos, und es mißfällt ihr mein
Graues Haar, denn ein andres gibt's,
Dem sie brünstiglich nachschaut.

7

Vom Dünnkuchen zum Morgenbrot
Erst ein Stückchen mir brach ich;
Trank auch Wein einen Krug dazu;
Und zur zärtlichen Laute
Greif' ich jetzo, dem zartesten
Kind ein Ständchen zu bringen.

8

Vom Leukadischen Fels herab
Stürz' ich mich in die weiß schäumende Meer-Fluth mit dem Brand
der Liebe!

9

Wer doch, der auf so liebliche
Jugend richtet den Sinn, tanzte wohl noch gern nach der armen Flöte?

10

Eurypyle liebt, die blonde, jetzt
Den vielbeleckten Artemon.
....
....
....

Trug er den Woll-Gugel doch einst, jene geschnürte Wespenform,
Hölzernes Ohrwürfel-Gehäng', und um die Rippen zog er sich

367

Ein kahles Ochsenfell, von Schmutz 5
Klebend, ein alt Schildfutteral; und mit der Brodverkäuferin
Trieb er's und mannssüchtigen Weibsstücken, der schlechte Artemon.
Unsauber ganz war sein Erwerb.
Oft in dem Block lag sein Genick, deßgleichen oft im Rad, und oft
Auch mit dem Zuchtriemen gepeitscht ward er, und hundertmal am 10
Schopf
Geschändet und sein Bart berupft.
Jetzo den Prachtwagen besteigt er, und es trägt der Sohn Kyke's
Gold in den Ohr'n, schattendes Dach, zierlich gestielt aus Elfenbein,
Als wie ein Weib . . . .

11

Ha zu dem Olymp stürm' ich hinauf, stracks mit behendem Fittig!
Wie er mich empört – Eros! Von mir wendet sich spröd' mein Knabe.

12

Aber sobald er halbgrau
Schon um das Kinn her mich gesehn, fliegt er mit goldnen Flügeln
Wehend vorbei.

13

Aber ich floh wiederum gleich dem Kukuk,
Warf an des schön fluthenden Stroms Ufern das Schildchen von mir.

14

Von Silber nicht blinkte damals noch Peitho.

15

Mein arm
Heimatlich Land werd' ich denn wiedersehn.

16

Durch die holden Reden feßl' ich wohl der Knaben Herzen an mich;
Wie ich Schönes singe, weiß ich auch zu reden was da schön ist.

17

Zum Genossen dich erwünsch' ich, denn der Sitten Adel schmückt dich.

18

Stets ist des Eros Würfelspiel rasender Wahn und Kriegsgelärm nur.

19

Wie mit Machtstreichen der Schmied, so hämmert' erst mich Eros,
Und im Wildbache nun schreckt er grausend kalt die Glut mir.

20

Deines Haars schmeidige reiche Pracht verschnittest du dir.

21

Daß ich sterben dürfte! Sonst ist ja doch nicht Rath
Noch Erlösung aus dem Drangsal für mich mehr da.

22

Wie das Rehlein, das noch still begnügt die Milch saugt,
Wenn die horntragende Mutter nun sich abseits
In dem Walddunkel verlief, mit Bangen umblickt.

23

Du bist ja gastlich, – einen Trunk, Kind, für den Durst reichst du wohl mir.

24

Ha nach Wasser geh', nach Wein, Bursch!
Und nach Blumenkränzen sieh mir
Nur geschwind! Denn jetzt beginn' ich
Mit dem Eros einen Faustkampf.

25

Den Pokal, mein Sohn! Ein Trunk soll
Mir gedeihn, ein voller! doch nimm
Nur den Becher Wassers zehnfach

Und vom Lautern schöpfe fünfmal.
Denn nicht überkühn und maßlos 5
Mit dem Gott zu schwärmen denk' ich.

*

Nicht den wilden Lärm fortan! nicht
Wie der Skythe sich des Weins freut –
Unter süßen Liedern, sinnvoll,
Nur so sachte schlürfen wir ihn. 10

26

Alexis

Hat noch Freiersgelüste, der Kahlkopf.

27

Aber beraubt ist die Stadt nun ihres Kranzes.

28

Ich hasse alle
Jene versteckten Gemüther, die so unhold
Sind und so schwierig; in dir, Megistes, fand ich
Eines der kindlichen Herzen.

29

Thrakisch Füllen, warum wirfst du doch auf mich so schräge Blicke?
Grausam fliehst du mich, du traust mir wohl des Klugen wenig zu?

Aber wisse nur, ich wollte dich auf's allerbeste zäumen,
Und dich fest im Zügel haltend lenken um das Ziel der Bahn.

Jetzt noch weidest du im Grünen, spielst umher in leichten Sprüngen, 5
Denn es mangelt noch ein Reiter, der der Schule kundig ist.

30

Hör' mich Alten, schönbehaartes Mädchen du im Goldgewande!

31

Schwelgend in des dunkeln Lorbeers Schatten und des heitern Ölbaums.

32

Erzeigt euch jenen angenehmen Gästen gleich,
Die Dach und Fach und Feuer brauchen, weiter nichts.

33

Ich lieb', und liebe doch auch nicht,
Verrückt bin ich, und nicht verrückt.

34

Auch plaudre nicht, der Welle gleich
Des Meeres, mit der trätschenden
Frau Gastrodore, allezeit
Den vollen Hauspokal am Mund.

35

Hat Einer Lust zu kämpfen,
Der kämpfe meinetwegen!

36

Dich zuerst, Aristokleides, klag' ich aus der Freunde Zahl:
Um des Vaterlandes Freiheit in der Blüthe gingst du hin.

37

Grau bereits sind meine Schläfe, und das Haupt ist weiß geworden,
Hin, dahin die holde Jugend; schon gealtert sind die Zähne.

Von dem süßen Leben ist mir nur ein Restchen Zeit noch übrig.
Oft mit Thränen dieß bejammr' ich, vor dem Tartaros erbebend.

5   Denn entsetzlich ist des Hades Tiefe, leidvoll seine Straße,
Offen stets der Stieg, hinunter, nimmermehr herauf zu gehen.

AUS DEN ELEGIEN

38

Der sei nicht mein Genoß, der mir zum Weine beim vollen
  Becher von Fehden erzählt und von dem leidigen Krieg;
Vielmehr der in geselligem Frohsinn gerne der Musen
  Und Aphrodites holdseliger Gaben gedenkt.

39

Nicht nach der Thrakerin mehr neigt sich verlangend mein Herz.

40

Zum Weintrinker gemacht bin ich.

EPIGRAMME

41

Agathon, der für Abdera starb, den gewaltigen, klaget
    Neben dem Scheitergerüst laut die versammelte Stadt;
Denn aus der Jünglinge Zahl ward nimmer ein gleicher durch Ares'
    Gierige Hände gefällt in dem Gewühle der Schlacht.

42

Dieß ist Timokritos' Mal. Ein Mann war er in der Feldschlacht;
    Doch nicht die Trefflichen schont Ares, die Feiglinge wohl.

43

Pheidolas' wackeres Roß, aus Korinthos' Gefilden, das schnelle,
    Stehe, des Siegs Denkmal, hier dem Kroniden geweiht.

44

Dir zum Dank, Dionysos, der Stadt zum glänzenden Schmucke
    Stellt Echekratidas mich, Führer der Thessaler, auf.

45

Vordem weihte Kalliteles mich; nun stellten die Enkel
    Solchergestalt mich auf. Ihrer gedenke mit Dank.

46

Gaben, den Göttern geweiht von Praxagoras, Sohn des Lykäos,
    Stehen wir hier, und es schuf uns Anaxagoras' Hand.

47

Semeles Sprößling, dem Kranzschmuckliebenden, Dieß von Melanthos,
    Areïphilos' Sohn, Sieger im Chore, geschenkt.

48

Pythons Schild hängt hier in Athenes Tempel, dieweil er
  Aus dem Getümmel des Kriegs glücklich den Kämpfer gebracht.

49

Die mit dem Thyrsos ist Helikonias, welcher zur Seite
  Geht Xanthippe, sodann Glauke. Sie schreiten im Tanz,
Von dem Gebirg herkommend, und bringen Geschenke für Bakchos,
  Epheu, Trauben, dazu diese gewichtige Gais.

50

Dieses Gewand, Prexidike hat es gemacht, von Dyseris
  Ist die Erfindung; gleich theilen sie Kunst und Geschmack.

51

Du mit dem Silbergeschoß sei huldreich Äschylos' Sohne,
  Naukrates, und mit Gunst nimm, was er fromm dir gelobt.

52

Huld und Gedeihn vom Olympischen Boten erfleh' für Timonax,
  Welcher den heiteren Hof schmückte durch mich für den Gott,
Der hier waltet, Hermeias. So viele begehren zur Halle,
  Fremde, wie Söhne der Stadt, heiß' ich willkommen bei mir.

53

Maia's Sohn, du verleihe dem Tellias glückliche Tage,
  Gnädig der Gaben gedenk, die er zum Schmuck dir gebracht.
Laß ihn auch bei seinen Euonymiäern, den wackern
  Freunden von Recht und Gesetz, lange des Lebens sich freun.

54

Dir auch wurde, Kleanorides, Sehnsucht nach der Heimat
  Tödtlich; dich schreckte der Süd nimmer, der winterlich stürmt.
So fing dich die betrügliche Jahrszeit ein, und strömend
  Spülten die Wogen den Reiz lieblicher Jugend hinweg.

55

Weide doch abseits weiter die Heerde da, Hirt, daß du Myrons
Kuh nicht etwa hinaus treibst mit der lebenden Schaar!

56

Nicht in der Form ist gegossen die Kuh hier, sondern vor Alter
Ward sie zu Erz, Myron prahlt; sie ist nimmer sein Werk.

ANMERKUNGEN

1

Das Stück ist ein Ganzes, nicht etwa nur Anfang eines größeren Hymnus.

V. 4. *Lethäos*, ein Fluß Kariens, der unterhalb der Stadt Magnesia in den Mäander fällt. Arundell beschreibt den nördlichen Nebenfluß des Mäander, den er für den Lethäos hält, als einen in felsigem Bette mit unzähligen Kaskaden dahinrauschenden Fluß. – Magnesia, wahrscheinlich das heutige Inekbazar, hatte einen herrlichen Artemistempel, dessen Trümmer man dort noch sieht. Das Lied selber war wohl zu einem bevorstehenden Feste der Magnesier bestimmt.

2

Ohne Zweifel nicht blos Fragment, sondern abgeschlossenes Lied. – Die Gunst des *Kleobulos* zu gewinnen, ruft der Dichter den Dionysos um Hülfe an, in demselben Sinne, wie Athenäos, der Grammatiker, sagt: der Wein scheint eine Freundschaft-stiftende Kraft zu haben, indem er die Seele erwärmt und erheitert.

Kleobulos war ein schöner Knabe oder Jüngling am Hofe des Polykrates, Tyrannen von Samos. Maximos Tyrios (DAVIS. ED. MAJ. XXVII, P. 321) erzählt eine Anekdote aus dem Jugendleben unseres Dichters, wonach etwas Verhängnißvolles bei seiner Liebe zu diesem Knaben gewesen wäre. Im Panionion, dem Versammlungsorte der verbündeten ionischen Städte, eigentlich einem heiligen Hain am nördlichen Abhange des Vorgebirges Mykale, wo große Feste zu Ehren des Poseidon gefeiert wurden, begegnete Anakreon, mit einem Kranze auf dem Haupt und berauscht, einer Amme, die ein Kind trug; unvorsätzlich stieß er dieselbe sammt dem letztern übel an und warf dem Kleinen überdieß ein Schmähwort zu, worauf die Amme, ohne sich weiter gegen ihn aufzulassen, nur den Wunsch aussprach, es möge dermaleinst geschehen, daß dieser Übermüthige den Knaben, den er so sehr verunglimpft, mit Lobpreisungen überhäufen müsse; welche Bitte denn auch Eros erfüllte, wie so manches Lied Anakreons bezeugt.

V. 1–5. Vgl. Sophokl. König Ödip. V. 1098.

V. 1. *mit Eros' Macht* (mit dem Bändiger Eros). Nach einer neueren Erklärung könnte δαμάλης auch sehr wohl *der Jugendliche* heißen. Eros ist jedenfalls hier und überhaupt bei Anakr. der werdende Jüngling, wie die Griech. Kunst in ihrer Blüthezeit den Gott auffaßte, dessen Ideal Praxiteles in seinem Eros von Thespiä festgestellt hat (ἐν ὥρᾳ ὤν, »in dem Lebensalter, wo der Funke der Liebe in dem jungen Herzen aufzugehen und ein schwärmerisches Sehnen zuerst die ahnende

Seele zu durchziehen beginnt«). Dieser Begriff ist namentlich im Gegensatz zu den spätern Anakreonteen hervorzuheben.

V. 3. *Der purpurnen,* vom Gewande gesagt.

3

Vermuthlich, wie die vorige Numer, dem Kleobulos geltend, an dem der Dichter (nach Maximos Tyr. XXIV, p. 297) besonders die Schönheit der Augen pries.

4

Wahrscheinlich der Anfang eines geselligen Lieds, worin zum Trinken aufgefordert wird.

V. 1. *Poseideon* (Posideïon), der December. Vgl. die Nachahmung bei Horaz, Epod. XIII, 1.

5

V. 1. *Amalthea,* nach der Kretischen Zeus-Sage der Name einer Ziege, welche den Zeus als Kind auf der Insel Kreta säugte; nach der gewöhnlichen Griech. Sage eine Nymphe, die ihn die Milch der Ziege saugen ließ. Ein abgebrochenes Horn derselben schenkte Zeus den Töchtern des Kretischen Königs Melisseus und legte solchen Segen darein, daß sie Alles, was sie nur wünschten, in ihm finden sollten; daher das berühmte Horn des Überflusses.

V. 2ff. Arganthonios, älterer Zeitgenosse des Anakreon, König von *Tartessos,* unweit dem heutigen Cadix, wurde nach Herodot 120 Jahre alt. Anakr. läßt ihn – vielleicht, wie Thudichum bemerkt, mit launiger Übertreibung – sogar 150 J. regieren.

6

V. 1. *Den Purpurball,* Spielball; hier von gleicher Bedeutung wie der Apfel, welcher der Aphrodite heilig und Sinnbild der Liebe war. Sich Äpfel schenken, mit Äpfeln werfen, Äpfel mit einander essen, war eine Liebesbezeugung. Vgl. z. B. Theokrit, Id. V, 88. Hier ist es nun Eros selbst, welcher den Dichter reizte, mit dem Mädchen anzuknüpfen. In einem Epigramm von Meleager (ANTH. PAL. V, 214) wird ein zweiter Liebesgott, der jenem nah verwandte Pothos (das Verlangen), als Mitspieler eingeführt.

> Eros, den ich da hege, der Ballspielkundige Knabe,
> Wirft mein bebendes Herz, Heliodora, dir zu.
> Und nun nimm du den Pothos: er werfe mir deines entgegen!
> Wirfst du mich weg – weh mir über dem grausamen Spiel!

V. 5–6. *Lesbos,* die bekannte Insel im Ägäischen Meer, Vaterland der Sappho. – *Doch sie ist* u. s. w. Sie hatte wohl den neckischen Muthwillen, den selbstbewußten

Stolz, der die Lesbierinnen in Folge der freieren Stellung des weiblichen Geschlechts bei den Äoliern auszeichnete und der namentlich den Ioniern auffiel, bei denen die Freigeborene nur als Hetäre die engen Schranken durchbrechen konnte, in welche die conventionelle Sitte die Frauen bannte.

Eine alte, lang geglaubte, den Poeten besonders willkommene Sage weiß von 5
einer Liebe Anakreons zur Sappho, und so wurde denn auch schon frühzeitig Nr. 6
dahin gedeutet, als wären die Verse an die berühmte Dichterin gerichtet. Er war jedoch, als diese in der Blüthe ihrer Jahre stand, noch viel zu jung. Athenäos (XIII, C. 72), bei Gelegenheit, wo er diese Verse citirt und jenes Märchen widerlegt, führt eine andere Strophe an, welche Sappho ihrerseits ihm zur Antwort gegeben 10
haben soll, deren Unächtheit jedoch offenbar sei (s. Bergk LYR. GR. P. 673; nach Thudichums Übers.):

> Jenen Hymnos, goldenbethronte Muse,
> Lehrtest du, den her von dem Frauenschönen
> Edlen Land der Teïer süß der würd'ge 15
> Alte gesungen.

7

V. 1. Ein dünnes, leicht zu brechendes Gebäck aus Honig und Sesam, wie es namentlich in dem durch seine feinen Kuchen berühmten Samos bereitet wurde.

V. 4. *Laute*, eigentlich Pektis, eine kunstreichere Art von Lyra, mit zwanzig Sai- 20
ten, wie das Barbiton, das die regelmäßige Begleitung des Gesangs bei Anakr. ist (s. Pauly Real-Encycl. 2. Ausg. 1. S. 943).

8

Unglücklich Liebende pflegten vom Leukadischen Fels – auf der Südspitze von Leukadia, einer Insel des Ionischen Meers, heute Santa Maura – herabzusprin- 25
gen, weil dieß von Liebespein befreien sollte. Der Sage nach hätte Sappho bei diesem Heilungsversuch den Tod gefunden.

9

Flöte, eigentlich halbgelöcherte Flöten (αὐλοὶ ἡμίοποι), im Unterschied von den vollständigen, weil sie nur die Hälfte Löcher hatten: eine kurze Art Clarinette. – 30
Bergk vermuthet, das Fragment betreffe jenes Wunder von Knabenschönheit, den Bathyllos, der am Hofe des Polykrates lebte und, wie aus einer Stelle des Maxim. Tyr. hervorgeht, als Flötenspieler Dienste that. Der Dichter würde also hier sagen: über der Schönheit des Flötenspielers vergesse man billig des Tanzes. Nach der Schilderung, die Apulejus von der in dem prächtigen Heratempel zu 35
Samos aufgestellten Bildsäule des Bathyllos macht, spielte derselbe aber auch die Kithara, ein Griffbrett-Instrument. – Vielleicht wird in unserm Fragm. das Prä-

378

dicat der Flöte τέρην zu ihrem Nachtheil, wegen ihres dünnen Tons, gebraucht. Wenn Kritias (Dichter) den Anakr. einen Feind der Flöte und Freund des Barbiton (αὐλῶν ἀντίπαλον, φιλοβάρβιτον) nennt, so gilt freilich Ersteres zunächst wohl nur der starktönenden Clarinette. In keinem Fall wird unser Ausdruck *arm* für
5   τέρην sehr gefehlt sein.

Die Schilderung des gedachten Bildwerks bei Apulejus (FLORIDA II, 15. Ausg. v. Hildebrand) hat allgemeines Interesse, deßhalb sie hier folgt: – – »Auch steht vor dem Altare die von dem Tyrannen Polykrates geweihte Statue des Bathyllos. Sie ist so vollendet in der Ausführung, daß ich etwas Vortrefflicheres nicht gesehen
10   zu haben glaube. Irrigerweise wird sie von Einigen für ein Bild des Pythagoras gehalten. Es ist ein Jüngling von sehenswerther Schönheit. Das Haar ist vorne gleich gescheitelt und über die Wange zurückgestrichen, nach hinten aber fällt es reichlicher bis an das Ende der Schulterblätter herab, den Nacken beschattend, der zwischendurch scheint. Der Nacken saftig voll, der untere Theil des Angesichts
15   schwellend; die Wangen unter den Augen etwas herausgewölbt, mitten im Kinn ein Grübchen. Die Haltung ist ganz die eines Kitharspielers. Er richtet, wie im Gesange begriffen, den Blick auf die Göttin. Die Tunica mit bunter Stickerei und Griechischem Gürtel fällt bis den Füßen herunter; mit der Chlamys hat er beide Arme bis an das Handgelenke verhüllt; das Übrige hängt in schönen Falten
20   nieder. Die Kithar wird von einem Gurt mit halberhobener Arbeit straff gehalten. Seine Hände sind zart, länglich; die linke, deren Finger auseinander stehen, greift die Saiten; die rechte führt mit der entsprechenden Gebärde das Plektron gegen das Instrument, wie bereit zum Anschlagen, sobald die Stimme aussetzt; inzwischen scheint der Gesang noch aus dem rundlichen Munde, den eben halb geöff-
25   neten Lippen hervorzuquellen. Diese Statue stellt einen von Polykrates' Lieblingen dar, der zu Ehren der Freundschaft (den Teïer Anakreon?) singt«.

Bathyllos wurde häufig von Anakreon besungen, was außer Horaz, Epod. XIV, 9, verschiedene Epigramme der Griech. Anthologie beweisen; vgl. unten zu Nr. 20.

30   10

Artemon, ein elender Mensch von gemeiner Herkunft, der aus den ärmlichsten Verhältnissen heraus zum reichen Manne geworden war und sich die Gunst eines schönen Mädchens zu verschaffen wußte, welches der Dichter liebte, wird hiemit von ihm auf eine völlig vernichtende Weise gezüchtigt. Im Einzelnen gehen die
35   Ansichten der Erklärer des merkwürdigen Stücks weit auseinander.

V. 1. *Eurypyle.* Es wird derselben auch in der Griech. Anthologie gedacht; s. unten zu Nr. 20.

V. 2. Buchstäblich: den umhergetragenen Artemon (ὁ περιφόρητος Ἀρτ.). Bergk nimmt das Beiwort in der Bedeutung von berüchtigt.

40   V. 3. *Den Woll-Gugel*: βερβέριον, ein sonst nirgends vorkommender Ausdruck. Einige verstehen darunter ein schlechtes, für die niedrigste Volksklasse bezeichnendes Kleidungsstück, welches mit einem Strick um den Leib enge zu-

sammengezogen wurde. Schömann (in einem akadem. Programm, Greifswald 1835, wovon wir leider nicht selbst Einsicht nehmen konnten) hält βερβέριον für ein fremdes Wort, womit eine Art von Kopfbedeckung, Hut oder Mitra, gemeint sei, dergleichen bei gewissen Asiaten oder den Thrakiern in der Nachbarschaft von Abdera im Gebrauch, und deren oberer Theil ganz enge zusammengeschnürt gewesen sein möge. Für eine Kopfbedeckung spricht außerdem, daß κάλυμμα, wie καλύπτρα, für sich schon einen Kopfschmuck oder ein Kopftuch der Frauen bedeutet, auch die natürliche Folge in Aufzählung der verschiedenen Theile des Anzugs. Mit dem Kleid oder Gürtel angefangen, konnte von da nicht füglich zum Ohr und dann wieder auf ein Gewandstück zurückgegangen werden. Das alte *Gugel* (CUCULUS) – spitze Kappe –, in willkürlicher Zusammensetzung mit dem andern Wort, gibt immer halbwegs eine Vorstellung.

V. 4. Die Armen hatten als Ohrgehänge Würfelchen aus Holz, statt der Juwelen. Bei Asiatischen Völkern trugen auch die Männer einen Ohrenschmuck.

V. 5 f. Lederne Bekleidung war da und dort im Orient, z. B. bei den Persern, gebräuchlich. – Im Griech. steht: νήπλυτον εἴλυμα κακῆς ἀσπίδος, und nach Thudichum würde Artemon hier mit einem schlechten Schild in verschmutzter Überdecke verglichen. Hienach könnte der Text etwa lauten:

> Ein kahles Ochsenfell, ein recht
> Schmutzfutteral über dieß Schild!

V. 6. Die Bäckerinnen waren wegen Frechheit und Liederlichkeit sehr verrufen.

V. 9. Der *Block*, ein Strafwerkzeug mit Öffnungen, worein man den Übelthätern, namentlich Sklaven, Hals und Füße steckte. Auf diese Art wurden insbesondere diejenigen gepeitscht, welche im Handel betrogen. – Auch band man die Verbrecher zur Folter auf ein *Rad*. Eine andere Anstalt, an die man hier dachte, war das PETAURUM für Gaukler (Petronius, Satiren, Cap. 53. 60.), ein hölzernes Gerüst mit einem freistehenden, schwingbaren Rad, auf welches sich Gaukler zu zwei legten, so daß der eine es abwärts zu schieben, der andere es oben zu erhalten suchte; siegte jener, so wurde dieser in die Luft geschleudert, wobei es Gelegenheit gab, kunstreiche Sprünge und Purzelbäume, auch mit Hindernissen, anzubringen.

Schömann und mit ihm Schneidewin verstehen V. 8 einfach von betrügerischem Erwerb, und das Folgende von den vorhin bezeichneten Strafwerkzeugen.

V. 12. *Kyke*, seine Mutter; verächtlicher Seitenblick auf seine Herkunft.

Der Ansicht Casaubons, wonach Artemon ein ehemaliger Sklave gewesen wäre, setzte schon Samuel Petit, ein älterer Ausleger, die andere, von Welcker angenommene entgegen, daß er ein Liederlicher von Gewerbe gewesen, der sich für Geld hingab und früher nebenher Kunststücke machte. Als solcher Weichling trug er weiblichen Schmuck.

Die nähere Erklärung Welckers ist so bedeutend jedenfalls, daß sie im Wesentlichen wörtlich hier gegeben werden muß. – Den Wagen, sagt er, auf welchem

Artemon einherfuhr, darf man sich wohl nicht als seinen eigenen denken, sondern als den eines reichen Liebhabers, den er jetzt gefunden hatte. Dieser Stand ist durch das berühmt gewordene ὁ περιφόρητος Ἀρτ. ausgedrückt. Nach Plinius (HIST. NAT. XXXIV, 55) machte Polyklet einen Herakles Ageter, der die Waffen ergreift, und einen Artemon Periphoretos. Gewiß war letzterer ein Charakterbild, welchem der Künstler nach einem berüchtigten Individuum dieses Charakters einen Namen beilegte, und die Statue hieß nach der bezeichneten Eigenschaft ohne Zweifel der *liederliche* Artemon. So erhalten wir in diesen Statuen nochmals ungefähr dieselben Gegenstücke, welche Polyklet, mit Bezug auf den gleichnami-gen Sophisten Prodikos, als Repräsentanten der männlichen Tugend und der Ver-weichlichung in dem DIADUMENOS MOLLITER JUVENIS und in dem DORYPHORUS VIRILITER PUER dargestellt hatte, nur im Alter etwas verschieden*. Denn der Herakles Ageter war eben der Kriegsmann als Herakles, oder Herakles soldatisch, als Urbild des Kriegsmanns. Dieser hielt die Waffen in der Hand, Artemon aber vermuthlich den Sonnenschirm, natürlich unaufgespannt, und trug Ohrgehänge dazu, wodurch die Figur sich als der Anakreontische Art. sogleich zu erkennen gab. Daß dieser durch das Lied bekannt genug und zum Charakternamen ge-schickt geworden war, beweist die Anspielung des Aristophanes in den Acharnern (V. 850), wo er von einem Musiker mit buhlerischem, oder, wie der Scholiast auch behauptet, kinädischem Haarschnitte sagt:

> *Κρατῖνος ἀεὶ κεκαρμένος μοιχὸν μιᾷ μαχαίρᾳ,*
> *Ὁ παμπόνηρος* (Bergk: *περιπόνηρος*) *Ἀρτέμων.*

(Kratinos, allezeit nach Art des Weichlings glattgeschoren,
Der Laster-Ausbund Artemon.)

Nach der Bemerkung des Scholiasten wurde Artemon mit seinem Beinamen sprichwörtlich gebraucht von einem schönen Knaben, um den sich Alles reißt. Dieß ist, fährt Welcker fort, die richtige Erklärung; es ist der *herumgerissene*, von einer Hand in die andere gegangene. Die frühere Lebensart desselben bezeichnet vortrefflich das κίβδηλον εὑρίσκων βίον (V. 8), das auf einen Sklaven nicht paßt; ebenso wenig paßt der freie Umgang mit der schlechten Gesellschaft, was Sam. Petit mit allem Grunde geltend machte, indem er zugleich bemerkte, daß Athenäos (XII, C. 46, wo er das Gedicht anführt) nur von Armuth spricht, aus wel-cher Artemon zu Reichthum emporgekommen sei, und daß diesen ein Sklave sich nicht erwerben konnte. Auch die Peitsche läßt uns hier keineswegs an einen Sklaven denken, da man nicht den Sklaven auch Haar und Bart ausraufte; bei den Händeln um den herumgerissenen Jungen und mit ihm ist dieß an seinem Platz und die Prügel dazu. V. 9: »Oft in dem Block – Rad« geht auf die Künste eines

---

* Brunn, Gesch. der Griech. Künstler I. Th. S. 228 bezeichnet den DIADUM. MOLL. JUV. als einen Jüngling von mehr weichen Formen, wie er sich die Binde (TAENIA, Siegerbinde) um das Haupt legt; den Doryph. VIR. PUER als kräftigen, mannhaften Knaben mit dem Speer. Nach Welcker (Kl. Schr. 2. Th. S. 482) ist der erstere ein verdorbener Jüngling mit einer Liebes-Tänia.

gemietheten Knaben in Stellungen und Bewegungen, wie der Giton des Encolpius bei Petron welche mit dem Scheermesser macht, nur von anderer Art.

Der Mechaniker Artemon, Zeitgenosse des Aristides, welcher lahm war und sich daher auf einem Tragstuhl zu den Werken, die er ausführte, herumtragen ließ – s. Plutarchs Perikles C. 27 – wurde offenbar mit einem Doppelsinn oder einer scherzhaften Anspielung auf den andern auch Periphoretos genannt. Was aber Heraklides Pontikos bei Plutarch von dem Tragbette unseres Artemon, von seiner Furchtsamkeit u.s.w. Seltsames beibringt, trifft gar nicht zu. – So viel aus dem Rhein. Mus. 1835, Jahrg. 3. S. 154 ff.

Brunn, Gesch. d. Griech. Künstl. 1. Th. S. 227, bezweifelt die Welckersche Deutung des Artem. Periph. in Bezug auf die Statue des Polyklet, indem er sagt: Abgesehen von der Zusammenstellung des Herakles mit Art., für welche, da Beide bestimmte Persönlichkeiten sind, jener abstracte Gegensatz kein hinlängliches Motiv zu gewähren scheint, ist eine Darstellung des Art. in der vorausgesetzten Weise mit dem an Polyklet gerühmten und durch seine Werke bestätigten DECOR (dem ernsten, ehrbaren Anstand) schwer in Einklang zu bringen.

Was unsern deutschen Text betrifft, so schließt er sich Welckers Erklärung nur theilweise an; besonders geben wir den Versen 10 f. eine andere Bedeutung. Das Wort ἐκτίλλω nämlich erinnert ganz zunächst an παρατίλλω, παρατιλμός, welches der stehende Ausdruck für das am ertappten Ehebrecher als Strafe vollzogene Ausrupfen der Haare am Leibe, also auch des Bartes, ist. Da nun jener μοιχός in der gedachten Stelle des Aristophanes eine besondere Art von Haarschnitt ist (vielleicht eine Art von Glatze), die ebenfalls bei Ehebruch als Strafe angewendet wurde, so liegt die Annahme sehr nahe, daß der komische Dichter eben durch dieß Gemeinsame der Haarschändung darauf gekommen ist, den Kratinos mit dem Artemon des Anakreon zusammenzustellen, der für einen ertappten und bestraften Ehebrecher typisch geworden war.

II

V. 2. Statt der gewöhnlichen Lesart διὰ τὸν ἔρωτ᾽ – wegen der Liebe – schreibt Bergk δ. τ. Ἔρωτ᾽: wegen Eros. Nach dieser Auffassung ist Anakr. über den Eros entrüstet, dem er schuld gibt, daß der Knabe sich ihm entziehe (nach dem Text wörtlich »er will nicht mit mir schäkern«), deßhalb er jetzt den Gott selbst im Olymp zu strafen Miene macht. Nach einer Stelle in Julians Briefen (EP. XVIII.), wo offenbar von unserem Stück die Rede ist, scheint das unholde Benehmen des Geliebten mit einem schnöden Vorwurf gegen Anakr. verbunden gewesen zu sein; vielleicht daß er ihm, wie jene Lesbierin, Fragm. 6, sein Alter vorrückte. Wie viel der Dichter sich selbst gegen die Götter erlaubte, zeigt allerdings eine andere, von Bergk beigebrachte Stelle aus den Reden des Himerios (OR. XVI.), wonach er, durch die Gleichgültigkeit eines schönen Jünglings gekränkt, in einem seiner Gedichte den Eroten droht, er werde, wofern sie denselben nicht auf der Stelle zu seinen Gunsten verwundeten, nie mehr ein Lied zu ihrem Lobe anstimmen. –

Thudichum nimmt unser Bruchstück in allgemeinerem Sinne und gibt ihm die
Überschrift: »In alle Lüfte«.

Bemerkenswerth ist noch, daß Aristophanes in den Vögeln, V.1372, die erste
Zeile dieses Fragments dem poetisch gespreizten Kinesias als Reminiscenz in den
Mund legt.

12

Natürlich von Eros gesagt.

13

V.1. Der *Kukuk* ist bei seiner scheuen Art und seinem raschen Flug sehr schwer
zu fangen. – Vielleicht, sagt Bergk, blieb Anakr. dem Kriegsdienste nicht ganz
fremd, und was wir hier lesen, mochte er wohl von sich selber aussagen. Das Weg-
werfen oder Verlieren des Schilds konnte begreiflich nicht unter allen Umständen
zum Schimpfe gereichen. Zwei andere Griech. Dichter, Archilochos und Alkäos,
unter den Römern Horatius, bekannten ein Gleiches von sich.

14

Peitho, bei den Römern Suada oder Suadela, eigentlich die Göttin der Überredung, zugleich aber jedes sanft einnehmenden Reizes. Gewöhnlich erscheint sie
wie die Eroten, Chariten, Horen, in der Umgebung Aphrodites, welche auch wohl
für ihre Mutter galt; hin und wieder kommt sie als eigene Göttin vor, oder zählt
man sie zu den Chariten. – Das Fragm. bezieht sich auf die Liebe, die vordem nicht
käuflich gewesen. Mit Unrecht wird es in Parallele zu der von Pindar im zweiten
Isthmischen Siegesgesang V. 6 angestimmten Klage gesetzt und namentlich auf
die von den Alten öfter erwähnte Habsucht des Simonides aus Keos gedeutet, der
als berühmter Dichter bei dem Tyrannen Hipparchos in Athen verweilte und
sich seine Kunst theuer bezahlen ließ.

15

Mein arm u.s.w. – wegen der vielen Drangsale, welche Teos unter der Persischen Herrschaft erlitten hatte. Anakr. schrieb das Gedicht vielleicht bei seiner Ab-
reise von Athen nach Hipparchs Ermordung.

18

Nach einer auch sonst bei den Alten nicht unbekannten Vorstellung spielt
Eros zur Kurzweil mit Würfeln. Bei Apollonios dem Rhodier, einem Alexandri-
nischen Dichter, findet ihn Aphrodite im Olymp über dieser Unterhaltung mit
Ganymedes.

19

Bergk hält diese Verse für den Anfang des Gedichts, aus dem das folgende Fragment (20) genommen ist.

20

Das Stück war an den Smerdis oder Smerdies gerichtet, einen Thrakischen (Kikonischen) Jüngling von außerordentlicher Schönheit, der dem Polykrates zum Geschenk gemacht wurde und diesen ganz bezauberte. Vor Allem wurden seine Haare bewundert. Anakreon, der ihn nicht weniger, jedoch in reinerem Sinn als jener, liebte, besang ihn und erfreute sich der achtungsvollen Zuneigung desselben, erregte aber dadurch die Eifersucht des Fürsten. Um den Dichter zu kränken und ihm den Anblick des Geliebten zu verleiden, ließ er diesem das herrliche Haar abschneiden, worüber denn Anakr. den größten Schmerz empfand, auch sein Gefühl auf's bitterste in einem Gedicht aussprach; doch war er besonnen und fein genug, nicht ihn, der diesen grausamen Befehl gab, anzuklagen; er that vielmehr, als hätte der Jüngling selbst so muthwillig an sich gefrevelt. (Maxim. Tyr. XXVI, p. 309. Athen. XII, 57. Älian Verm. Erzähl. IX, 4.).

In mehreren Epigrammen der Anthologie wird Smerdis erwähnt; z.B. in dem folgenden von Dioskorides (ANTH. PAL. VII, 31), in Jacobs' Übers. mit der Überschrift: Anakreon in der Unterwelt.

> Du zum innersten Mark des Gebeins durchglüht von dem Thraker
> Smerdies, Führer im Reihn nächtlichen Festes, o Greis,
> Fröhlicher Musengenoß, o Anakreon, der du Bathyllen
> Oft beim vollen Pokal Thränen der Liebe geweiht!
> Möge die Erde von selbst aufsprudelnde Bäche des Weinmosts
> Spenden, und Nektar dir strömen aus himmlischem Quell!
> Veilchen auch, duftende Blumen der Abende, mögen von selbst dir
> Aufblühn; Myrten dir auch sprießen, vom Thaue genährt.
> Trunken des Nektars feierst du dann, in Eurypylens Arme
> Sinkend, den zierlichen Tanz auch in Persephonens Reich.

22

Die horntragende M. Die Dichter geben dem weiblichen Hirsch oder Reh unbedenklich das Geweih, obschon in Wirklichkeit das Weibchen ein solches nur als seltene Ausnahme hat.

Horaz, Od. I, 23, hatte vermuthlich diese Stelle vor Augen.

24

V. 4–5. Nach der Lesart ὡς δὴ (für ὡς μὴ) πρ. Ἔρ. πυκταλίζω. – Die gleiche Vorstellung in Sophokl. Trach. V. 441 f., wo ein Thor heißt wer dem Eros nach Weise des Faustkämpfers sich entgegenstelle.

25

V. 3. Die Griechen tranken den Wein bekanntlich nur mit Wasser vermischt. Das Quantum des letztern verhielt sich zu jenem gewöhnlich wie 3 zu 1, oder wie 2 zu 1, höchstens wie 3 zu 2.

V. 8. Die rohen Bewohner *Skythiens* (nördlich vom schwarzen Meere gelegen, im Westen durch die Donau von Thrakien getrennt) werden schon von Herodot als unmäßige Weintrinker genannt; nur kann ihr Getränke nicht wohl eigentlicher Wein gewesen sein. Ähnlich erklärt sich Horaz gegen barbarische Sitten, Od. I, 27.

27

Ihr Kranz ist die Mauer. Vielleicht spricht Anakr. hier von seiner Vaterstadt Teos nach ihrem Fall durch die Perser. Vgl. Herodot I, 168.

28

Jene versteckten Gemüther, – oder auch wohl: alle die sauren Gesellen u. s. w. – *Megistes,* ein Liebling des Dichters.

29

V. 1. *Schräge Blicke;* mißtrauische oder verächtliche. Theokr. Id. 20, 13:

Das Mädchen – –
Krümmte den Mund und schielte nur so seitwärts mit den Augen.

V. 4. Um die *Zielsäule* der Rennbahn. Horaz, Od. III, 11. V. 9–12, schöpfte auch hier wieder aus dem Griech. Dichter.

31

Schwelgend; ταντα λίζειν, vielleicht: leben wie Tantalos; auf dessen Reichthum und Glück bezüglich. Thudichum versteht es vom Eros, der sich auf den Bäumen schaukelt.

33

Zur Vergleichung Catullus 85:

Hassen und lieben zugleich muß ich. – Wie so? – wenn ich's wüßte!
Aber ich fühl's , und das Herz möchte zerreißen in mir.

34

Gastrodore, wahrscheinlich ein scherzhaft erfundener Name, etwa: Frau Magentrost.

Hauspokal, Familienbecher. Man kennt dessen Bedeutung nicht; vielleicht, sagt Bergk, erhielt er seinen Namen, ἐπίστιος, von den Hausgöttern, – θεοὶ ἐφέστιοι, Penaten, Laren, – denen zu Ehren man sich aus demselben zutrank; hienach die ungefähre Übersetzung.

35

Vgl. Anakreontea Nr. 26, wo diese Zeilen im Zusammenhang stehen.

37

Bernhardy erklärt dieß Gedicht (das übrigens im Original aus Ionischen akatal. Tetrametern besteht) für ein Mönchs-Product, für das widrige Zerrbild eines völlig verwüsteten Greises, das selbst im Styl nichts von der Anmuth und lebendigen Frische Anakreons verrathe.

Die unserem Dichter zugeschriebenen *Epigramme* haben mit wenigen Ausnahmen den ursprünglichen Charakter dieser Gattung, als eigentliche Aufschriften, durch welche die Bedeutung des Gegenstands so kurz und bestimmt als möglich angegeben wird. Es sind theils Grabschriften (Nr. 41. 42. 54.), theils Gedichte zu Weihgeschenken (Nr. 43–53.), und eben ihre schmucklose Einfachheit ist ein Beweis für das höhere Alter der meisten dieser Stücke.

Nr. 41. spricht für einen Aufenthalt des Dichters in der neuen Heimat.

43. Bei den Olympischen Spielen, welche dem *Kroniden*, Zeus, geweiht waren, hatte das Pferd des Korinthiers *Pheidolas*, eine Stute mit Namen Aura (Luft), gleich zu Anfang des Wettlaufs seinen Reiter abgeworfen, lief aber nichts desto weniger zu, machte ordnungsmäßig die Wendung um das Ziel, und als es die Trompete hörte, beschleunigte es seinen Lauf. So kam es zuerst bei den Kampfrichtern an; da merkte das Thier, daß es gesiegt habe und machte Halt. Die Eleer riefen den Pheidolas als Sieger aus und gestatteten ihm, das Pferd (in Erz) aufzustellen (Pausanias VI, 13).

45. Für den Apollon.

46. Die Ächtheit wird bezweifelt. Mit *Anaxagoras* ist wohl der Äginetische Erzgießer gemeint, der die zum Gedächtniß des Sieges bei Platää in Olympia errichtete Jupiter-Statue verfertigte.

47. Dem Bakchos. Dank für einen Sieg bei der Aufführung eines dithyrambischen *Chors*. Ein Hauptbestandtheil der Griechischen Feste waren bekanntlich die musischen Wettkämpfe, besonders Aufführungen von Chören mit Musik und Tanz. Die Anordnung eines solchen Chors hieß Choregie und war in Athen, wie in andern Städten, eine den Bürgern der Reihe nach obliegende Leistung oder Liturgie: der Choreg hatte das erforderliche Personal zu den Chören zusammenzu-

bringen, die Choreuten unterrichten und einüben zu lassen, sie während dieser Zeit zu beköstigen, sie für die Aufführung mit dem passenden Anzug und Schmuck zu versehen, lauter Dinge, die viel Mühe und Beschwerde und bei stattlichen Chören auch großen Aufwand verursachten. Siegte sein Chor, so erhielt der Choreg als Preis einen goldenen Kranz oder einen Dreifuß, der nun aber nach der schönen Sitte der Griechen von dem Sieger dem Gotte geweiht wurde, in dessen Dienst er gesiegt, hier also dem Dionysos. Diese Weihung der Dreifüße namentlich führte zu jenen » choragischen Monumenten«, deren berühmtestes das noch erhaltene zierliche Monument des Lysikrates in Athen ist.

49. Das Bildwerk stellte einen Trupp Mänaden vor.

51. Dem Apollon. Mit *Äschylos* ist nicht der Tragiker gemeint; der Name war nicht selten.

52. Ein Bild des *Hermes* vor einem Gymnasion, als Schutzgott der Gymnastik.

53. *Maia's Sohn*, Hermes. – *Euonymia* oder Euonymos hieß eine der Gemeinden von Attika.

54. Die Ächtheit ist zweifelhaft; namentlich scheint der Gebrauch des abstracten $\dot{\eta}\lambda\iota\varkappa\dot{\iota}\eta$ auf spätere Herkunft zu deuten.

55 und 56. können Anakreon nicht zum Verfasser haben, da *Myron*, der berühmte Erzgießer, dessen Kuh in so vielen Sinngedichten gepriesen wird, in eine spätere Zeit fällt.

ANAKREONTISCHE LIEDER

VERZEICHNISS

der Anakreontea, wie sie bei Stark zur leichtern Übersicht in kritischer Beziehung nach Verwandtschaft des Inhalts zusammengestellt sind (wobei selbstverständlich, da die Grenzen vielfach ineinanderfließen, von einer logisch genauen Eintheilung nicht die Rede sein kann). – Die Überschriften der einzelnen Stücke sind meistens frei hinzugethan.

Übers.			ED. VULG.	ED. MEHLHORN	BERGK P. LYR. (MELICI XVIII.)
Nr.		*Der Dichter bekennt seine Richtung*	NR.	NR.	NR.
I		Die Leier	I	$\varkappa\gamma'$	23
2		Verschiedener Krieg	16	$\varkappa\varsigma'$	26 A
		Erotische Lieder			
3		Liebeswünsche	20	$\varkappa\beta'$	22
4		Zwiefache Glut	21	$\iota\zeta'$	17
5		Ruheplatz	22	$\iota\zeta'$	18
6		Rechnung	32	$\iota\gamma'$	13
7		Das Nest der Eroten	33	$\varkappa\acute\varepsilon$	25
8		Weder Rath noch Trost	46	$\varkappa\zeta^*$	27 BC
		Trinklieder; Aufforderung zur Lebensfreude			
9		Genuß des Lebens	4	λ'	30
10		Genügsamkeit	15	ζ'	7
11		Unnützer Reichthum	23	$\lambda\delta'$	34
12		Lebensweisheit	24	$\lambda\acute\eta$	38
13		Sorglosigkeit	25	$\mu\gamma'$	43
14		Seliger Rausch	26	$\mu\varsigma'$	46
15		Tanzlust des Trinkers	27	$\mu\zeta'$	47
16		Wechsellied beim Weine	39	$\mu\acute\eta$	48
17		Trinklied	41	$\lambda\varsigma'$	36
18		Harmlos Leben	42	μ'	40
19		Beim Weine	48	β'	2
20		Das Gelage	6	$\mu\acute\alpha$	41
21		Die Rasenden	13	$\iota\acute\alpha$	11
22		Verschiedene Raserei	31	$\acute\eta$	8
23		Rechtfertigung	19	$\varkappa\acute\alpha$	21
24		Antwort	11	ς'	6

Übers.		ED. VULG.	ED. MEHLH.	BERGK LYR.	
Nr.	*Was den Greis vergnügt*	NR.	NR.	NR.	
25	An ein Mädchen	34	$\mu\vartheta'$	49	
26	Der alte Trinker	38	$\mu\acute{\epsilon}$	45	
27	Beste Wissenschaft	36	ν'	50	5
28	Greisenjugend	47	$\lambda\zeta'$	37	
29	Jung mit den Jungen	54	$\nu\acute{\alpha}$	51	
	Dem Epigramm und dem Idyll verwandte Stücke				
	Bildwerk und Malerei beschreibend				10
30	Auftrag	17	γ'	3	
31	Das Bildniß der Geliebten	28	$\iota\acute{\epsilon}$	15	
32	Das Bild des Bathyllos	29	$\iota\varsigma'$	16	
33	Auf ein Gemälde der Europa	35	$\nu\beta'$	52	
34	Aphrodite auf einem Diskos	51	$\nu\varsigma'$	56	15
	Lieblingsgegenstände der Dichter				
35	Auf die Rose	5	$\mu\beta'$	42	
36	Lob der Rose	53	$\nu\gamma'.\nu\delta'$	53.54	
37	Der Frühling	37	$\mu\delta'$	44	
38	Kelterlust	52	$\nu\acute{\eta}$	58	20
39	Auf Dionysos	50	$\nu\acute{\epsilon}$	55	
40	Auf die Cikade	53	$\lambda\beta'$	32	
	Liedchen erzählender Art				
41	Besuch des Eros	3	$\lambda\acute{\alpha}$	31	
42	Die Probe	7	$\varkappa\vartheta'$	29	25
43	Bedeutsamer Traum	44	$\varkappa\acute{\eta}$	28	
44	Der wächserne Eros	10	ι	10	
45	Der Kampf mit Eros	14	$\iota\beta'$	12	
46	Widmung des Eros	30	$\iota\vartheta'$	19	
47	Der verwundete Eros	40	$\lambda\gamma'$	33	30
48	Die Pfeile des Eros	45	$\varkappa\zeta'$	27 A	
49	Eros gefangen	59	$\acute{\epsilon}$	5	
50	Der todte Adonis	67	$\xi\gamma'$		
51	Die Taube	9	$\iota\delta'$	14	
52	Anakreons Kranz	65	$\acute{\alpha}$	1	35
53	Ein Traum	8	$\lambda\acute{\epsilon}$	35	
54	An eine Schwalbe	12	ϑ'	9	
55	Naturgaben	2	$\varkappa\delta'$	24	
56	Der Liebenden Kenner	55	$\varkappa\varsigma'$*	26 B	

I

DIE LEIER

Ich will des Atreus Söhne,
Ich will den Kadmos singen:
Doch meiner Laute Saiten,
Sie tönen nur von Liebe.
5   Jüngst nahm ich andre Saiten,
Ich wechselte die Leier,
Herakles' hohe Thaten
Zu singen: doch die Laute,
Sie tönte nur von Liebe.
10   Lebt wohl denn, ihr Heroen!
Weil meiner Laute Saiten
Von Liebe nur ertönen.

2

VERSCHIEDENER KRIEG

Du singest Thebens Kriege,
Und jener Trojas Schlachten,
Ich *meine* Niederlagen.
Kein Reiterheer, kein Fußvolk
Schlägt mich, und keine Flotte.   5
Ein andres Heer bekriegt mich –
Aus jenem Augenpaare.

3

LIEBESWÜNSCHE

Als Fels auf Phrygiens Bergen
Stand ehdem Tantals Tochter;
Und einst als Schwalbe durfte
Pandions Tochter fliegen.

5   O wär' ich doch dein Spiegel,
Daß du mich stets beschautest!
Könnt' ich zum Kleide werden,
Daß du mich immer trügest!

Zum Wasser wenn ich würde,
10 Um deinen Leib zu baden!
Zum Balsam, o Geliebte,
Daß ich dich salben dürfte!

Zur Binde deines Busens,
Zur Perle deines Halses,
15 Zur Sohle möcht' ich werden,
Damit du mich nur trätest!

4

ZWIEFACHE GLUT

Reichet, reicht mir Wein, o Mädchen,
Vollauf, athemlos zu trinken!
Ein verrath'ner Mann! Wie kocht es
Mir im Busen – ich ersticke!

Kränze von Lyäos' Blumen   5
Gebt mir um die Stirn zu winden!
Meine Schläfe glühn und toben.
– Aber Eros' wilde Gluten,
Herz, wie mag ich diese dämpfen?

5

RUHEPLATZ

Hier im Schatten, o Bathyllos,
Setze dich! Der schöne Baum läßt
Ringsum seine zarten Haare
Bis zum jüngsten Zweige beben.

5 Neben ihm mit sanftem Murmeln
Rinnt der Quell und lockt so lieblich.
Wer kann solches Ruheplätzchen
Sehen und vorübergehen?

6

RECHNUNG

Verstehst du alle Blätter
Der Bäume anzugeben,
Hast du gelernt, die Wellen
Der weiten See zu zählen,
Sollst du allein die Summe 5
Berechnen meiner Mädchen.

Erst von Athen nimm zwanzig,
Und dann noch fünfzehn andre.
Dann eine lange Reihe
Von Liebchen aus Korinthos; 10
Denn in Achaia liegt es,
Dem Lande schöner Weiber.
Aus Jonien und Lesbos,
Aus Karien und Rhodos
Nimm an: zwei tausend Mädchen. 15
Was sagst du, Freund? du staunest?
Noch hab' ich zu gedenken
Der Schätzchen aus Kanobos,
Aus Syrien und Kreta,
Dem segensreichen Kreta, 20
Wo Eros in den Städten
Der Liebe Feste feiert.
Wie könnt' ich, was von Gades
Und weiterher, von Baktra
Und Indien mich beglücket, 25
Dir Alles hererzählen?

7

DAS NEST DER EROTEN

Du kommst, geliebte Schwalbe,
Wohl alle Jahre wieder,
Und baust dein Nest im Sommer;
Allein vor Winter fliehst du
Zum Nil hin und nach Memphis.
Doch Eros bauet immer
Sein Nest in meinem Herzen.
Hier ist ein Eros flügge,
Dort in dem Ei noch einer,
Und halb heraus ein andrer.
Mit offnem Munde schreit
Die Brut nun unaufhörlich;
Da ätzen denn die ältern
Eroten ihre Jungen.
Kaum sind die aufgefüttert,
So hecken sie auch wieder.
Wie ist da Rath zu schaffen?
Ich kann mich ja so vieler
Eroten nicht erwehren!

8

WEDER RATH NOCH TROST

Leidig ist es, nicht zu lieben;
Leidig auch fürwahr, zu lieben;
Aber leidiger als Beides,
Lieben sonder Gegenliebe.

*

Nicht auf Adel sieht die Liebe;   5
Weisheit, Tugend stehn verachtet;
Gold allein wird angesehen.
O daß *den* Verdammniß treffe,
Der zuerst das Gold geliebet!
Gold – daneben gilt kein Bruder   10
Mehr, nicht Mutter mehr, noch Vater;
Mord und Krieg ist seinetwegen,
Und wir Liebenden – das Ärgste!
Müssen seinethalb verderben.

9

GENUSS DES LEBENS

Auf der Myrte junge Sprossen
Und auf weiche Lotosblätter
Hingelagert, will ich trinken.
Eros möge auf der Schulter
5 Sich das Kleid mit Byblos knüpfen,
Und so reich' er mir den Becher.

Denn das Leben flieht von hinnen,
Wie das Rad am Wagen hinrollt;
Und ist dieß Gebein zerfallen,
10 Ruhn wir als ein wenig Asche.
Drum, was soll's, den Grabstein salben?
Was, umsonst die Erde tränken?

Mich vielmehr, weil ich noch lebe,
Salbe! schling' um meine Stirne
15 Rosen, rufe mir ein Mädchen!
Ich, bevor ich hin muß wandern,
Hin zum Reihentanz der Todten,
Will die Sorgen mir verscheuchen.

10

GENÜGSAMKEIT

Mit Gyges' Schätzen geht mir,
Mit Sardes' Königsthrone!
Nach Golde nicht verlang' ich,
Noch neid' ich Fürstengröße.

Nach Myrrhenöl verlang' ich,   5
Mir meinen Bart zu salben;
Nach Rosen nur verlang' ich,
Zu kränzen mir die Stirne.

Ich denke nur auf heute;
Was morgen ist, wer weiß es!   10

*

Darum bei guten Tagen
Die Würfel nimm und trinke
Und opfere Lyäen,
Denn sucht einmal die Krankheit
Dich heim, da möcht' es heißen: 15
Den Becher von dem Munde!

II

UNNÜTZER REICHTHUM

Wenn unser sterblich Leben
Mit dargewog'nem Golde
Der Reichthum könnte fristen,
Ich wollt' ihn fleißig hüten,
Daß, wenn der Tod nun käme,
Er nähme was und ginge.
Doch weil ja nie kann kaufen
Ein Sterblicher das Leben,
Was mag das Gold mir frommen?
Denn ist mein Loos zu sterben,
Wozu deßhalb mich quälen?
– Darum so will ich trinken,
Des süßen Weines trinken,
Bei trauten Freunden weilend.

12

LEBENSWEISHEIT

Weil ich sterblich bin geboren,
Auf des Lebens Pfad zu wandeln,
Weiß ich wohl, wie lang bis heute, –
Nicht, wie lang ich fürder walle.
Drum, ihr Sorgen, lasset mich!   5
Nichts mit euch hab' ich zu schaffen.
Eh' das Ziel mich überraschet,
Will ich scherzen, lachen, tanzen
Mit dem schönen Gott Lyäos.

13

SORGLOSIGKEIT

Trink' ich den Saft der Traube,
Dann schlummern meine Sorgen:
Was soll mir all' die Müh und Pein
Und Klagen und Gestöhne!
5   Ob gern, ob ungern, fort muß ich:
Was täuscht' ich mich um's Leben!
Nein, lasset Wein uns trinken,
Des schönen Bakchos Gabe!
Denn, trinken wir der Traube Saft,
10   Dann schlummern unsre Sorgen.

14

SELIGER RAUSCH

Wann Bakchos erst mich heimsucht,
Dann schlummern meine Sorgen,
Reich bin ich dann, wie Krösos,
Und singe süße Weisen.

Bekränzt mit Epheu lieg' ich,   5
Im Übermuthe tret' ich
Verachtend Alles nieder.
– Schenk' ein! es gilt zu trinken!

＊

Reich' mir den Becher, Knabe!
Viel besser ist es, trunken,   10
Als todt am Boden liegen.

15

TANZLUST DES TRINKERS

Wann Bakchos erst, des Zeus Sohn,
Lyäos der Befreier,
Des edlen Weines Geber,
Einzog in meine Seele,
Gleich lehret er mich tanzen.

Noch andre Freude lachet
Dem taumelfrohen Zecher:
Mit Spiel und mit Gesängen
Ergötzt mich Aphrodite;
Und wieder muß ich tanzen!

16

WECHSELLIED BEIM WEINE

Trink' ich ihn, den Saft der Reben,
Gleich erwarmet meine Seele
Und beginnt in hellen Tönen
Einen Preisgesang der Musen.

Trink' ich ihn, den Saft der Reben,   5
Alsbald streu' ich meinen Kummer,
All' mein Zweifeln, all' mein Sorgen
In den Braus der Meereswinde.

Trink' ich ihn, den Saft der Reben,
Läßt mich Bakchos, der des Scherzes   10
Bande löset, Blumen-athmend,
Süßberauscht im Tanze schwanken.

Trink' ich ihn, den Saft der Reben,
Wind' ich Blumen mir zu Kränzen,
Schmücke meine Stirne, singe   15
Von des Lebens stillem Glücke.

Trink' ich ihn, den Saft der Reben,
Mag ich, schön von Salbe duftend
Und im Arm das Mädchen haltend,
Gerne von Kythere singen.   20

Trink' ich ihn, den Saft der Reben,
Wie entzückt ein Kreis von Mädchen

Mich, wo volle, tiefe Becher
Erst mir Geist und Sinn erweitern!

25   Trink' ich ihn, den Saft der Reben –
Mir vor Tausenden gewinn' ich
Was ich scheidend mit mir nehme;
Doch den Tod theil' ich mit Allen.

17

TRINKLIED

Wir sind guter Dinge: trinket!
Trinkt und singt den Gott der Reben!

Er hat uns den Tanz erfunden,
Er liebt volle Kraftgesänge!
Eros gleich ist er geartet,   5
Ist der Liebling Kythereas.

Bakchos hat den Rausch geboren,
Bakchos ist der Freude Vater;
Er ist's, der den Kummer dämpfet,
Der den Schmerz in Schlaf versenket.   10

Denn, wird uns der wohlgemischte
Trunk gereicht von zarten Knaben,
Flugs entweicht der Gram, im Wirbel
Fort mit allen Winden treibend.

Laßt uns denn zum Becher greifen   15
Und den Grillen Abschied geben!
Wozu mag es dir doch helfen,
Dich mit Sorgen abzuquälen?

Was da künftig ist, wer sagt es?
Jedem ist sein Ziel verborgen.   20
Drum will ich, vom Gott beseligt,
Salbeglänzend, scherzen, tanzen;

Bald mit allerliebsten Mädchen,
Bald mit Jünglingen voll Anmuth.
25 Mag, wer will, indeß nur immer
Sich mit seinen Sorgen plagen.

Wir sind guter Dinge: trinket,
Trinkt und singt den Gott der Reben!

18

HARMLOS LEBEN

Immer freuen Dionysos'
Tänze mich, des scherzereichen,
Und mit einem holden Freunde
Trinkend rühr' ich gern die Leier.

Doch wenn ich, den Hyacinthen-   5
Kranz um meine Stirne, fröhlich
Unter jungen Mädchen weile –
Süßre Kurzweil fand ich nimmer.

Keinen Neid kennt meine Seele,
Und der Lästerzunge stumpfen   10
Pfeilen mag ich ferne bleiben,
Wüsten Streit beim Becher hass' ich.

Lautenspiel und Tanz beim heitern
Schmause unter zarten Mädchen
Lieb' ich mir: in Frieden will ich   15
Meinen Lebenstag verbringen.

19

BEIM WEINE

VON BASILIOS

Gebt mir des Homeros Leier,
Aber ohne blut'ge Saiten!
Gebt den Becher, um gehörig
Nach dem Trinkgesetz zu mischen;
5 Daß ich trunken möge tanzen
Und, noch klug genug im Taumel,
Zu dem Barbiton ein Trinklied
Mit gewalt'ger Stimme singen.
Gebt mir des Homeros Leier,
10 Aber ohne blut'ge Saiten!

20

DAS GELAGE

Kränze laßt uns, Rosenkränze,
Jetzt um unsre Schläfe winden,
Trinken unter milden Scherzen!
Einen Thyrsos in den Händen,
Welchen Epheulaub umrauschet,   5
Soll die Tänzerin den feinen
Fuß im Takt der Laute heben;
Und ein weichgelockter Knabe
Lasse seine würz'gen Lippen
Zu dem Saitenklang der Pektis   10
Herrlich von Gesange schwellen.
Eros selbst im goldnen Haarschmuck,
Mit dem schönen Gott Lyäos,
Mit der holden Kythereia,
Kommt, des Schmauses Lust zu theilen,   15
Dessen sich die Greise freuen.

21

DIE RASENDEN

Um Kybele, die schöne,
Soll Attis, der entmannte,
Laut schreiend auf den Bergen
Umher geraset haben.

5   Am Quellrand auch zu Klaros,
Vom Wunderborne trunken
Des lorbeerreichen Phöbos,
Sind Rasende zu hören:

Ich aber, von Lyäos
10   Berauscht, von Salbendüften
Berauscht und meinem Mädchen –
So will, so will *ich* rasen!

22

VERSCHIEDENE RASEREI

Laßt, bei den Göttern, lasset
Mich trinken! Trinken will ich
Unabgesetzt und rasen.

Einst rasete Alkmäon,
Orest mit nackten Füßen,   5
Die Mörder ihrer Mütter.

Ich, keines Menschen Mörder,
Bezecht von rothem Weine,
Will ich, ja will ich rasen!

Einst rasete Herakles,   10
Den fürchterlichen Köcher
Und Iphitos' Bogen schüttelnd.

Auch ras'te jener Aias,
Als er sammt seinem Schilde
Das Schwert des Hektor schwenkte.   15

Ich aber – mit dem Becher
Und mit bekränztem Haupthaar
Will ich, so will ich rasen!

23

RECHTFERTIGUNG

Die schwarze Erde trinket;
So trinken *sie* die Bäume;
Es trinkt das Meer die Ströme;
Die Sonne trinkt die Meere;
Der Mond sogar die Sonne:
Was wollt ihr doch, o Freunde,
Das Trinken *mir* verbieten?

24

ANTWORT

Es sagen mir die Mädchen:
Anakreon, du alterst.
Den Spiegel nimm und siehe,
Du hast das Haar verloren;
Ganz kahl ist deine Stirne.   5
— Ob ich noch Haare habe,
Ob sie mir ausgegangen,
Ich weiß es nicht; doch weiß ich,
Daß holde Lust und Lachen,
Je näher kommt das Ende,   10
So mehr den Alten ziemet.

25

AN EIN MÄDCHEN

Nicht fliehen mußt du, Mädchen,
Vor diesen grauen Haaren!
Nicht, weil der Jugend Blume
Noch herrlich an dir leuchtet,
Verachten meine Gaben.
Sieh nur am Kranze selber,
Wie lieblich weiße Lilien
Mit Rosen sich verflechten!

26

DER ALTE TRINKER

Alt bin ich zwar, doch trink' ich
Trotz einem Jüngling wacker;
Und wenn es gilt zu tanzen,
Mach' ich in meinem Chore
Den tanzenden Seilenos, 5
    Nehme den Schlauch zum Stabe.

Geht mir mit euren Stecken!
Hat Einer Lust zu kämpfen,
Der kämpfe meinetwegen.
Auf! bringe mir, o Knabe, 10
Gemischt mit honigsüßem
    Weine den vollen Becher!

Alt bin ich zwar, doch trink' ich
Trotz einem Jüngling wacker.

27

BESTE WISSENSCHAFT

Ei, was lehrst du mich des Redners
Kunst und seine feinen Griffe?
Wozu soll ich all' den Plunder
Kennen, der mir gar nichts frommet?

5   Lieber lehre du mich trinken
Den gelinden Saft Lyäens,
Lieber lehre du mich scherzen
Mit der goldnen Aphrodite.

Graues Haar kränzt meinen Scheitel:
10   Reiche, Knabe, Wein mit Wasser,
Wiege meinen Geist in Schlummer!
Bald bedeckst du den Entseelten;
Der hat nichts mehr zu begehren.

28

GREISEN-JUGEND

Ich liebe frohe Greise,
Ich liebe junge Tänzer.
Ein Alter, wenn er tanzet,
Ist wohl ein Greis an Haaren,
Doch jung an Geist und Herzen.   5

29

JUNG MIT DEN JUNGEN

Meine Jugend hab' ich wieder,
Seh' ich dich im Jünglingskreise:
Dann, ja dann zum Tanz beflügelt
Kann ich noch, ich Alter, schreiten.
5   Bleibe bei mir, o Kybebes!

Rosen her! – ich will mich kränzen.
Graues Alter, dich verjag' ich,
Jung mit Jünglingen zu tanzen.
Reichet mir von Dionysos'
10   Trauben-Naß – und ihr sollt sehen!
Sehen eines Alten Stärke,
Der noch kann so kräftig singen,
Der noch kann so tapfer trinken
Und von Freude trunken schwärmen.

30

AUFTRAG

Arbeite dieses Silber
Für mich, Hephästos: aber
Nicht etwa Wehr' und Waffen,
Nein, einen Becher mache,
So tief du kannst und räumig.   5

Nur von Gestirnen komme
Mir nichts darauf, kein Wagen,
Kein leidiger Orion.
Was kümmern mich Plejaden,
Und was Bootes' Sterne?   10

Du sollst mir Rebenstöcke,
Und Trauben daran, bilden,
Und goldne Keltertreter,
Den schönen Gott Lyäos
Mit Eros und Bathyllos.   15

31

DAS BILDNISS DER GELIEBTEN

Auf, du bester aller Maler,
Male, allerbester Maler,
Meister in der Kunst der Rhoder,
Male mir wie ich dir sage
Die entfernte liebste Freundin!

Erstlich weiche schwarze Haare,
Und, will es dein Wachs vergönnen,
Male sie von Salbe duftend.
Oben wo die Wangen enden
– Deren eine ganz sich zeige –
Male unter dunkeln Locken
Weiß wie Elfenbein die Stirne;
Laß die Bogen dann der Brauen
Sich nicht trennen, nicht verbinden,
Sondern, wie bei ihr, gelinde
In einander sich verlieren;
Dunkel wölbe sich die Wimper.
Aber zu dem Blick des Auges
Mußt du lauter Feuer nehmen.
Blau sei dieses, wie Athenes,
Wie Kytheres feucht in Liebe.
Wirst du Nas' und Wange malen,
So vermische Milch und Rosen.
Gib ihr Lippen gleichwie Peitho's,
Die zum Kusse lieblich locken.
In dem weichen Kinne mitten,
Um des Halses Marmor schweben

Alle Chariten vereinigt!
Endlich laß in lichtem Purpur
Ihr Gewand hinunter wallen,   30
Fleisch ein Weniges durchschimmern
Und den Umriß nur erscheinen.
– Doch genug! Schon steht sie vor mir!
Nächstens wirst du, Bild, auch reden.

32

DAS BILD DES BATHYLLOS

Male den Bathyll mir also,
Meinen Liebling, wie ich sage.

Salbenglanz gib seinen Haaren,
Dunkel schattend nach dem Grunde,
5 Außen aber Sonnenschimmer.
Kunstlos nur gebunden, laß sie,
Wie sie eben wollen, selber
Sich in freie Locken legen;
Und den zarten Schmelz der Stirne
10 Schmücken dunkle Augenbrauen,
Dunkler als des Drachen Farbe.
Trotzig sei sein schwarzes Auge,
Doch von fern ein Lächeln zeigend;
Jenes nimm von Ares, dieses
15 Von der lieblichen Kythere:
Daß man bange vor dem einen,
Bei dem andern hoffen könne.
Male seine Rosenwange
Mit dem zarten Flaum der Quitte;
20 Und sieh zu, daß sie das edle
Roth der Scheu erkennen lasse.
Seine Lippen – weiß ich denn auch
Selbst, wie du mir diese malest?
Weich, von Überredung schwellend.
25 Wisse kurz: das Bild, es müsse
Redsam selber sein im Schweigen!
Unterm Kinn da schließe zierlich,

427

Wie ihn nicht Adonis hatte,
Elfenbeinen sich der Hals an.
Gib ihm Brust und beide Hände 30
Von der Maia schönem Sohne,
Leih' ihm Polydeukes' Schenkel,
Bauch und Hüften ihm von Bakchos.
Dann, ob jenen weichen Schenkeln,
Jenen feuervollen, gib ihm 35
Eine glatte Scham, die eben
Aphrodites Freuden ahne.
– Aber deine Kunst, wie neidisch!
Kannst du ihn doch nicht vom Rücken
Zeigen! Herrlich, wenn du's könntest! 40
– Soll ich erst die Füße schildern? –
Nimm den Preis, den du verlangest,
Und gib diesen Phöbos auf, mir
Den Bathyll daraus zu bilden.
Wirst du einst nach Samos kommen, 45
Male nach Bathyll den Phöbos.

33

AUF EIN GEMÄLDE DER EUROPA

In diesem Stier da, Knabe,
Ist wohl ein Zeus zu suchen.
Denn auf dem Rücken träget
Er ein Sidonisch Mädchen
Durch's weite Meer und theilet
Die Wellen mit den Klauen.
Ich wüßte nicht, daß sonsten
Ein Stier entlief der Heerde
Und durch die Fluthen schiffte,
Als eben nur der Eine.

34

APHRODITE AUF EINEM DISKOS

Seht dieß Kunstgebilde! Wahrlich
Eine Zauberhand hat Wellen
Ausgegossen auf den Diskos.
Welch ein kühner, hochentzückter
Geist, der hier die zarte, weiße   5
Kypris auf dem Meere schwimmend
Schuf, die Mutter sel'ger Götter!

Nackend zeigt er sie den Blicken;
Nur was sich nicht ziemt zu schauen
Decket eine dunkle Welle.   10

Gleich der weißen Alge schaukelnd
Auf des sanft ergoss'nen Meeres
Fläche gleitet sie umher und
In die Fluth gelehnet trennt sie
Vor sich her den Schwall der Wasser.   15

Über ihrem ros'gen Busen,
Unter ihrem zarten Halse
Theilt sich eine große Woge.
Mitten in des heitern Meeres
Furche glänzet Kytherea   20
Wie die Lilie unter Veilchen.

Ob dem Silber aber wiegen
Sich auf tanzenden Delphinen
Himeros und Eros, tückisch

25 Lachend zu der Menschen Thorheit,
Und ein Heer gekrümmter Fische
Überschlägt sich in den Wellen,
Scherzet um den Leib der Göttin,
Wo sie hin mit Lächeln schwimmet.

35

AUF DIE ROSE

Laßt die Rose, Eros' Blume,
Zu Lyäen sich gesellen;
Mit der Rose Zier die Schläfe
Kränzend, lasset uns den Becher
Leeren unter milden Scherzen!   5

Rose heißt die schönste Blume,
Rose heißt des Lenzes Schooßkind,
Rosen flicht der Sohn Kytheres
Um die gelben Ringelhaare,
Mit den Chariten zu tanzen.   10

Kränze, Bakchos, mich mit Rosen,
Und ich will, die Laute rührend,
Mit dem zierlichsten der Mädchen,
Deinen Kranz auf meinem Haupte,
Froh bei deinem Tempel tanzen.   15

36

LOB DER ROSE

Säng' ich wohl den schön bekränzten
Lenz, und dich nicht, holde Rose?
Mädchen, auf! ein Wechsel-Liedchen.

Wohlgeruch haucht sie den Göttern;
Sie, der Erdgebornen Wonne,
Ist der Chariten erwählter
Schmuck zur Zeit, wo in der Blüthen
Fülle die Eroten schwärmen.
Aphroditens Spielzeug ist sie,
Jedes Dichters Lustgedanke,
Ja der Musen Lieblingsblume.

Lieblich duftet sie vom Strauche
Dir am dornbewachs'nen Pfade;
Lieblich hauchet Eros' Blume,
Wenn du sie in zarten Händen
Wärmend ihren Athem saugest.

Bei dem Schmaus, beim Trinkgelage,
Bei Lyäos' frohen Festen,
Sagt, was möchte wohl den Sänger
Freuen, wenn die Rose fehlte?
Rosenfingerig ist Eos,
Rosenarmig sind die Nymphen,
Rosig Aphrodite selber;
Also lehren uns die Dichter.

Auch den Kranken heilt sie wieder, 25
Scheucht von Todten die Verwesung,
Ja sie trotzt der Zeit des Welkens:
Reizend selber ist ihr Alter
Durch den Wohlgeruch der Jugend.

Aber nun: wie ward die Rose? 30
– Als dem Schaum des blauen Meeres
Die bethauete Kythere,
Pontos' Tochter, einst entstiegen,
Und die kriegerische Pallas,
Schrecklich selber dem Olympos, 35
Auf Kronions Haupt sich zeigte,
Damals ließ auch Mutter Erde
Sie, die vielgepries'ne Rose,
Dieses holden Wunderwerkes
Ersten jungen Strauch, entsprießen. 40
Und die Schaar der sel'gen Götter
Kam, mit Nektar sie zu netzen.
Alsbald blühend, purpurglänzend,
Stieg sie aus dem Dorngesträuche,
Bakchos' ewig junge Blume. 45

37

DER FRÜHLING

Sieh den jungen Lenz! wie ringsum
Schon die Chariten in Fülle
Ihre Rosenpracht ergießen!
Siehe, wie die Meereswelle
5   Sich in heitrer Ruhe wieget!
Siehe, wie die wilde Ente
Rudert! wie der Kranich ziehet!

Rein hernieder leuchtet Titan,
Und die Wolkenschatten fliehen,
10   Und die Flur des Landmanns glänzet.
Früchte zeiget schon der Ölbaum,
Und von Blättern und von Ranken
Strotzend will auch Bromios' Gabe
Schon, die Rebe, wieder blühen.

38

KELTERLUST

Schwarze Trauben erst in Körben
Bringen Jünglinge und Mädchen
Auf den Schultern hergetragen.
In die Kelter aber schütten
Jene sie sofort und lösen   5
Nun den Most, die Beeren tretend.
Hoch erschallt das Lob des Gottes,
Hoch in lauten Kelterliedern,
Während sie den jungen Bakchos
In der Tonne brausen sehen.   10
Und der Greis, wenn er ihn trinket,
Tanzet er auf wanken Füßen,
Daß die Silberlocken beben;
Und der junge, schöne Bursche
Überschleicht im Rausch ein Mädchen,   15
Das, dem schweren Schlummer weichend,
Seinen zarten Leib im Schatten
Grüner Blätter hingegossen,
Reizet es, die höchsten Rechte
Hymens keck vorauszunehmen.   20
Wollen Worte nichts verfangen,
Weiß er durch Gewalt zu siegen.
Denn zu wilden Thaten lockt der
Trunkne Gott das junge Völkchen.

39

AUF DIONYSOS

Der dem Jüngling Kraft im Kampfe
Gibt, ihm Muth gibt in der Liebe,
Reiz, wenn er beim Schmause tanzet –
Seht, der Gott, er kehret wieder!

5   Seinen Wein, das Kind der Rebe,
Den gelinden Trank der Liebe,
Ihn, den lachenden, den Tröster,
Bringet er den Menschenkindern.

In die grün umrankten Beeren
10   Schließt er ihn und wartet seiner,
Daß, wenn wir die Trauben schneiden,
Alle Welt gesunden möge,
Frisch und schön an Leib und Gliedern,
Frisch und froh an Sinn und Herzen,
15   Bis zur Wiederkehr der Lese.

40

AN DIE CIKADE

Selig preis' ich dich Cikade,
Die du auf der Bäume Wipfeln,
Durch ein wenig Thau geletzet,
Singend, wie ein König, lebest.
Dir gehöret eigen Alles   5
Was du siehest auf den Fluren,
Alles was die Horen bringen.
Lieb und werth hält dich der Landmann,
Denn du trachtest nicht zu schaden;
Du den Sterblichen verehrte,   10
Süße Heroldin des Sommers!
Auch der Musen Liebling bist du,
Bist der Liebling selbst Apollons,
Der dir gab die Silberstimme.
Nie versehret dich das Alter,   15
Weise Tochter du der Erde,
Liederfreundin, Leidenlose,
Ohne Fleisch und Blut Geborne,
Fast den Göttern zu vergleichen!

41

BESUCH DES EROS

Jüngst in mitternächt'ger Stunde,
Als am Himmel schon der Wagen
An Bootes' Hand sich drehte,
Und, ermattet von der Arbeit,
5   Schlafend lagen alle Menschen,
Da kam Eros noch und pochte
An der Thüre meines Hauses.
Wer doch, rief ich, lärmt da draußen
So? wer störet meine Träume?
10   »Öffne!« rief er mir dagegen:
»Fürchte nichts. Ich bin ein Knabe,
Habe mich verirrt in mondlos
Finstrer Nacht, von Regen triefend«.
Mitleidsvoll vernahm ich dieses,
15   Nahm in Eile meine Lampe,
Öffnete, und sah ein Knäbchen,
Welches Flügel an den Schultern
Hatte, Pfeil und Bogen führte.
Alsbald ließ ich ihn zum Feuer
20   Sitzen, wärmte seine Hände
In den meinen; aus den Locken
Drückt' ich ihm die Regennässe.
Drauf, als ihn der Frost verlassen,
Sprach er: »Laß uns doch den Bogen
25   Auch versuchen, ob die Sehne
Nicht vom Regen schlaff geworden« –
Spannte, traf, und mir im Busen
That es wie der Bremse Stachel.

Er nun hüpfte auf und lachte:
»Siehst du, guter Wirth, wie glücklich!   30
Unbeschädigt ist mein Bogen,
Doch dir wird das Herz erkranken«.

42

DIE PROBE

Mit einem Lilienstengel
Gar grausam schlug mich Eros,
Und zwang mich, ihm zu folgen.
Durch wilde Ströme ging es,
5   Durch Wälder und durch Klüfte,
Daß mich der Schweiß verzehrte.
Schon auf die Lippe trat mir
Die Seele, ja schon war ich
Ganz nahe am Erlöschen:
10   Da wehte Kühlung Eros
Mit seinem sanften Fittig
Mir auf die Stirn und sagte:
»Noch kannst du, Freund, nicht lieben!«

43

BEDEUTSAMER TRAUM

Mir kam vor im Traum, ich liefe,
Hatte Flügel an den Schultern;
Eros, an den schönen Füßchen
Blei, erhaschte mich im Laufe.
– Was wohl dieser Traum bedeutet?   5

Ich, der schon von mancher Liebe
Halb verstrickt bisher noch immer
Glücklich allen war entronnen,
Soll, so will es mich bedünken,
Diesesmal doch hängen bleiben.   10

44

DER WÄCHSERNE EROS

Ein Mann, ein junger, brachte
Aus Wachs ein Erosbildchen
Zu Kauf. Da trat ich zu ihm
Und frug: was soll es kosten?
»Nimm ihn zu jedem Preise!«
Erwidert' er auf Dorisch:
»Die Wahrheit zu gestehen,
Ich bin kein Wachsbossirer;
Ich mag nur keinen solchen
Begehrlichen Genossen
Im Haus wie diesen Eros«.
– Hier nimm die Drachme! Gib mir
Den schönen Schlafgesellen.
Du aber, Eros, laß mich
Jählings entbrennen, oder
Du sollst mir selbst in's Feuer!

45

DER KAMPF MIT EROS

Ja, lieben, lieben will ich!
– Zu lieben rieth mir Eros;
Doch Thörichter ich wollte
Nicht dieses Rathes achten;
Da nahm er stracks den Bogen,   5
Griff nach dem goldnen Köcher,
Mich auf zum Kampfe fordernd.
Rasch warf ich um die Schulter
Den Harnisch wie Achilleus,
Nahm Schild und Schwert und Lanze   10
Und kämpfte gegen Eros.
Er schoß – doch ich, behende,
Wich ihm noch aus. Nun aber
Zuletzt, wie seine Pfeile
Fort waren, zornig fuhr er   15
Mit Pfeils-Gewalt, er selber,
In mich, und tauchte mitten
In's Herz, und machtlos war ich!
Was soll nun Schild und Wehre?
Was Stich und Stoß hier außen?   20
Ist doch der Kampf da drinne!

46

WIDMUNG DES EROS

Die Musen banden Eros
Mit Kränzen einst und brachten
Der *Schönheit* ihn zu eigen.

Nun suchet Kytherea,
Das Lösegeld in Händen,
Den Eros frei zu machen.

Doch komme wer da wolle:
Er geht nicht mehr, er bleibet,
Der schöne Dienst gefällt ihm.

47

DER VERWUNDETE EROS

In einer Rose schlummert'
Ein Bienlein, dessen Eros
Sich nicht versehn. Am Finger
Von ihm verwundet schrie er
Und schlug und schlug sein Händchen.   5
Halb lief er dann, halb flog er
Hin zu der schönen Kypris.
»O weh mir, liebe Mutter!
Ach weh, ich sterbe!« rief er:
»Gebissen bin ich worden   10
Von einer kleinen Schlange
Mit Flügeln – Biene heißet
Sie bei den Ackersleuten«.
Sie sprach: Kann so der Stachel
Von einem Bienchen schmerzen,   15
Was meinst du daß die leiden,
Die *du* verwundest, Eros?

48

DIE PFEILE DES EROS

Dort in Lemnos' Feueressen
Nahm der Mann der Kytherea
Stahl und machte den Eroten
Pfeile draus; die Spitzen tauchte
5   Kypria in süßen Honig,
Den ihr Sohn mit Galle mischte.
Ares, einst vom Schlachtfeld kehrend
Und die schwere Lanze schwingend,
Spottet' über Eros' Pfeile.
10   »Schwer genug ist der,« sprach Eros:
»Nimm ihn nur, du wirst es finden«.
Ares nahm den Pfeil; darüber
Lächelte Kythere heimlich.
Seufzend sprach der Gott des Krieges:
15   Er ist schwer: nimm ihn doch wieder!
»Nein, behalt' ihn nur!« sprach Eros.

49

EROS GEFANGEN

VON JULIANOS DEM ÄGYPTER

Unlängst – ich band gerade
Mir einen Kranz – da fand ich
Den Eros in den Rosen.
Ich nahm ihn bei den Flügeln,
Warf ihn in meinen Wein und   5
So trank ich ihn hinunter.
Nun kitzelt er mich peinlich
Um's Herz mit seinen Flügeln.

50

DER TODTE ADONIS

Als Kypris den Adonis
Nun todt sah vor sich liegen,
Mit wildverworrnem Haupthaar
Und mit erblaßter Wange:
5   Den Eber ihr zu bringen
Befahl sie den Eroten.
Sie liefen gleich geflügelt
Umher im ganzen Walde
Und fanden den Verbrecher
10   Und banden ihn mit Fesseln.
Der eine zog am Seile
Gebunden den Gefangnen,
Der andre trieb von hinten,
Und schlug ihn mit dem Bogen.
15   Des Thieres Gang war traurig,
Es fürchtete Kytheren.

Nun sprach zu ihm die Göttin:
Du böses Thier, du Unthier!
Du schlugst in diese Hüfte?
20   Mir raubtest du den Gatten?

Der Eber sprach dagegen:
Ich schwöre dir, Kythere,
Bei dir, bei deinem Gatten,
Bei diesen meinen Fesseln
25   Und hier bei diesen Jägern:
Ich dachte deinem holden

449

Geliebten nicht zu schaden!
Ein Götterbild an Schönheit
Stand er, und voll Verlangen
Stürmt' ich hinan, zu küssen   30
Des Jägers nackte Hüfte,
Da traf ihn so mein Hauer.
Hier nimm sie denn, o Kypris,
Reiß' mir sie aus zur Strafe
– Was soll mir das Gezeuge? –   35
Die buhlerischen Zähne!
Wenn das dir nicht genug ist,
Nimm hier auch meine Lippen,
Die sich den Kuß erfrechten!

Das jammert' Aphrodite.   40
Sie hieß die Liebesgötter
Ihm lösen seine Bande.

Er folgte nun der Göttin
Und ging zum Wald nicht wieder
(Und selbst an's Feuer laufend   45
Verbrannt' er seine Liebe).

51

DIE TAUBE

Woher, o liebe Taube,
Woher kommst du geflogen?
Wie triefst du so von Salben
Und füllst die Luft im Fluge
Mit ihren Wohlgerüchen?
Was hast du vor? wer bist du?

»Anakreons Gesandte.
Zu seinem Liebling muß ich,
Muß zu Bathyllos, dem ja
Nun Alles liegt zu Füßen.
Verkauft hat mich Kythere
Dem Sänger um ein Liedchen.
Anakreon vertrauet
Mir nun die größten Dinge.
Siehst du, hier hab' ich eben
Jetzt Briefe zu bestellen.
Wohl hat er mir versprochen,
Mich ehstens frei zu lassen;
Doch, wenn schon frei gelassen,
In seinem Dienste bleib' ich.
Wie sollt' ich noch auf Bergen
Umher und Feldern schweifen,
Mich auf die Bäume setzen
Und wildes Futter schlingen?
Ich picke von dem Brote,
Das mich der Dichter lässet
Aus seinen Händen nehmen.

Auch reicht er mir zu trinken
Den Wein, von dem er trinket,
Und nach dem Trunke trippl' ich 30
Um meinen Herrn und recke
Den Flügel, ihn beschattend.
Dann setz' ich mich, zu schlafen,
Auf seiner Leier nieder.
– Nun laß mich. Du weißt Alles. 35
Fürwahr, o Mann, du machtest
Mich schwatzhaft trotz der Krähe«.

52

ANAKREONS KRANZ

VON BASILIOS

Anakreon, der Sänger
Von Teos, – also träumt' ich –
Ward mein gewahr und rief mich.
Flugs auf ihn zu gelaufen
Umarmt' ich ihn und küßt' ihn.
Zwar schon ein Greis, doch schön noch,
Noch schön war er und zärtlich.
Wein hauchte seine Lippe,
Auf wanken Füßen ging er,
Von Eros' Hand geleitet.
Und nun vom eignen Haupte
Den Kranz herunter nehmend,
Der alle Wohlgerüche
Des Sängers von sich hauchte,
Reicht' er mir den; ich nahm ihn
Und band ihn um die Schläfe,
Ich Thor! Seit jener Stunde
Weiß ich von nichts als Liebe.

53

EIN TRAUM

Von Lyäos frohgemuthet
Schlief ich Nachts auf Purpurdecken;
Und mir war, als wenn ich scherzend
Mich mit jungen Mädchen jagte.
Leichthin schwebt' ich auf den Zehen;   5
Sieh, da kamen Knaben, schöner
Als der weiche Gott der Reben,
Die mit bitt'rem Hohn mich schalten
Jener holden Kinder wegen.
Doch wie ich sie wollte küssen,   10
Waren alle mit einander
Im Erwachen mir entflohen,
Und ich Armer lag verlassen,
Wünschte wieder einzuschlafen.

54

AN EINE SCHWALBE

Wie soll ich dich bestrafen?
Wie, plauderhafte Schwalbe?
Bei deinen schnellen Schwingen
Dich fassen und sie stutzen?
Sag', oder soll ich etwa
Wie vormals jener Tereus
Die Zunge dir entreißen?
Was, aus so süßem Traume
Mit deinem frühen Zwitschern
Mir den Bathyll zu rauben!

55

NATURGABEN

Es gab Natur die Hörner
Dem Stier, dem Roß die Hufe;
Schnellfüßigkeit dem Hasen,
Dem Löwen Rachenzähne,
Den Fischen ihre Flossen,   5
Den Vögeln ihre Schwingen;
Und den Verstand dem Manne.
– So bliebe nichts den Frauen?
Was gab sie diesen? – Schönheit:
Statt aller unsrer Schilde,   10
Statt aller unsrer Lanzen!
Ja über Stahl und Feuer
Siegt Jede, wenn sie schön ist.

56

DER LIEBENDEN KENNER

Das Roß führt an den Hüften
Ein eingebranntes Zeichen,
Und am gespitzten Hute
Mag man den Parther kennen.

5   Mit Einem Blick so will ich
Die Liebenden erkennen:
Ein zartes Mal ist ihnen
Gezeichnet in die Seele.

ANMERKUNGEN

DIE ANAKREONTEEN

in Bezug auf Originalität und Zeit der Entstehung muthmaßlicher-
weise geordnet. Nach Stark, QUAEST. ANACR. PAG. 90

Ihre Rechtfertigung, so weit sie sich mit der nächsten Bestimmung unseres 5
Büchleins verträgt, wird diese Classification in den nachfolgenden Noten finden.
Wo die sachlichen und ästhetischen Gründe hinreichend schienen, sind andere
Entscheidungsgründe der Kritik dort nicht beigebracht oder nur angedeutet worden; wo die Noten über ein in diesem Verzeichniß als mehr oder weniger unächt
aufgeführtes Stück nichts Näheres enthalten, hat immer die Sprache, der Dialekt, 10
die prosodische oder die metrische Beschaffenheit über die Stellung desselben
entschieden. Sprachkundige Leser verweisen wir auf die oben genannte Schrift.

I. Als ächt Anakreontisch dürften folgende Lieder bezeichnet werden: 26. 30.
40.

II. Dem Inhalte nach von Anakreon, in der Form verändert, oder aus abge- 15
rissenen ächten Theilen zusammengesetzt: 1. 4. 5. 8. 9. 11. 14. 18. 20. 21. 25.
28. 37. 39. 45. 54. 55.

III. Nicht ächt; jedoch der Blüthe Griechischer Litteratur nicht allzu ferne stehend: 2. 24.

IV. Nicht vor dem 2. oder 3. Jahrh. n. Chr., zum wenigsten nicht in der gegen- 20
wärtigen Form, entstanden: 10. 31.

V. Aus Julians und Justinians Zeitalter, vornehmlich nach Epigrammen gearbeitet: 6. 7. 23. 33. 36. 38. 41. 42. 43. 44. 46. 47. 48. 51. 56.

VI. Nach dem Muster anderer Anakreontea, mit schon vernachläßigter Metrik:
3. 10. 13. 15. 16. 22. 27. 29. 32. 25

VII. Wegen Abweichung von der alten Prosodie u. s. w. nur erst in das 7. und
8. Jahrh. n. Chr. zu setzen: 17. 34. 53.

VIII. In sogenannten politischen Versen geschrieben, vermuthlich aus dem 9. und
10. Jahrh.: 12.

I

Um überhaupt die höhere epische Poesie, die ihm versagt sei, zu bezeichnen, erwähnt der Dichter die drei berühmten Sagenkreise: den Trojanischen (mit Atreus' Söhnen Agamemnon und Menelaos), den Thebanischen (mit Kadmos, dem Gründer Thebens) und den Herakleischen. Natürlich dachte der Verfasser bei diesen heroischen Stoffen vor allem an die uns bekannten Homerischen Muster, dann aber wohl auch an jene von den Alten als Homerisches Werk genannte Thebais, sowie an eine gleichfalls sehr hochgepriesene Heraklee des Peisandros aus Rhodos. Unser Lied, das schon die Römischen Dichter gekannt zu haben scheinen – vgl. die Parallelstellen bei Properz, Eleg. III, 9, V. 37; bei Ovid, Liebes-eleg. I, 1, 1. I, 1, 28. – hat einen classisch einfachen Charakter und bei aller spielen-den Leichtigkeit einen gefühlten Ton; Stark ist nicht abgeneigt, es seinem Inhalt nach als ächt Anakreontisch anzunehmen, da der ursprünglich Ionische Dialekt später leicht in den Attischen übergegangen sein konnte.

2

Anders als im vorhergehenden Liede macht hier der Dichter Miene, seinen eigenen Stoff in epischer Weise zu behandeln. Übrigens ist eine Ähnlichkeit der beiden Stücke unverkennbar und eben daraus zu schließen, daß sie nicht von einem und demselben Verf. herrühren. – Zu vergleichen ist mit dem vorliegen-den Liedchen ein Epigramm des Meleager (ANTHOL. PAL. V, 177), wo dem ver-mißten Eros, der plötzlich in seinem Versteck auf der Lauer gefunden wird, der Dichter zuruft:

Weil du im Aug' dich
Meiner Zenophila birgst, meinst du, ich sehe dich nicht? (Jacobs.)

3

V. 1. Niobe, eine Tochter des *Tantalos*, Königs von Lydien, auch von Sipylos in Phrygien, Gemahlin des Thebanischen Königs Amphion, hatte sich ihres Glücks als Mutter von sechs Söhnen und ebenso vielen Töchtern (die Zahl wird sehr ver-schieden angegeben) auf Kosten der Leto gerühmt, welche nur zwei Kinder, Apollon und Artemis, geboren. Diese beiden rächten sofort ihre Mutter, indem sie den sämmtlichen Kindern Niobes den Tod durch ihre Pfeile gaben. Die Köni-

459

gin, starr vor Entsetzen und Schmerz, wurde in einen Stein verwandelt, der immerfort von Thränen floß. (Über ein merkwürdiges altes Steinbild am Berge Sipylos, das sie in ihrer Trauer darstellt, s. Müllers Archäol. §. 64. Anm. 2. und Starks Niobe, S. 98 ff.).

V. 4. Tereus, König der Thrakier, hatte Prokne, die älteste *Tochter Pandions*, 5
Königs von Athen, zur Gemahlin erhalten, die ihm einen Sohn, Itys, gebar. Einst,
da sie ihre entfernte Schwester Philomele zu sehen wünschte, zog er aus, dieselbe
abzuholen, entehrte sie aber unterwegs, verwahrte sie an einem abgelegenen
Orte und schnitt ihr, damit die Unthat verschwiegen bleibe, die Zunge aus. Doch
Prokne sandte Philomelen ein von ihr gewirktes Tuch, auf welchem ihr Unglück 10
im Bilde dargestellt war. Die Schwestern sahen sich hierauf beim Bakchosfeste
in Athen; sie beschlossen, den Itys zu schlachten und dem Vater zum Mahl vorzusetzen. Beide entflohen, von Tereus verfolgt, und auf ihr Hülfeflehen wurden
alle von den Göttern in Vögel verwandelt: Philomele in eine Schwalbe, Prokne
in eine Nachtigall, Tereus in einen Habicht oder Wiedehopf, Itys in einen Fasan. 15
Erst von den Spätern wird Philomele als Nachtigall, ihre Schwester als Schwalbe
bezeichnet.

V. 13. Diese *Binde* (TAENIA), die unter dem Kleide angelegt wurde und nicht
mit dem Gürtel zu verwechseln ist, diente die Brust in schöner Form zusammenzuhalten. 20

Verliebte Wünsche, wie diese, kehren in alter und neuerer Dichtung mehrfältig wieder. Bekannt ist das alte Griech. Skolion (Bergk LYR. GR. P. 1022, NR. 19),
das Thudichum gibt wie folgt:

> Daß ich die schöne Lyra doch wäre von Elfenbein,
> Und mich ein schöner Knabe trüg' im Dionysischen Feierchor! 25

Ein anderes (ebendas. NR. 20), das auch wohl mit dem vorigen in eins verbunden
werden kann:

> Daß ich ein schönes und großes Gold wäre, vom Feuer rein,
> Und mich ein schönes Weib daher trüge mit lauterem Herzenssinn!

Zwei Beispiele aus der Griech. Anthologie (A. PAL. V, 83 und 84): 30

> Möcht' ich ein Westwind sein und du gingst in den Strahlen der Sonne,
> Und mit entschleierter Brust nähmst du den Hauchenden auf!

> Möcht' ich die Rose doch sein und du pflücktest mich dann mit der Hand ab,
> Und an der blendenden Brust ließt du die purpurne ruhn!

(Jacobs.) 35

460

Deutsche Parallelstücke (Uhlands Volkslieder, Bd. I. S. 21):

> Wolt got dat ich wär ein hundlin klein!
> gair freundlich wolt ich mich neigen to ir,
> freundlich so wolt ich scherzen u. s. w.
> Wolt got dat ich wär ein ketzlin klein
> Und lief in irem huese u. s. w.
> Wolt got dat ich wär ein vöglin klein
> und säß up einem grönen zweige!
> ich wolt ir fleigen ins herzen grunt u. s. w.

In folgenden Versen aus dem Anfang des achtzehnten Jahrhunderts (Des Knaben Wunderhorn III, S. 113) ist die Nachahmung des Anakreontischen Lieds offenbar:

> Wollt Gott wäre ich ein lauter Spiegelglas
> Daß sich die allerschönste Frau
> All morgen vor mir pflanziert,
> Wollt Gott wäre ich ein seiden Hemdlein weiß
> Daß mich die allerschönste Frau
> An ihrem Leibe trüge u. s. w.

Nächst diesen Beispielen führt Stark auch Goethes »Liebhaber in allen Gestalten« an.

Die in dem Griech. Muster an einander gereihten Wünsche sind wirklich poetisch genug. Sie werden jedoch durch die Beiziehung zweier mythologischen Vorgänge eingeleitet, die in Betracht, daß sie das Allertraurigste vergegenwärtigen, recht wie die Faust auf's Auge zu diesem Liebesliede passen. Eine so nichtige Verwendung der Mythen aber war nur zu einer Zeit möglich, wo dieselben ihre heilige Bedeutung ganz verloren hatten und blos noch als poetischer Schmuck gebraucht wurden, den die geschäftigen Grammatiker von allen Seiten herholten, um ihn auf ihre Weise den Dichtern aufzuhängen. Hiernach erblicken wir mit dem Verfasser der QUAESTIONES ANACR. in dem vorliegenden Product eine nicht zu verachtende Amplification von ächt Anakreontischem, worüber nachher ein Grammatiker gerieth und diesen Versen einen fremden Kopf aufsetzte.

4

V. 2 ff. *athemlos.* Bei dieser derbsten Art zu trinken, welche AMYSTIS hieß, hielt man das Gefäß in einiger Entfernung vom Munde und ließ den Wein so einrinnen.

V. 3. nach der Lesart προδοθείς. Wir denken uns, der Dichter fand sich soeben in seiner Liebe *verrathen*; es glüht in ihm, daß er tief aufstöhnt; nun soll diese Glut mit Wein gelöscht werden (wenn man will, kann er auch schon zuvor deßhalb getrunken haben), aber vergeblich, das Übel wird nur ärger. – Der Vorschlag von Stephanus: προποθείς, wobei der Sinn wäre: man hat mir vorgetrunken, ich bin durch Vortrinken erhitzt worden, dürfte grammat. Schwierigkeiten haben; sonst könnte die Übersetzung etwa lauten:

> Weh, vor Hitze – denn wir haben
> Schon getrunken – möcht' ich bersten!

Bei unserer Auffassung erhält jedoch das Lied mehr Leben und Wahrheit und erinnert an die ächt Anakreontische Leidenschaft.

V. 5–6. *Lyäos*, Beiname des Bakchos, insofern er die Sorgen löst. Die Alten suchten sich in solchem Fall mit Epheukränzen, *Bakchosblumen*, zu helfen. Übrigens s. die Anm. zur folg. Numer.

5

V. 1–2 nach Stephanus' Lesart: Παρὰ τὴν σκιήν, Βάθυλλε, κάθισον, statt ... Βαθύλλου κάθισον oder καθίσω. – Über den Bathyll s. Anakr. Fragm. 9. Anm.

V. 6. Degen: der *Überredung* (Peitho's) Quelle; nach unserem Gefühl jedoch wäre die Erwähnung der Peitho (vgl. Fragm. 14) als Liebesgöttin in diesem kleinen Naturgemälde störend; also lieber ῥέουσα πειθοῦς, von Überredung strömend.

Mehrere namhafte Ausleger wollen dieß und das vorige Stück zu Einem verbinden, so daß die Frage, womit das erstere schließt, ihre Beantwortung unmittelbar in den nachfolgenden Versen fände: d. h. der Dichter suche Linderung für seine Liebesglut im Schatten des Bathyllos. (Dabei sind Brunck und Welcker der Meinung, Bathyllos selbst sei bildlich unter dem Baume verstanden, – ein Gedanke, der uns durchaus widersteht). Allein die beiden Stücke sind von ganz verschiedenem Charakter; im ersten herrscht die heftigste Bewegung, im zweiten die süßeste Ruhe, und beide erscheinen als völlig in sich abgeschlossene Ganze.

Dieß zarte Lied hat viele Ähnlichkeit mit der berühmten Schilderung des Ruheplatzes unter der Platane im Eingang des Platonischen Phädros, und Welcker ist geneigt, in derselben eine Anspielung auf Anakr. anzunehmen.

6

V. 8. Nach Degens Übers.: »noch fünfzehn *Fremde*«; allein auch unter dieser Abtheilung sind nur Athenerinnen zu verstehen. Mehlhorn bemerkt: anstatt die fünfzehn gleich zur ersten Zahl zu schlagen, thut der Dichter, als wären sie ihm hintennach erst eingefallen. Er kann indeß auch wohl verschiedene Kategorien damit haben andeuten wollen.

V. 10–12. Schon Homer, auf den diese Stelle zurückweist, kennt die Schönheit der Frauen *Achaias*. In *Korinth* war der Cultus der Liebesgöttin ganz besonders zu Hause und weit und breit berühmt ihr Tempel auf der Burg; so auch die Menge der Hetären, vorzüglich in Folge des Fremdenverkehrs mit diesem großen Handelsplatze, außerordentlich. Korinth war die Vaterstadt jener älteren Lais, vor deren Thüre einst ganz Griechenland gelegen, und die den Genuß ihrer Reize zu

ungeheuern Preisen verkaufte; daher das Sprichwort: ein Besuch in Korinth ist
nicht Jedermanns Sache.

V. 16. Verdorbene Stelle. Hermann: *τί φής; ἀνεπτερώθης;* – Bergk: *τί φής;
ἐκηρώθης;*

V. 18 ff. *Kanobos* (CANOPUS) war eine durch die Üppigkeit ihrer Sitten berüch-
tigte Stadt unweit der westlichen Mündung des Nil. In gleichem Rufe stand *Gades,*
das heutige Cadix.

Baktra, jetzt Balkh in Afghanistan.

Was den fraglichen Autor dieses Scherzes betrifft, so kann von Anakr. schon
darum kaum die Rede sein, weil, wenn die Griechen wirklich zu seiner Zeit bereits von Baktrien und Indien gehört haben sollten, dieß nur ganz unbestimmte,
verworrene Gerüchte gewesen sein konnten, dagegen unser Liedchen doch eine
nähere Bekanntschaft voraussetzt. – Der Spaß erinnert sehr an die Register-Arie
des Leporello im Don Juan, und wahrscheinlich hat Herr da Ponte von diesem
Muster nach irgend einer Übersetzung profitirt.

7

V. 5. Der *Nil* und *Memphis* stehen hier überhaupt für die südlichen Gegenden.

V. 18–19. Nach der Lesart *οὐ γὰρ σθένω τοσ. Ἔρ. ἐκσοβῆσαι* (wörtlich: ich
kann so viele Eroten nicht verscheuchen). Degen übersetzt: – ich kann so viele
Er. nicht bewirthen, nach Trillers Verbesserung *ἐκτροφῆσαι,* das aber nicht gebräuchlich ist. Mehlhorns Vorschlag *οὐ γὰρ στέγω τοσ. Ἔρ. ἐκβοῆσαι* – ich halte
das Geschrei so vieler Eroten nicht aus – geht leider grammatisch nicht wohl. Wie-
demann hält die beiden letzten Zeilen für unächt; mit V. 17 hätte aber das zierliche Stück keinen satten Schluß.

Hier wimmelt es nun von der winzigsten Sorte jener kleinen neckischen Liebesgötter, die Anakr. noch nicht kennt. Wenn er allerdings auch in der Mehrzahl
von Eroten spricht, so sind sie doch bei ihm keineswegs als zarte Kinder zu denken;
s. Anakr. Fragm. 2. Anm.

Möbius macht bei unserm Stück auf eine Platonische Stelle, Republ. IX, PAG.
573, D. ff. aufmerksam, wo von der Tyrannei des Eros die Rede ist, durch die sich
eine dichtgedrängte Menge böser Begierden im Herzen »einniste«, welche nach
Nahrung »schreien«, wobei besonders eben jene Leidenschaft einen damit Behaf-
teten wie toll umtreibe. Zudem ist Alkibiades I, am Schluß, P. 135 C. zu vergleichen.

8

Die vier abgesonderten Zeilen werden gewöhnlich mit dem Folgenden in Eins
verbunden; es fehlt jedoch der strengere logische Zusammenhang. Übrigens ist
keines dieser beiden Fragmente entschieden für unächt zu erklären; beide zeich-
nen sich durch große Einfachheit aus, das zweite besonders durch den wahrhaften
Ausdruck des leidenschaftlichen Schmerzes.

9

V. 2. *Lotos*, hier vielleicht das Homerische Futterkraut dieses Namens, etwa der Steinklee (TRIFOLIUM MELILOTUS).

V. 4–5. *Eros* ist hier, der Vorstellung Anakreons gemäß, nicht als kleiner Knabe, sondern als zarter Jüngling gehalten. – Die inneren bastähnlichen Häute des *Byblos* oder Papyros, einer Ägyptischen Schilfpflanze, deren dreieckiger Stengel bis zu vier Ellen Höhe wächst, wurden zu Bändern (wie unsre Stelle zeigt), sodann zu Stricken, Segeln, Kleidungsstücken u.s.w., endlich zu Schreibmaterial (Papier) verarbeitet.

V. 11. *Salben*, Balsam aus wohlriechenden Ölen, wozu man Rosen, Narden, Myrrhen u. drgl. nahm, wurden auch bei Leichenbegängnissen, sowohl bei dem Verbrennen, als bei dem Bewahren der Asche in der Urne gebraucht. Selbst das Grabmal pflegte man mit Wohlgerüchen zu besprengen und Fläschchen mit Parfums hineinzusetzen. Die Grabesspenden, die von Zeit zu Zeit wiederholt wurden, bestanden aus Milch, Honig, Wein, Öl, Blumenkränzen u.s.w. Man hing die Kränze an den Denkstein und goß die *Trankspende* in den aufgegrabenen Boden.

V. 17. *Zum Reihentanz der Todten.* Virgil sagt Än. VI, 642ff., wo er die Freuden der Abgeschiedenen im Elysium schildert:

Einige üben die Glieder auf grasigem Plane der Ringbahn,

– – – – – – – – – – –

Andere führen den hüpfenden Reigen und singen ein Festlied.

(Binder.)

Wie überhaupt der Inhalt unseres Stücks der Poesie Anakreons durchaus entspricht, so scheinen insbesondere die in V. 9–14 ausgedrückten, auch sonst von spätern Dichtern benützten Gedanken aus ihm geschöpft. Bekannt ist das deutsche: Hier lieg' ich auf Rasen u.s.w.

10

V. 1–2. *Gyges*, der durch seinen Reichthum sprichwörtlich berühmte König von Lydien, 716–678 v.Chr. Herodot I, 8ff. erzählt ausführlich das Abenteuer, das derselbe noch als Leibwächter und Günstling des Königs Kandaules mit dessen Gemahlin gehabt und wodurch er zum Lydischen Throne gelangte. Das Märchen von seinem unsichtbar machenden Ring erzählt Platon, Republ. II, PAG. 359f. *Sardes*, Hauptstadt Lydiens, Residenz der Könige.

V. 12–13. Griechen und Römer liebten das *Würfelspiel* besonders beim Trinken. Der beste Wurf, die Aphrodite oder Venus geheißen, verschaffte den Vorzug des Symposiarchen (der die Ordnung beim Trinkgelage zu bestimmen hatte). – *Lyäos*, s. Nr. 4.

Die Unächtheit des Liedchens beweist zunächst der Umstand, daß die erste Strophe theilweise aus einem lyrischen Stück des Archilochos, dem alten Iambendichter und Zeitgenossen des Gyges, entlehnt ist. Vgl. Bergk Lyr. gr. Archil. Nr. 24.

> Mich kümmert Gyges mit dem vielen Golde nicht,
> Noch hat mich Neid ergriffen, noch bewundr' ich
> Der Götter Thaten, noch begehr' ein Fürst zu sein;
> Denn weit von meinen Augen liegt dieß all zurück.

(Thudichum.)

Einem Dichter wie Anakreon ist eine solche Nachahmung nicht zuzutrauen; und überdieß würde er hier nicht den Gyges, sondern Krösos genannt haben. Das Gedicht ist vielmehr ein sprechendes Beispiel von der Art und Weise, wie dergleichen kleine gesellige Lieder zum Theil durch Variation von allerlei Bekanntem, gewiß mitunter aus dem Stegreif beim Gelage selbst, entstanden. – Die letzten Verse (11 ff.), worin, mit abweichendem Metrum des Griech. Textes, plötzlich ein Anderer angeredet wird, verknüpfen sich schlecht mit dem was vorhergeht, da der Dichter dort nur von sich und nicht etwa im Sinne der Selbstermunterung spricht; sie sind unstreitig der Zusatz eines Abschreibers oder des Sammlers.

11

Vielleicht bezieht sich das Lied auf jenes Geschichtchen von dem geschenkten Golde, das Anakr. dem Polykrates zurückgegeben; s. Einleit. S. 342.

Bei Aristophanes (Frösche, 1392) heißt ein Äschyleischer Vers:

> Der einzige Gott, der nicht Geschenke liebt, der Tod.

12

Ein wunderliches Raisonnement in diesen Versen! dazu eine verkehrte Art von Vergleichung, die nur im Deutschen weniger auffällt. So ist es nach dem Griech. Wortlaut nicht der Mensch, der auf der Laufbahn das Ziel erreicht, vielmehr das Ziel ereilt ihn. Schließlich will der Dichter gar mit dem Bakchos tanzen; die letzte Zeile ist aber vermuthlich aus Nr. 20, V. 13. – Stark sucht diesen Anakreontiker im 9. Jahrh. in einer Mönchszelle; der Anfang des Lieds klingt allerdings ganz kirchlich.

13

Trivial und matt, auch durch die gleichförmige Anordnung der Sätze dem Anakr. höchst unähnlich.

14

V. 3. *Krösos*, König von Lydien; Anakr. war sein Zeitgenosse.

V. 8. Anstatt »*schenk' ein*« (eigentlich: mache Wein zurecht) übersetzen Andere: »du waffne dich!« d. h. sei Krieger wer da will! (Vgl. Nr. 35 der Fragmente).

465

Auch werden die drei abgesonderten Zeilen, deren Versmaß aber im Griech. von den vorhergehenden abweicht und die vermuthlich den Schluß eines verlorenen Liedes machten, von Andern mit den obigen vereinigt. Übrigens athmet aus beiden Bruchstücken unstreitig etwas von dem feurigen Geiste des Teïschen Sängers.

15

Ein schlecht versificirtes Stück mit Dorischen Formen, die dürftigste Nachahmung von Nr. 14. Wie närrisch, daß der Mann durch den Gesang der Aphrodite ergötzt sein will! Von Mehlhorn wird zwar V. 8 auf das Vorhergehende bezogen, was aber nur mit Zwang geschieht.

16

Nicht ohne Kunst und Sorgfalt wird in diesen Strophen das Thema von Nr. 14 zu einem Wechselgesange ausgesponnen. Mehlhorn möchte statt mehrerer Sänger, wie Degen will, nur ihrer zwei annehmen, weil der Inhalt von Str. 2, 4 und 6 je mit dem der vorhergegangenen ziemlich in Parallele stehe. In Str. 1 sind augenscheinlich mehrere Worte des Textes ausgefallen; wir haben die Lücke (die Mehlhorn folgendermaßen darstellt:

.....Μούσας
..ἄρχεται λιγαίνειν)

nur der Silbenzahl nach ausgefüllt. – Metrum und Sprache lassen über die spätere Abfassungszeit keinen Zweifel zu. Vornehmlich bezeichnend sind in dieser Hinsicht einzelne poetische Ausdrücke, welche Stark hervorhebt: so z.B. gemahnt V.11 durch αὖραι πολυανθέες, blumenduftgefüllte Lüfte, an jenen Epithetenschmuck, in dessen mannigfaltigem Gebrauch sich die spätern Dichter, wenn von der Luft die Rede ist, gefallen, und Anderes mehr.

17

V. 13 f. ἀνεμοστρόφῳ, Faber.
Nach V. 22 fehlt im Text zum wenigsten eine Verszeile. Barnes ergänzt: μετὰ τῶν καλῶν ἐφήβων.
Das Stück gehört, von Seiten des dichterischen Werths betrachtet, – um von Willkürlichkeiten und Fehlern der Sprache, verdorbener Prosodie, reimartigen Ausgängen nicht zu reden – offenbar zu den geringsten seiner Art. Zuerst die abgeschmackteste Charakteristik des Bakchos, wobei er als Geliebter der Aphrodite aufgeführt wird. Der *Rausch* (Methe), die *Freude* (Charis – nicht etwa jene Homerische, die mit dem Bakchos nichts gemein hat), sogar *Kummer* und *Schmerz* (Lype, Ania) erscheinen als Göttinnen personificirt; vgl. Nr. 46. Anmerk. Sodann verliert das Lied, das seiner Anlage nach aus Herz und Mund der ganzen Gesellschaft

fließen soll, auf einmal alle Haltung, indem der Dichter nach V. 20 auf sich selbst überspringt.

18

V. 5. *Hyacinthus* ist hier wahrscheinlich die kleinere Art DELPHINIUM oder Rittersporn. Sonst heißt auch die blaue Schwertlilie, nebst mehreren verwandten Arten der regenbogenfarbigen Iris, bei den Griechen Hyakinthos.

Die letzte Strophe, die sich nicht gehörig mit den andern verbindet und eigentlich blos Wiederholung ist, scheint Zusatz eines spätern, schwachen Poeten; das Übrige wäre für einen Nachahmer immerhin gut zu heißen.

19

Nach der Überschrift im Heidelb. Codex gehört das Lied nebst zwei andern (wovon wir das eine unter Nr. 52 geben) dem Basilios, einem sonst nicht bekannten, jedenfalls sehr späten Dichter an.

V. 2. *ohne blut'ge Saiten*: d. h. sie habe mit kriegerischen Stoffen keine Verwandtschaft.

V. 3–4. s. Anakr. Fragm. 25. Anm.

Daß der Sänger die Leier Homers verlangt, ist albern, und ebenso das rasche Abspringen von dieser zum *Barbiton*; im Griech. vernimmt er gar deren mehrere. Das Barb. ist eine Art von Lyra, mit zwanzig Saiten, nicht wesentlich verschieden von der Pektis.

20

V. 10. *Pektis*, s. die vor. Anm.

Die persönliche Theilnahme der drei Götter anlangend, denken einige Ausleger, nach Anna Daciers Vorgang, an eine Verkleidung »MASQUERADE« von jungen Leuten, ähnlich wie im Xenophontischen Gastmahl am Schluß ein Knabe und ein Mädchen als Ariadne und Bakchos erscheinen. Näher liegt uns jedoch die Annahme, es seien die Götter selbst gemeint. Der begeisterte Dichter glaubt sie gegenwärtig zu sehen.

V. 14. *Mit der holden Kythereia*, scheint überflüssiges Einschiebsel.

21

V. 1–2. *Kybele* (Kybēbe), die Göttermutter. Ihr Verhältniß zu *Attis* wird verschieden erzählt. Nach einer der Sagen liebte sie den Phrygischen Jüngling wegen seiner hohen Schönheit und machte ihn zu ihrem Priester mit der Bedingung beständiger Keuschheit. Als er sich dann mit einer Nymphe verging, ließ ihn die Göttin wahnsinnig werden, in welchem Zustand er sich selbst entmannte. Daß er aus Liebe für Kybele wahnsinnig geworden, wird außer unserer Stelle nirgends angegeben.

V. 5. *Klaros*, eine kleine Stadt bei Kolophon in Ionien; unweit davon das berühmte Orakel des Apollon (Ap. Clarius). In einem Hain daselbst war eine Grotte mit dem Quell, dessen begeisterndes Wasser die Priester jedesmal tranken, bevor sie weissagten, was in gebundener Rede geschah. – Über das Lied im Ganzen vergleiche man die Anmerkung zu dem folgenden Stück.

22

V. 4–5. *Alkmäon*, ein Sohn des Amphiaraos und der Eriphyle, einer Schwester des Adrastos, Königs von Argos. Als es sich bei dem Streit der beiden Söhne des Ödipus darum handelte, dem Polyneikes, welchen sein Bruder Eteokles vertrieben hatte, zu seinem Rechte auf die Herrschaft von Theben zu verhelfen, nahm auch Amphiaraos an dem Kriegszug der sieben Helden Theil, doch nur genöthigt durch seine Gattin Eriphyle, welche von Polyneikes durch einen kostbaren Halsschmuck bestochen worden war; vermöge seiner Sehergabe hatte er den unglücklichen Ausgang des Unternehmens vorausgesehen. Zehn Jahre später vereinigten sich die Söhne der gefallenen sieben Fürsten zu einem zweiten Zuge gegen Theben, um für die Erschlagenen Rache zu nehmen; Alkmäon übernahm auf Antrieb der abermals durch ein Geschenk bestochenen Eriphyle den Oberbefehl, und dieser Krieg endigte mit Zerstörung der Stadt. Nunmehr vollzog Alkmäon den früher von dem Vater erhaltenen Befehl, seinen Tod an der verrätherischen Mutter blutig zu rächen, worüber er wahnsinnig ward. Er genaß zwar wieder, starb aber in der Folge eines gewaltsamen Todes.

Orestes, Sohn Klytämnestras und Agamemnons, Königs von Mykene. Der letztere wurde bekanntlich nach seiner Heimkehr von Troja durch Ägisthos, den Verführer Klytämnestras, mit deren Beihülfe erschlagen. Orestes rächte ihn durch Ermordung des verruchten Paares, wurde aber als Muttermörder von den Erinyen verfolgt bis zu seiner feierlichen Lossprechung vor dem Blutgerichte in Athen, wobei Pallas zu seinen Gunsten entschied. – »*Mit nackten F.*«, als Merkmal des Wahnsinnigen.

V. 10–15. *Eurytos*, König von Öchalia in Thessalien, hatte seine Tochter Iole dem *Herakles*, dem sie als Siegespreis bei einem Wettkampfe im Bogenschießen zukommen sollte, verweigert, ihn auch hernach durch einen falschen Verdacht wegen einer geraubten Rinderheerde gekränkt. In einem Anfall von Wuth daher tödtete dieser zu Tiryns in Argolis den *Iphitos*, des Eurytos Sohn, mit dem er sonst herzlich befreundet war. Nach unserer Stelle beging er dieß Verbrechen, wie es scheint, mit Iphitos' Bogen, welchen derselbe vom Vater besaß, und fiel hierauf in Raserei.

Ajas, der Sohn des Telamon, Königs von Salamis, den Lesern des Homer als einer der herrlichsten Griechischen Helden im Trojanischen Kriege bekannt. Sein gewaltiger *Schild* wird oft mit ihm erwähnt. Der Grund seines Wahnsinns war Stolz, unmäßiger Zorn darüber, daß nach des Achilleus Tode dessen Waffen nicht ihm, als dem Würdigsten, sondern dem Odysseus zugesprochen wurden. –

V. 15 ist das Schwert gemeint, welches ihm Hektor bei dem unentschiedenen Zwei-kampf, Il. VII, 304, in freundlichem Sinne geschenkt, wogegen er jenem seinen purpurnen Leibgurt gegeben. Auch war es eben dieses Schwert, womit er sich endlich selbst den Tod gab.

Der Umstand, daß die angeführten mythologischen Beispiele sämmtlich viel-fach gebrauchte Gegenstände der Tragiker sind, macht es sehr wahrscheinlich, daß der Dichter an die Tragödien dachte.

Unser Stück hat die größte Ähnlichkeit mit dem vorhergehenden, und die Erklärer sind verschiedener Meinung darüber, welches von beiden die Nachah-mung des andern sei. Longepierre sagt, in gutem Glauben an die Ächtheit beider, von dem zweiten: LE TOUR DE CETTE ODE EST FORT HEUREUX, ET ANACRÉON L'A TROUVÉ LUI MÊME SI JOLI, QU'IL S'EN EST ENCORE SERVI DANS UN AUTRE ENDROIT. Wo-gegen mit Stark zu sagen ist: es bezeichnet den niedrigsten Grad von dichteri-schem Talent, einen guten oder auch nur erträglichen Gedanken, den man etwa erhascht, auf jede mögliche Art zu erschöpfen; hier sieht man vielmehr nur, wie die Nachahmer Anakreons Dieses und Jenes, was wirklich von ihm herrühren mochte, verschiedentlich und öfter in ungeschickter Breite wiederholt haben. Das ängstlich Abgemessene in der ganzen Disposition des Gedichts ist ganz und gar nicht Anakreons Art; vornehmlich aber sind jene mitleidswürdigen Beispiele, als Würze eines lustigen Trinklieds gebraucht, gerade wie bei Nr. 3, unerträglich. Im Übrigen ist das Gedicht sehr gefällig und seine Versification ohne Tadel. Der Zeit nach wird es seinem Pendant, Nr. 21, von Stark nachgesetzt.

23

V. 1. Die *schwarze* Erde: Homerisches Beiwort.

V. 3. *Die Ströme*: nach anderer Lesart die Lüfte (d. h. feuchte Dünste).

Außer mehreren gegen die Ächtheit dieser Verse sprechenden Gründen greift Stark sie namentlich von Seiten der astronomischen Beziehungen an. Da nemlich jene Lehren der Naturphilosophen (eines Thales und Anaximander) von Erleuch-tung des Mondes durch die Sonne, von Ernährung der Sonne durch die Dünste des Meeres, zu Anakreons Zeit begreiflicherweise nicht allgemein bekannt sein konnten, so scheint es allerdings kaum denkbar, daß er in einem leichten, auf Jedermanns Verständniß berechneten Liedchen an diese Verhältnisse erinnert hätte. Der Scherz ist überdieß ziemlich gesucht.

24

Der Inhalt des an sich sehr vorzüglichen Stücks ist zu allgemein und unper-sönlich, um es mit Wahrscheinlichkeit dem Anakr. selbst zuschreiben zu können. Man vergleiche dagegen z. B. Fragm. 6, wo der Dichter ein bestimmtes Mädchen nennt, das ihm sein weißes Haar vorhält.

25

Ein ungemein liebliches, vollkommen Anakreons würdiges Stück, das nur im
Dialekt die Spur einer spätern Hand zeigt. – Ein ähnliches Bild wie V.7f. hat
Goethe in der Elegie Hermann und Dorothea:

> Aber Rosen winde genug zum häuslichen Kranze;
> Bald als Lilie schlingt silberne Locke sich durch.

26

V. 4–6. *Silen*, der Erzieher und stete Begleiter des Bakchos. Er liebt den
Trunk, Gesang und Tanz, und führt gewöhnlich den Weinschlauch mit sich, der
ihm als Stütze dient. So erscheint er schon in den ältesten Bildwerken. – Im *Chor*
der Jüngern, der Satyrn und Faune, die sein Gefolge ausmachen.

V. 7. *Stecken*; ὁ νάρθηξ, der Thyrsos, eigentlich der leichte markige Stengel
des Narthex (FERULA COMMUNIS), einer hochwüchsigen Doldenpflanze, auf welchen
ein Pinienzapfen gesetzt wurde. Man trug diese Stäbe bei Bakchosfesten und
Schmausereien während des Tanzes (vgl. Nr. 20) und neckte sich gelegentlich damit. In Plutarchs Gastmahl heißt es: – » wie der Gott selbst den Narthex den
Trunkenen in die Hand gegeben, die leichteste und weichste Waffe, damit sie
keinen Schaden anrichten, ob sie sich auch noch so grimmig schlagen «.

V. 8 und 9 stehen einzeln auch in den Fragmenten; s. Nr. 35.

Die Ächtheit dieses Liedes, dessen Text von K.Lachmann auf's glücklichste
wiederhergestellt wurde, vertheidigt Stark gegen Bergk, indem er unter Anderem
die Kraft des Ganzen, die rasche Folge der Gedanken, die lebenvolle Zeichnung
des trunkenen Alten geltend macht. In metrischer Hinsicht wird auch die gute
Wirkung der logaödischen Schlußzeilen von ihm bemerkt. – Nach der zweiten
Strophe kehrt im Griech. Text die Anfangszeile der ersten wieder: » Alt bin ich
zwar «. Möglicherweise könnte sie der Anfang einer dritten sein. Lachmann
scheint sie ganz wegzuwerfen.

27

In der zweiten kleinern Hälfte des Lieds erkannte Stark ein ganz unpassend
angehängtes Fragment. Es fehlt der innere Zusammenhang, und zudem fällt die
Ungleichheit der Strophen auf. Daß aber beide Stücke weit ab von Anakr. liegen,
beweist einerseits jene Beziehung auf die viel spätere Epoche der sophistischen
Rhetoren, andererseits die neuere Sprache.

29

V. 5. Die Rede ist hier unklar abgebrochen. Der folgende Zuruf (ῥόδα δός st.
παράδος, nach Stephanus) gilt, wie es scheint, einem zweiten, dienenden, Knaben.

30

Es handelt sich hier von cälirter (ciselirter) Arbeit, erhobener oder halberhobener. Offenbar will der Dichter mit diesem Auftrag an die bekannte Stelle bei
Homer erinnern, wo derselbe Gott auf Thetis' Bitte die Rüstung für den Achill
arbeitet. Von dem reichlich mit Bildwerk geschmückten Schilde heißt es Il. XVIII,
483 ff. nach Donners Übers.:

> Hier nun schuf er die Erde, das wogende Meer und den Himmel,
> Schuf auch Helios' Licht, der niemals rastet, den Vollmond,
> Auch die Gestirne gesammt, die rings umkränzen den Himmel,
> Schuf des Orion Kraft, die Plejaden zugleich und Hyaden,
> Weiter das Bärengestirn, das wohl auch Wagen genannt wird – u. s. w.

Und ebendaselbst V. 561 ff.:

> Ferner ein Rebengefilde, beschwert mit schwellender Weinfrucht
> Schuf er, ein stattliches, goldnes, mit schwärzlichen Trauben behangen.
> Langhin standen die Pfähle gereiht – u. s. w.

Orion, am Himmel als kämpfender Held mit der Keule vorgestellt, war ein ge-
fürchtetes Gestirn, weil sein Untergang gewöhnlich Sturm brachte. – *Die Plejaden*,
sieben Töchter des Atlas und der Okeanide Pleione, das Siebengestirn. – *Bootes*,
Arktophylax, Bärenhüter, ein Sternbild in Gestalt eines Mannes, der mit der
Rechten an den Schwanz des großen Bären reicht.

V. 14. *Lyäos*, s. Nr. 4.

Stark hebt zu Begründung der Ächtheit unseres Stücks die edle Einfachheit
und bündige Fassung, besonders auch den Zug hervor, daß dieser Auftrag nicht
irgend einem Künstler, sondern dem Hephästos gegeben wird, insofern nach des
Dichters Vorstellung ein solches Werk nur einem Gotte zukam. Wenn Plinius
den Phidias (der um 444 v. Chr. blühte) als den ersten Toreuten anführt, so ist
dieß nicht streng wörtlich zu verstehen (vgl. Brunn Gesch. d. Gr. Künstl. I, S. 192),
mithin kein Beweis gegen das Alter des Gedichts. – Das Stück ist übrigens ein
merkwürdiger Beleg dafür, wie vielfache Veränderungen ihrer ursprünglichen
Gestalt ein Theil dieser Lieder erfahren haben muß. Wir finden dasselbe mit sehr
verschiedenem Text in Stephanus' Ausgabe, in der Heidelberger Handschrift, in
der Griech. Anthologie und bei Gellius (Attische Nächte XIX, 9.), welchem letztern
unsere Übersetzung mit Ausschluß eines Verses folgt. Die kürzeste Fassung, nur aus
11 Versen bestehend, und deßhalb von Bergk für die älteste erklärt, ohne daß er
darum das Gedicht für ächt hielte, gibt die Anthologie. Sie nennt nach V. 8 neben
dem Wagen und Orion nicht noch die Plejaden und den Bootes; bei den Reben
und Trauben nennt sie nur den Lyäos. Der Heidelb. Codex vereinigt sämmtliche
Veränderungen in 21 Versen, zum Theil auf eine lächerliche Art, und Degen
wollte wenigstens auf die dort als Winzer figurirenden Mänaden und auf die

471

Kelter nicht verzichten; dagegen wies er die lachenden Satyrn und anderes
Unpassende ab.

31

Beschreibung eines enkaustischen Gemäldes.

Um zuvörderst die Technik dieser Malerei, über die man bei den unbestimm- 5
ten Angaben der Alten verschiedener Meinung ist, nicht unberührt zu lassen,
theilen wir in Kürze die Ansicht Welckers mit, die uns vor andern einleuchtet. –
Die eingebrannte oder Wachsmalerei fand entweder auf Holztafeln oder auf
Elfenbein statt. Im Elfenbein mußte, um die Farben durch Wärme hineinzutrei-
ben, die Zeichnung eingeritzt werden. Dieß geschah vermuthlich durch den trok- 10
kenen spitzen Stift (CESTRUM); die Wachsfarben wurden dann über die Fläche gezogen und diese vielleicht vor dem Einbrennen abgewischt, indem die Zeichnung,
nicht unähnlich dem Kupferstiche, die Farben festhielt. – Die höhere Art von
Enkaustik war Pinselmalerei mit nassen kalten, in vielen Fächern eines großen
Kastens gehaltenen Farben, bei deren Ansetzung Wachs, unbekannt in welcher 15
öligen Verbindung, gebraucht wurde, worauf das Einbrennen und damit die
Verschmelzung der Farben, die Erhöhung und Abschwächung des Tons, das Re-
geln der hellen und dunkeln Töne vermittelst eines überhin gehaltenen und ge-
führten, unten angeglühten Stäbchens erfolgte. (Zum Auftragen der Farben
konnte ein Glühstab, wie Andere annehmen, nicht dienen, und das CESTRUM ging 20
nur das Elfenbein an.) So wurde durch das auf das Malen selbst folgende enkau-
stische Verfahren Schmelz, Transparenz, Tiefe der Schatten befördert und auf
Effect und Illusion hingewirkt. Welck. Kl. Schr. 3. Th. S. 412.   Müllers Archäol.
§. 320. Anm. 3.

Obgleich die Enkaustik nach Plinius' Zeugniß bereits von Polygnot (zwischen 25
460 und 420 v. Chr.) ausgeübt wurde, so kam sie doch erst nach der Blüthezeit der
Griechischen Kunst bei Thebanischen und Sicyonischen Künstlern in Aufnahme.
Pausias war der Erste, der sich zum Theil in diesem speciellen Fach durch kleine
Bilder, Kinderfiguren, Thiere und Blumen berühmt gemacht hat. V. 3 unseres
Textes weist auf eine *Rhodische* Malerschule als Pflegerin desselben Kunstzweigs 30
hin, und daß Malerei wie Sculptur bei den Rhodiern eine lange Zeit hindurch
blühten, ist bekannt; allein ihr Ruhm hob sich doch erst nach Protogenes, Apel-
les' Zeitgenossen, und insbesondere bildete sich damals erst die fragliche Malart
bei den Rhodiern aus. Schon dieser Thatsache zufolge trägt unser Gedicht mit
Unrecht Anakreons Namen. Mit Rücksicht auf ein prosodisches Merkmal wird es 35
von Stark nicht über das 2. oder 3. Jahrh. nach Chr. gesetzt.

V. 10. Sie soll nicht EN FACE, sondern mit etwas seitwärts gewandtem Gesicht
dargestellt werden, so daß die eine Wange ganz, von der andern nur ein Theil
sichtbar sei. Jacobs faßt ὅλη παρειή als volle Wange.

V. 13–17. Ein kleiner Mißstand bleibt es bei dieser Erklärung der zweifelhaften 40
Stelle immer, daß nicht die Farbe der *Brauen* angegeben ist, die doch vor den
Wimpern genannt sind. – (Von einer solchen Verbindung der Augenbrauen spricht

auch Ovid, Art. am. III, 201; und Claudian X, 267. Mirum est vero, bemerkt der alte Stephanus bei unserer Stelle, placuisse illis ita confusa supercilia, quum nihil a pulchritudine magis videatur alienum. Sed alia multa observabis veteribus fuisse in deliciis, quae tui non erunt stomachi.)

5 V. 20. Die Augen der Athene dachte sich der Grieche nicht eigentlich blau; ihre Farbe sticht in's Grünlichgraue und sie haben etwas Furchterregendes. Hier soll ihr strenger Ernst durch den Ausdruck von Liebe in den *feuchten* Augen der Aphrodite gemildert werden. Vergl. Goethes Röm. Eleg. XI.:

Aber nach Bacchus, dem Weichen, dem Träumenden, hebet Cythere
10 Blicke süßer Begier, selbst in dem Marmor noch feucht.

V. 24. *Peitho*, die Göttin der Überredung, wird öfters im Vereine mit den Chariten genannt. S. Fragm. 14.

V. 33–34. Demnach wäre zum wenigsten schon ein Contour unter den Händen des Malers zu sehen gewesen.

15 Von ästhetischer Seite erfordert das vielbewunderte Gedicht noch eine Betrachtung, und wäre es auch nur, weil Lessing dasselbe nebst dem Pendant, Nr. 32, einer eingehenden Erörterung in Bezug auf seine Lehre von den Gränzen der Malerei und Poesie im Laokoon (Cap. XX) würdigt.

Nach Aufstellung des trefflichen Grundsatzes, daß der Dichter sich aller de-
20 taillirten Schilderung körperlicher Schönheit zu enthalten habe, belegt er diese Regel mit Beispielen des Musterhaften und Verfehlten, – aus Homer, Virgil und Ovid einerseits, aus Constantinus Manasses* und Ariost andererseits. Von dem Letztern führt er die Schilderung Alcinas an (Ras. Rol. VII, 11 ff.), die durch fünf Stanzen geht und wovon hier nur der Anfang, nach der Kurtz'schen Übers., stehen
25 möge:

Und herrlicher als Maler je vermochten,
War ihrer Glieder Bau, dazu von langen
Lichtgelben Locken, wallend, schön geflochten,
Ihr Antlitz mit so hellem Glanz umfangen,
30 Daß sie vom Golde selbst den Sieg erfochten.
Mit Lilien spielten Rosen auf den Wangen,
Die heitre Stirn, in ihres Maßes Reine,
Schien wie geformt aus glattem Elfenbeine.
Und sieh, dort unter zwei schwarzseidnen Bogen
35 Zwei schwarze Augen, nein! zwei helle Sonnen u. s. w.

»Was für ein Bild, fährt Lessing fort, geben diese allgemeinen Formeln? In dem Munde eines Zeichenmeisters, der seine Schüler auf die Schönheiten eines aka-

* *Const. Man.*, ein Byzantinischer Scribent aus der Mitte des 12. Jahrh. n. Chr., ist Verfasser einer in schlechten Versen geschriebenen Chronik, welche bis zu dem Jahre 1081 reicht. Bei Gelegenheit
40 des Trojanischen Kriegs ergeht er sich in einer schwülstigen Beschreibung Helenas.

demischen Modells aufmerksam machen will, möchten sie noch etwas sagen,
denn ein Blick auf dieses Modell und sie sehen die gehörigen Schranken der fröhlichen Stirne, sie sehen den schönsten Schnitt der Nase, die schmale Breite der
niedlichen Hand. Aber bei dem Dichter sehe ich nichts und empfinde mit Verdruß die Vergeblichkeit meiner besten Anstrengung etwas sehen zu wollen«.   5
Sodann, indem er auf die zwei Lieder »des Anakreon« kommt, »in welchen er
die Schönheit seines Mädchens und seines Bathylls zergliedert«, bemerkt der
Kritiker: »die Wendung, die er dabei nimmt, macht Alles gut. Er glaubt einen
Maler vor sich zu haben und läßt ihn unter seinen Augen arbeiten. So, sagt er,
mache mir das Haar, so die Stirne, so die Augen, so den Mund, so Hals und Busen,   10
so Hüft' und Hände! Was der Künstler nur theilweise zusammensetzen kann,
konnte ihm der Dichter auch nur theilweise vorschreiben. Seine Absicht ist nicht,
daß wir in dieser mündlichen Direction des Malers die ganze Schönheit der geliebten Gegenstände erkennen und fühlen sollen; er selbst empfindet die Un-
fähigkeit des wörtlichen Ausdrucks und nimmt eben daher den Ausdruck der   15
Kunst zu Hülfe, deren Täuschung er so sehr erhebt, daß das ganze Lied mehr
ein Lobgedicht auf die Kunst als auf sein Mädchen zu sein scheinet. Er sieht nicht
das Bild, er sieht sie selbst und glaubt, daß sie nun eben den Mund zum Reden
eröffnen werde«. – Aber, möchten wir fragen, um uns die Schönheit seiner Geliebten zu zeigen, und zugleich die Kunst oder den Künstler zu erheben – wofern   20
Letzteres wirklich die Absicht sein sollte –, gab es denn für den Dichter kein anderes geistreicheres Mittel, als eben solche stückweise Beschreibung? Es handelte
sich ja nicht im Ernst um eine Anweisung des Malers, die uns an sich ganz gleichgültig wäre. Wenn er selber empfand, es lasse sich eine vollkommene Anschauung
durch viele Worte nicht mittheilen, warum gab der Dichter uns nicht auf wahrhaft   25
poetische Weise mit Wenigem so viel zu sehen, daß unsre Phantasie gereizt und
genöthigt war, uns das Schönste und Eigenthümlichste vorzustellen? Oder konnte
dieß etwa nicht füglich mit einem Compliment für den Künstler verbunden werden? Gewiß auf hundertfache Art. So etwas lag aber nicht in der Richtung seines
Geschmacks, noch in seinem Vermögen. Das Motiv des Gedichts ist recht eigent-   30
lich epigrammatisch – man sehe nur die Schlußpointe – und ohne Zweifel hat der
Verfasser ein wirkliches Epigramm in seiner Manier erweiternd umgeschaffen,
wobei er sich gerade auf jene umständliche Schilderung nicht wenig zu gut gethan haben mag. Inwiefern ihr im Ganzen unpoetischer Charakter dadurch verbessert werde, daß wir sie in Form einer Bestellung beim Maler bekommen und   35
daß sie sich schließlich in eine entzückte Anschauung des Mädchens auflöst, ist
nicht wohl einzusehen; wir hatten ja nichts desto weniger das peinliche Gefühl,
über welches sich Lessing dem Ariost gegenüber beklagt. In jedem Fall scheint
Lessings Urtheil dießmal mehr durch die Achtung vor einem classischen Namen
als durch die Sache selbst bestimmt worden zu sein.   40
Der Gebrauch, welchen derselbe im Fortgang seiner Erörterung (XXI) von einer
einzelnen Stelle jener Schilderung macht, darf hier nicht unerwähnt bleiben.
Dort nemlich bespricht er den Vortheil, dessen sich die Poesie im Gegensatz zur

Malerei bedient, indem sie Schönheit in Reiz verwandelt. »Reiz, sagt er, ist Schönheit in Bewegung. – – Alles was noch in dem Gemälde der Alcina gefällt und rühret, ist Reiz. – – Selbst Anakreon wollte lieber in die anscheinende Unschicklichkeit verfallen, eine Unthulichkeit von dem Maler zu verlangen, als das Bild seines Mädchens nicht mit Reiz zu beleben. Ihr sanftes Kinn, befiehlt er dem Künstler, ihren marmornen Nacken laß alle Grazien umflattern! Wie das? Nach dem genauesten Wortverstande? Der ist keiner malerischen Ausführung fähig. Der Maler konnte dem Kinn die schönste Ründung, das schönste Grübchen, AMORIS DIGITULO IMPRESSUM, – er konnte dem Halse die schönste Carnation geben; aber weiter konnte er nichts. Die Wendungen dieses schönen Halses, das Spiel der Muskeln, durch das jenes Grübchen bald mehr, bald weniger sichtbar wird, der eigentliche Reiz war über seine Kräfte. Der Dichter sagte das Höchste, wodurch uns seine Kunst die Schönheit sinnlich zu machen vermag, damit auch der Maler den höchsten Ausdruck in seiner Kunst suchen möge«. – Ob mit der letztern Bemerkung unsrem Autor nicht abermals viel zu viel Ehre erwiesen wird? Was Lessing hier hervorhebt, will uns bei einem solchen Dichter fast wie eine erborgte Verzierung oder conventionelle Phrase vorkommen.

32

V. 9. im Griechischen wörtlich: die zarte thauige Stirne.

V. 28–32. *Adonis*, der schöne Liebling der Aphrodite, welcher auf der Jagd durch einen Eber verwundet starb. – *Maia*, die älteste der sieben Töchter des Atlas und der Pleione, von Zeus geliebt und durch ihn Mutter des Hermes. – *Polydeukes* (Pollux), der als Faustkämpfer berühmte Bruder Kastors und Helenas. Beide Brüder sind bei Homer wirkliche Söhne des Tyndareos, Königs von Sparta; nach der späteren Vorstellung Söhne des Zeus (von der Leda), daher Dioskuren genannt; oder werden sie so geschieden, daß der unsterbliche Polydeukes den Zeus, der sterbliche Kastor den Tyndareos zum Vater hat.

Das Stück ist Nachahmung von Nr. 31. Es unterliegt dem gleichen Tadel wie jenes und geht in seinem mythologischen Schmuckwerk sogar noch weiter, ist aber unseres Bedünkens reicher an ächt poetischen Zügen. Besonders schön sind die Stellen V. 4 u. 5; 18–21; sehr gut die Wendungen V. 38–41, und ebenso der heitere epigrammatische Schluß, den, eben weil er nur Scherz ist, ein Vorwurf darüber, daß der geschilderte Bathyllos und ein Apollon wenig Ähnlichkeit haben, nicht trifft. – Die Beschreibung des Bildes setzt jene spätere Kunstperiode voraus, wo sich das Charakteristische gewisser einzelnen Theile der Göttergestalten durch eine lang gepflogene traditionelle Praxis der Künstler so festgesetzt hatte, daß ein Hermes sogleich an der Bildung der gewandten Hände, Polydeukes an der Schnellkraft der Schenkel, Dionysos an der weichen Form des Unterleibs erkannt wurde. – Übrigens schwebte dem Dichter ohne Zweifel die in Samos aufgestellte vortreffliche Statue des Bathyllos vor. S. Fragm. 9. Anm.

33

V. 2. *ein Zeus* (*Ζεύς τις*), gerade wie auch wir von einem Bilde zu sagen pflegen: es ist ein Jupiter, ein Apollo u.s.f.

V. 4. *ein Sidonisch M.* Europa ist nach Homer eine Tochter des Phönix, nach Andern des Agenor, Königs von Phönicien. In Gestalt eines Stiers entführte Zeus sie nach der Insel Kreta, wo er sich in einen schönen Jüngling verwandelte und den Minos, Sarpedon und Rhadamanthys, die nachmaligen Richter in der Unterwelt, mit ihr zeugte.

Das Stück wird ohne Noth von Hermann, Degen u.A. für ein Fragment erklärt. Herder hat es mit malerischer Ausschmückung zu einem Sinngedicht in elegischer Versart umgeformt und einen unglücklichen Versuch gemacht, die von ihm vermißte Pointe in einer sittlichen Reflexion hinzuzufügen:

> Ach, es ist Jupiter selbst! Die Liebe wandelt der Götter
> Gott zum Thiere; wie oft hat sie es Menschen gethan!

Nach Stark würde der Dichter mit den letzten Zeilen sagen: obschon du da nur einen Stier erblickst, so läßt sich doch von dem gewaltigsten der Götter etwas an ihm erkennen. Allein wir können in diesen Versen nichts finden, was auf eine Veredlung des thierischen Körpers, auf einen höhern Ausdruck (in dem Sinne wie Goethe im 6.Brief des *Sammlers* den Adler Jupiters behandelt wissen will) hinzeigte; vielmehr wird die im Anfang ausgesprochene Vermuthung, daß man hier einen Zeus vor sich habe, lediglich nur durch die äußerlichsten Merkmale des rohen Fabelstoffs begründet. Wie, wenn eben deßhalb diese Verse nur den feinsten Spott auf ein geistloses Gemälde enthielten? »Sieh doch, das ist ja wohl Zeus! Ein Stier mit einer Phönicischen Schönen das Meer durchschwimmend: mir ist kein zweiter Fall bekannt, wo die drei Dinge so zusammen kämen – ein Zeus also, es fehlt sich nicht!« Daß zum Zeus eine Kleinigkeit fehle, daß hier von jenem göttlichen Thier des Moschos (Idyll II.) nichts zu merken sei, überließ der ironische Dichter seinem Leser oder dem Beschauer des Bildes selbst zu denken. Bei dieser Auffassung, welche besserem Urtheil anheim gegeben sei, wäre anzunehmen, es lag der Einfall von Hause aus in der gewöhnlichen epigrammatischen Versart vor und erhielt, vielleicht nur durch Mißverständniß, die ungeeignete melische Form von einem spätern müßigen Poeten.

34

Wir haben hier die lobreiche Beschreibung eines Prachtgeräthes, dessen künstlerischer Schmuck die eben aus dem Meer geborne Aphrodite, von Eros und Himeros, den Göttern der Liebe und Liebessehnsucht umgeben, darstellt. Das Gedicht ist in jeder Hinsicht schwach. Den Eingang insbesondere konnte nur ein Franzose wie Gail schön finden. »QUEL BURIN – QUEL GÉNIE HEUREUSEMENT TÉMÉ-

RAIRE – QUEL GÉNIE RIVAL DES DIEUX ETC. DÉBUT TRÈS POÉTIQUE SANS DOUTE, CEPEN-
DANT PAUW LE JUGE INEPTE; TANNEGUY LEFÈBVRE N'Y VOIT QU'UN ENTHOUSIASME
NIAIS«. – Gleichwohl mag die Verachtung, mit welcher die Kritik, vorzüglich
Brunck, das Stück behandelt, zum Theil auf Mißverständniß beruhen; wovon
5   Weiteres unten.

Auf einem eigentlichen Diskos, der bekannten Wurfscheibe, konnte das Bild
nicht wohl angebracht sein. Dawider spricht schon die Wahl des Gegenstandes,
der sich für ein Toilettengeräth unstreitig weit besser als für jenes gymnastische
Werkzeug schickte. Man hatte zwar unter demselben Namen auch eine Art Tel-
10   ler oder Platten aus edlem Metall als Prunkstücke; vermuthlich aber ist in unserem Gedicht ein runder Handspiegel gemeint, dergleichen sich verschiedene von
Erz, auch von edlem Metall mit Etruskischer Arbeit auf der Rückseite verziert,
aus dem Alterthum erhalten haben. Vgl. Müllers Archäol. §. 173. Overbecks
Pompeji S. 323. Lübkes Grundriß der Kunstgeschichte.

15   V. 7. *die Mutter sel. Götter* ist wohl nur im Sinne späterer kosmogonischer und
theogonischer Vorstellungen zu verstehen.

V. 11–15. Jedermann fühlt das Unschöne der Vergleichung mit der *Alge*,
einer weißblühenden Art von Meergras oder Seemoos. Durch größere oder kleinere Veränderungen des gewöhnlichen Textes war aber hier nicht zu helfen. Wir
20   lesen ἀλαλημένη δ᾽ ἐπ᾽ αὐτά, SCIL. κύματα. – Versuchen wir uns nun die Situation
der Hauptperson und der Nebengruppe deutlich zu machen, und so vielleicht
den Vorwurf der äußersten Confusion in der Beschreibung hinwegzuräumen.

Die meisten Erklärer denken sich die Göttin in aufgerichteter Haltung. Nach
unserer Vorstellung liegt sie, nur wenig in die Fluth gesenkt, auf einer Seite.
25   Gesetzt, es sei dieß die rechte Seite, so ergibt sich die Zeichnung leicht folgender-
gestalt. Während der Körper von den Hüften an abwärts beinah in seiner ganzen
Breite dem Beschauer gerade entgegen liegt, dreht sich der Oberleib, etwas
emporgehoben, nicht zu gewaltsam rechts, indem die Göttin mit Armen und
Händen die Bewegung des Schwimmens mehr spielender Weise als angestrengt
30   macht. Der Kopf muß ziemlich aufgerichtet sein, das Gesicht fast Profil. Der Hals
wird von einer ankommenden größeren Welle beströmt, eine kleinere vorn um
die Mitte des Leibes erhebt sich so weit als nach V. 10 erforderlich ist. Hiermit
fällt denn der Widerspruch hinweg, welchen Mehlhorn in der Beschreibung findet
und der ihm zu beweisen scheint, daß dem Verfasser das Bild nicht klar gewesen
35   sei: »NAM SI EA TANTUM, QUAE CERNI NON DECET, UNDA TEGEBAT, QUOMODO USQUE AD
COLLUM ASSURGERE POTERAT?« – Im Vordergrund, vielleicht in symmetrischer Stellung genau die Mitte, oder links und rechts die Enden einnehmend, befinden sich
die beiden jugendlichen Götter. Ihre lachenden Gesichter sind gegen einander
gekehrt; der eine mag wohl auf die Fische hinzeigen, die sich begierig herzudrän-
40   gen und damit, wie wir vermuthen, ein Bild menschlicher Liebesthorheit abgeben
sollen.

Da man nicht ohne Weiteres annehmen darf, es habe dieser Beschreibung
kein wirkliches Bildwerk zu Grunde gelegen, so ist die Frage nach dessen näherer

Beschaffenheit nicht vornweg abzuweisen. Es mochte halberhobene Arbeit sein; ob aber einfach und durchaus in Silber wird durch V. 22, ὑπὲρ ἀργύρῳ δ᾽ ὀχ., zweifelhaft. Bedeutet ἄργυρος das Meer, wie konnte es der Dichter so bezeichnen, wenn die Delphine, die Eroten und die Göttin gleichmäßig silbern waren? Man könnte fast versucht sein, das Bild nicht auf der Rückseite des Diskos, wo sonst solche Verzierungen angebracht sind, sondern im Gegentheil vorne, und zwar oben im Rahmen, in einer Art von Aufsatz, dicht über der glatten Spiegelfläche zu suchen, und also unter ἄργυρος den eigentlichen Spiegel zu verstehen.

Beachtenswerth ist ferner das Farbige in der Beschreibung. Daß dieses überall nur auf Rechnung der poetischen Malerei zu setzen sei, däucht uns in Ansehung des stark hervorgehobenen Farben-Unterschieds in V. 21 nicht wahrscheinlich. Man kann bei dem Contrast der Lilie mit den Veilchen kaum umhin, die See im Bilde blau zu denken.

35

Strophe 1 ist mit den drei ersten Versen des Lieds Nr. 20 beinahe gleichlautend. Wahrscheinlich liegt beiden Stücken insoweit ein älteres Muster zu Grunde. Auffallend ist der Sprung in Str. 3, wo der Dichter auf einmal bei dem Tempel des Bakchos tanzen will, nachdem doch bisher nur von einem Gelage die Rede gewesen. Da ferner V. 2 der Name Dionysos (bei uns Lyäos) blos uneigentlich für Wein gebraucht wird, so folgt die Anrufung des Gottes selbst V. 11 nicht schicklich. Auch ist das Metrum mehrfach mangelhaft. Das Ganze scheint aus zwei verschiedenen Liedern zusammengesetzt, Str. 3 gewaltsam angefügt.

36

In der Heidelb. Handschr. steht das Lied in zwei Theile oder Lieder getrennt, so daß das erste mit V. 20: »wenn die Rose fehlte« endigt. Mehlhorn vermuthet, der zweite Theil sei Nachtrag eines andern Dichters. Dacier, Longepierre, Degen, Stark sind für die Einheit des Ganzen und halten es für einen Wechselgesang.

Die Rose war sowohl dem Dionysos als der Aphrodite heilig.

V. 12 f. ist mehr Erklärung als Übersetzung; der Griech. Text sagt nur: lieblich dem der sie versucht am dornigen Pfade. Der Dichter meint jedoch augenscheinlich die ungebrochene Rose im Gegensatze zu der gepflückten.

V. 17–20. Bei den zur Zeit der Frühlings-Tag- und Nachtgleiche in Athen gefeierten Dionysien pflegte man sich mit Frühlingsblumen zu bekränzen.

V. 26. *Scheucht Verwesung.* In gleicher Absicht salbt Aphrodite schon bei Homer, Il. XXIII, 186 ff., die Leiche des Hektor mit Rosenöl.

V. 33. *Pontos,* ein Sohn des Äther und der Gäa (Erde).

V. 34–36. Pallas ward nach der bekannten Fabel aus dem Haupte des Zeus geboren. – Nachdem die sämmtlichen Vorzüge der Rose, mit wenig Geschmack und allzu sichtlich auf der Spur poetischer Reminiscenz wie an den Fingern aufgezählt worden, schließt das Ganze nicht ungeschickt mit dem Mythus von dem

Ursprung derselben. Sonst wird jedoch erzählt, daß Aphrodite die Rosen (nach Andern die Anemonen) aus dem Blute des Adonis – s. Nr. 50 – habe entstehen lassen.

37

Ein reizendes, nur leider im Text verdorbenes Gemälde.

V. 1–3. Wir fanden es unmöglich, die hier enthaltene Vorstellung mit zwei Zeilen, wie sie der Grundtext gibt, vollständig auszudrücken.

Nach V. 10 folgt im Griech. eine weitere, offenbar nicht her gehörige Verszeile. Mit Unrecht wird dagegen V. 11 angefochten, welcher, besonders malerisch betrachtet, nicht wohl zu missen wäre. Bei der argen Entstellung des Originals in den drei letzten Zeilen, zu deren Berichtigung verschiedene Vorschläge (von Mehlhorn, Hermann, Böckh, Bergk) gemacht werden, half sich der Übers. wie er konnte; im Wesentlichen war der Sinn nicht zu verfehlen.

Stark will das Stück, neben aller Anerkennung seiner Schönheit, nicht vor das 2. Jahrh. n. Chr. gesetzt wissen. Er hat in dieser Beziehung zuerst auf V. 8 aufmerksam gemacht, wo *Titan* (als Sonnengott, Sol) statt Helios genannt ist. Zwar wird nach Hesiod Hyperion (Vater des Helios), nach Andern Helios selbst, zu den Titanen, den Söhnen der Gäa und des Uranos, gezählt, aber erst bei den lateinischen Dichtern heißt Sol vorzugsweise und schlechthin Titan; nur nach ihrem Vorgang scheinen Griechische Dichter den Namen so gebraucht zu haben, und durchaus sind es nur spätere, bei denen er in dieser Bedeutung vorkommt.

Bromios, der Lärmende, Beiname des Bakchos.

38

Vor Allem gebricht es dem Stücke, das nach einem Gemälde entworfen zu sein scheint, an einem schicklichen Eingang. Ohne Zweifel schwebte dem Verfasser Homer, Il. XVIII, 561 ff., dabei vor; besonders V. 567–68:

> Rosige Mädchen und Knaben mit jugendlich heiterem Sinne
> Trugen die liebliche Frucht in zierlich geflochtenen Körben.
>
> (Donner.)

Im Übrigen beweist ein schlechter, mit Participien überladener Styl, der in der Übers. nicht hervortritt, sowie die ungehörige Verwechslung des Weingottes mit dem Wein, V. 9 u. 24, die Unächtheit zur Genüge.

Wir stellen dieser Beschreibung ein elegisches Stück von ähnlichem Inhalt und mehr Zartheit gegenüber, dessen Verfasser Agathias von Myrine, im 6. Jahrh. n. Chr., ist; die Übersetzung von Weber:

> Wir nun kelternd den Segen aus reichlicher Frucht des Iakchos
> Stampften gesellig im Takt munteren Winzergesangs;
> Und schon strömte der Saft, der unendliche: aber wie Kähne
> Schwammen die Epheukrüg' über dem süßen Gewog,

Deren wir schöpfend gebrauchten, um eiligen Trunk zu entheben,
    Wenig dabei um den Dienst heißer Naiaden besorgt.
Aber die schöne Rhodanthe, die über die Küpe sich herbog,
    Hellte mit ihrer Gestalt lieblich bestrahlend das Naß.
Allen auch schwärmten die Geister in Trunkenheit. Keiner der Unsern   5
    War, der nicht folgsam erkannt Bakchos' und Paphias Macht.
Klägliche! die zwar jener in üppiger Fülle bespülte,
    Diese jedoch schalkhaft nur mit Vertröstung entließ.

Epheukrüge: ländliche Trinkgefäße aus Epheuholz mit Schnitzwerk verziert. –
Heiße Naiaden (Fluß- und Quellnymphen) für heißes Wasser (wie Bakchos für   10
Wein). Den Wein pflegte man nach Jahrszeit und Umständen ebensowohl mit
Schnee als siedendem Wasser zu mischen.

39

Diesem Kelterliedchen ist von Seiten der Kritik in Lob und Tadel zu viel geschehn. Es hat einen fröhlichen Schwung, leidet aber an mehreren Fehlern der   15
Form. Unter andern ist im Original V. 1–3 der spielende Gleichklang dreier Worte
störend.

40

Das Kleinod dieser Sammlung, möglicherweise von Anakr. selbst; den deutschen Lesern längst durch Goethes Übertragung bekannt.   20
V. 7. *Die Horen*, Göttinnen der Jahreszeiten, gewöhnlich ihrer drei, seltener
zwei oder vier, je nachdem man das Jahr eintheilte.
Die südliche Cikade, oder Baumgrille, ist runder als die Heuschrecke, dunkel-
grün oder braun und gelblich gefleckt, mit durchsichtigen, silbern oder rostfarb
geäderten und braunfleckigen Flügeln, und Blättchen darunter an der Brust,   25
womit sie das helle Geschwirr hervorbringt, das der Grieche so angenehm fand.
Sie saugt den Saft der Blätter und Blüthen, nach der Meinung der Alten aber nur
den Thau. Die Anthologie hat mehrere Epigramme auf sie, wovon hier eines von
Leonidas (ANTH. PAL. VI, 120) in Jacobs' Übers. stehen möge:

Nicht blos tön' ich ein Lied von den schattigen Wipfeln der Bäume,   30
    Wann heißbrennende Glut mich zu Gesängen entflammt,
Fröhlich geleitend den wandernden Mann und sonder Belohnung
    Mit dem Gesang, vom Naß lieblichen Thaues genährt:
Auch hier über dem ragenden Speer der im Helme geschmückten
    Pallas siehst du mich, Freund, sitzen die Grille der Flur.   35
So wie die Muse mich liebt, so ehr' ich die heilige Jungfrau,
    Welche den Flöten ja selbst liebliche Töne entlockt.

V. 12. *Der Musen Liebling;* vgl. die schöne Fabel vom Ursprung der Cikaden in Platons Phädros (PAG. 259. Steph.), welche Sokrates erzählt. Sie waren einst Menschen, und zwar von jenen, die vor der Entstehung der Musen lebten. Als aber diese erschienen und mit ihnen der erste Gesang, wurden jene zum Theil so von Lust hingerissen, daß sie singend Speise und Trank vergaßen, und sogar, wie sie starben, dieß nicht einmal wahrnahmen. Aus ihnen ging hernach das Geschlecht der Cikaden hervor, das von den Musen diese Gabe erhielt, daß es keinerlei Nahrung bedarf, sondern gleich von Geburt an singt, ohne Speise und Trank, bis es stirbt; worauf es zu den Musen kommt und ihnen ansagt, wer unter den Menschen hier sie verehre und welche von ihnen.

V. 15. Es war eine alte Volksmeinung, daß sie sich alljährlich häute und verjüngt weiter lebe.

V. 16. *Tochter der Erde* (γηγενής, erdgeborne). Sie galt für ungezeugt, aus der Erde entstanden, und war deßhalb das natürliche Symbol jenes Nationalstolzes, der seine Ahnen nicht aus fremdem Lande einwandern, sondern »dem dunkeln Schooß der heimathlichen Flur« entsteigen ließ; die Athener, die auf ihre Autochthonie besonders stolz waren, ehrten auch die Cikade besonders hoch, und in den guten alten Zeiten trug, wie Thukydides erzählt, jeder Bürger eine goldene Cikade in Form einer Nadel oder Spange auf dem Haupt, um die auf dem Scheitel in einen Wulst zusammengefaßten Haare festzuhalten. Dem jüngeren Geschlechte erschien diese Cikade so charakteristisch für die alten Zeiten und Sitten, daß die Cikadenträger, Tettigophoren, bei Aristophanes geradezu mit den ehrenwerthen »Marathonomachen« gleichbedeutend genommen werden (Ritter, V. 1330. Wolken, V. 894.).

V. 18. *Ohne Blut geb.* Durch dieses Prädicat wird sie den Göttern ähnlich, von welchen Homer, Ilias V, 341 f., nach Donners Übers., sagt:

Denn nicht essen sie Brod, noch trinken sie funkelnden Weines;
Blutlos sind sie daher und heißen unsterbliche Götter.

41

Die angenehmste Erfindung auf musterhafte Weise von einem späteren Verfasser ausgeführt. Thorwaldsen hat diesen Gegenstand in einem reizenden Bas-Relief behandelt.

42

Vielleicht ein fingirter Traum. Stark verurtheilt das Stück als Allegorie mit dieser ganzen Gattung, und macht ihm überdieß den Vorwurf des Gesuchten. Uns will es nicht so verächtlich vorkommen; es hat wenigstens Leben, spricht seinen Sinn ohne Weiteres klar genug aus und schon sein knapper Zuschnitt bewahrt es vor dem Lästigen, das man an so vielen Beispielen jener zweideutigen Dichtart kennt.

43

Eine gezwungene Allegorie in Form eines Traums. Nach der Lesart ἐνί τῳ δέ wäre der Sinn: Eros, dem ich bisher noch immer so glücklich entging, wird sich meiner, obgleich mit Mühe und spät, doch unfehlbar noch irgend einmal bemächtigen. Die Schreibung ἐνὶ τῷδε ergibt einen bestimmten Fall (*diesem* Eros da 5 werd' ich erliegen).

44

Der Einfall erinnert an eine bekannte liebliche Darstellung auf einem Herculanischen Gemälde (s. Müllers Archäol. S. 625), die Goethe in dem Gedicht »Wer kauft Liebesgötter« vor Augen hatte. 10

V. 6. Die *Dorische* Mundart zeichnet sich durch eine gewisse Rauheit und Härte aus und deutet im gegenwärtigen Falle mit mäßiger Komik auf einen ungebildeten Menschen.

V. 12. Eine *Drachme*, 7 $^9/_{10}$ Gr. = 27 $^1/_2$ Kr.

Hinsichtlich der Entstehungszeit des Stücks kommt in Betracht, daß man in 15 der besten Periode Griechenlands keine Götterbilder in Privathäusern hatte, so herrliche Werke die Tempel schmückten: erst in der Folge sah man dergleichen allerorten in zahlloser Menge. Auch läßt sich aus dem Sinne, in welchem der Dorische Dialekt vom Dichter angewendet wird, auf eine Zeit schließen, wo in demselben schon etwas Veraltetes, Drolliges gefunden wurde. 20

Welcker verurtheilt diesen Scherz, indem er ihn mit andern, wo es sich doch noch von lebendigen Eroten handle, besonders auch mit Nr. 49 vergleicht, als gar zu verkehrt: »wie soll ein Wachsbild in Flammen setzen?« u. s. w. Für uns hat die naive Verwechslung der Begriffe nichts Auffallendes. Man denkt doch unwillkürlich den Eros selber unter der Figur, oder man supponirt, der Gott vernimmt 25 die Herausforderung irgendwo.

Zur Vergleichung ein Epigramm von Meleager (ANTH. PAL. V, 178.) nach Jacobs:

Auf denn, er werde verkauft! in dem Schooß noch schlummernd der Mutter
    Werd' er verkauft. Was nützt's, nähr' ich den Frevler bei mir? 30
Ist er doch stets voll Hohn, und beschwingt; auch kneipt er mich oftmals
    Scharf mit den Nägeln, und oft weinet und lacht er zugleich;
Unbeugsam auch ist er und frech und unendlich geschwätzig,
    Feurigen Blicks und selbst gegen die Mutter nicht zahm.
Seltsam ist er durchaus. Drum fort mit ihm. Schiffet ein Kaufmann 35
    Über das Meer und begehrt seiner, so handl' er um ihn. –
Aber er bittet mit Thränen und fleht. – Ich verkaufe dich nicht mehr;
    Tröste dich! Bleibe nur hier, meiner Zenophila nah.

45

V. 15 ff. d. h. indem er sich in einen Pfeil verwandelte.

Nach Fragm. 24, mit der dort angenommenen Lesart, hätte ein thätlicher Kampf des Anakr. selbst mit dem Eros nichts Befremdendes; nur ein so förmlicher in Waffen wäre seiner Erfindung durchaus unwürdig. Durch die detaillirte Darstellung vollends wird die Sache etwas matt und die Vergleichung mit dem Achill fällt gar in's Kindische.

46

Der Sinn des Bildes ist nach Mehlhorns Erklärung: Eros pflegte anfänglich, unstet und wild umherschwärmend, nach Allem, was ihm vorkam, begierig zu greifen: seit die Menschheit sich durch Kunst und Wissenschaft zu veredeln begonnen und er die Macht des Schönen erfahren, blieb er in diesem Kreise wie gebannt und suchte nichts mehr außer demselben. – Dem großen Beifall ganz entgegen, den die Erklärer diesem Stücke zollen, sagt Stark mit gutem Grunde, die allegorische Einkleidung komme Niemand als einem Grammatiker zu. Und dann, von einem *Kallos* als Gottheit des Schönen weiß die Mythologie der Alten überall nichts. Freilich hat der Verfasser an eine sublimere Schönheit als die der Aphrodite gedacht, und ob sie schon gleichsam persönlich ist, so sollte wohl einem philosophischen Leser gar nicht einfallen zu fragen, wie denn der neue Götze ungefähr gestaltet sein möchte; man weiß genug damit, daß er GENERIS NEUTRIUS sei. Übrigens ist dieser abstracte Schemen durchaus in Römischem Geiste erfunden.

47

DE TOUTES LES ODES D'ANACRÉON VOICI CELLE QUI M'A TOUJOURS LE PLUS TOUCHÉ. – LA FICTION EN EST TOUTE INGÉNIEUSE ET TOUTE CHARMANTE, L'EXPRESSION DÉLICATE ET FINE – ENFIN CE N'EST QUE GRACES ET QUE BEAUTEZ. So spricht sich Longepierre über dieß niedliche Bildchen aus, und ähnlich lauten andere Stimmen in Menge. Dennoch ist die Kritik bei Vergleichung dieses Stücks mit einem nah verwandten Epigramm nicht durchaus einstimmig darüber, welchem von beiden der Preis zukomme. Die Leser mögen selbst urtheilen. Hier ist der *Honigdieb*, der unter Theokrits Idyllen (XIX) steht:

> Einst ward Eros, der Dieb, von der zornigen Biene gestochen,
> Als er Honig dem Korb entwendete. Vorn an den Händen
> Hatte sie all' ihm die Finger zerstochen; er blies in die Hände,
> Schmerzvoll, stampfte den Boden und trippelte. Jetzo der Kypris
> Zeigt' er das schwellende Weh, und jammerte, daß ein so kleines
> Thierchen die Biene nur sei und wie mächtige Wunden sie mache.
> – Lächelnd die Mutter darauf: Gleichst du nicht selber den Bienlein?
> Sieh nur, wie klein du bist und wie mächtige Wunden du machest!
>
> (Nach Voß.)

Pauw, Welcker und Stark sind entschieden für die letztere Darstellung. Sie ist einfacher, bündiger, die kleine Dieberei gibt dem Charakter des Amor etwas mehr Relief, und was er erleidet ist gerechte Buße. Die Anakreontische Fassung, welche von Mehlhorn, Degen und den übrigen Erklärern bei Weitem vorgezogen wird, gefällt wohl zumeist durch die größere Lebhaftigkeit in der directen Redeweise des Kindes. Wenn aber die beiden Stücke sich als Original und Nachbildung zu einander verhalten, so muß schon die ausführlichere Behandlung des unsern (V. 8 ff.) seine Ursprünglichkeit verdächtig machen, insofern ein Nachahmer nicht leicht schlichter und bündiger als sein Muster ist, das er zu überbieten sucht. Der Sprache und dem ganzen Geiste nach fällt der Verfasser in die späteren Zeiten der Alexandrinischen Poesie.

48

V. 1 ff. *Lemnos*, jetzt Stalimene, Insel im nördlichen Theil des Ägäischen Meers, dem Hephästos geheiligt. Dieser soll einst von Zeus, aus Anlaß daß er sich bei einem Streit desselben mit der Hera ihrer angenommen, aus dem Olymp auf das Eiland herabgestürzt worden sein und hier seine Werkstatt gegründet haben, dergleichen er auch sonst im Innern der feuerspeienden Berge, besonders im Ätna, gehabt. – Eros erscheint hier als sein Sohn von der Aphrodite, deren Liebesverhältniß zu Ares bekannt ist.

Tanaquil Faber, ein Mann von sehr lebhafter Empfindung, improvisirte, entzückt von dieser kleinen Dichtung, ein überschwänglich lobreiches Epigramm darauf, das uns seine gelehrte Tochter, Anna Dacier, mittheilt:

> FELIX, AH! NIMIUM FELIX, CUI CARMINE TALI
> FLUXIT AB AONIIS VENA BEATA JUGIS!
> QUID MELIUS DICTARET AMOR, RISUSQUE, JOCIQUE,
> ET CUM GERMANIS GRATIA JUNCTA SUIS?

Zu Deutsch etwa:

> Einzig glücklicher Mann, dem, solche Gesänge zu schaffen,
> Einst der begeisternde Quell rauschte von Helicons Höhn!
> Schöneres wüßte nicht Amor, die lachenden Götter des Scherzes
> Alle, zusammt dem Verein schelmischer Grazien, nicht!

Schade, daß ein so anziehendes Stück bei näherer Betrachtung viel von seinem Reiz verlieren muß. Die vielbesprochene Stelle V. 11 ff. leidet unstreitig an einer Dunkelheit, die wir geständig sind nicht entschieden und befriedigend aufklären zu können. »*Ares nahm den Pfeil*« (ἔλαβεν βέλεμνον): wie ist das Nehmen gemeint? welche Bewandtniß hat es überhaupt mit dem Pfeil oder Wurfspieß? Eros bezeichnet ihn als *schwer*, vielleicht im Doppelsinn, und der getäuschte Gott, die unerwartete Wirkung empfindend, bejaht die Aussage bedeutungsvoll, indem er denselben Ausdruck uneigentlich, für schmerzhaft, gebraucht. Auf diesen Gedanken wird aber der Leser etwa nur erst nach längerem Besinnen und nicht einmal nothwendigerweise geführt; er ist vielmehr geneigt, das Wort beidemale ganz eigentlich zu verstehen. Von dieser Auffassung ist aber nur ein kleiner Schritt zur Annahme einer besondern, dem Pfeil einwohnenden contractiven Kraft; wie

5 denn in der That einer der älteren Ausleger demselben eine krampfhafte Wirkung zuschreibt, zufolge deren Ares die ergriffene Waffe nicht habe weglegen oder fallen lassen können. (Hiebei erinnert sich Schreiber dieser Zeilen eines komischen Auftritts, den er beim Besuch einer galvanisch-magnetischen Heilanstalt mit einem Franzosen erlebte, der eine Eisenstange der großen Batterie neugierig

10 anfaßte und alsbald unter verzweifelten Gebärden mit dem Ruf AU SECOURS! AU SECOURS! die Gesellschaft alarmirte, auch wirklich das Eisen nicht los wurde, bis ihm der Besitzer zu Hilfe kam.) Indessen, Eros, so grausam er auch mit den Herzen umgeht, konnte den Kriegsgott doch nicht wohl mit diesem spasmodischen Denkzeichen in der Hand stehen lassen! – Nun fehlt es aber nicht an Stellen ande-

15 rer Dichter, die theils vom Bittersüßen, theils von dem Feurigen an Eros' Pfeilen sprechen. So namentlich Moschos, Idyll I, wo Aphrodite den entlaufenen Knaben beschreibt und den etwaigen Finder vor seinen Tücken warnt; man möge weder Küsse, noch was er sonst anbiete, von ihm nehmen:

20 Saget er: Nimm! dir schenk' ich mein ganzes Geräth: – o berühr' ihm
Nichts! die Geschenke sind Trug; denn getaucht ward Alles in Feuer.

Diese letztere Eigenschaft, obschon nicht ausdrücklich in unserer Stelle berührt, wird von den Erklärern gleichwohl zu ihrem Verständniß beigezogen. War es also die Glut, was dem Ares zusetzte, wo hat er diese eigentlich gefühlt? doch hoffentlich nicht an der Hand? Dieß wäre auf ähnliche Weise lächerlich, wie vorhin der

25 Krampf. Rich. Bentley gibt in einem durch Brunck bekannt gemachten Brief eine wundersame Erklärung. Auf die Frage, ob Amor dem Mars die Waffe nur in die Hand gegeben oder sie nach ihm geschleudert und ihn damit verwundet habe, antwortet er: keines von Beiden; das Wahre liege vielmehr in der Mitte: unter der Wurfwaffe habe man sich ein lebendiges Feuer, ein ätherisches, blitzartiges Ge-

30 schoß vorzustellen, das in dem Augenblick, wo Amor es dem Mars gereicht, diesem von selber in den Leib gefahren sei (– »JACULUM EX VIVO SCILICET IGNE ET AETHEREO FULGURE CONSTANS IN MARTIS CORPUS SE SPONTE INSINUAVIT ET RECONDITUM LATUIT«). Daher, der Wunde wegen nemlich, sein Ächzen und Bitten, dasselbe wieder herauszuziehen, weil Niemand außer Amor dieß gekonnt. – Nach Anderer

35 Ansicht steht die Phrase »er empfing den Pfeil« in ungewöhnlicher Bedeutung des λαβεῖν, einfach anstatt: er ward von einem Schusse des Amor getroffen; wobei jedoch Degen dem Dichter den Vorwurf der Unbestimmtheit macht. Mehlhorn weist diesen Tadel zurück; wir finden ihn, die Richtigkeit des Sinns vorausgesetzt, gerecht, und halten dafür, daß der Dichter bei vollkommener Deutlichkeit nicht

40 nothwendig hätte platt werden müssen, wie sein Vertheidiger behauptet. – Seinem ganzen Charakter nach gehört das Gedicht in einerlei Reihe mit Nr. 47.

49

steht in der Heidelb. Handschr. der Anthologie mit dem Namen Julianos' des Ägypters, eines Epigrammatikers, der im 5. oder 6. Jahrh. gelebt haben soll. Eine Nachahmung dieser niedlichen Kleinigkeit findet sich bei Niketas Eugenianos, einem Griech. Dichter des 12. Jahrh., der in seiner Liebesgeschichte von Charikles und Drosilla, welche sehr wenig poetischen Werth hat, jenen Einfall dadurch wirklich verbessert, daß der Dichter anfangs nicht weiß, was er verschluckt:

> Eros, der tückische, pfeilbewehrte, kroch mir jüngst
> Als Mücklein in den Becher, und so trank ich ihn
> Hinunter: alsbald mit den Flügeln macht' er drauf
> Mir ein verwünschtes Kitzeln innen in der Brust;
> Und noch zur Stunde – unerträglich! welche Pein!
> Mit Kribbeln, Beißen quält er mich – es macht mich krank!

50

V. 28. »*Ein Götterbild an Schönheit*« – offenbar der natürlichste Sinn dieser gewöhnlich mißverstandenen Stelle. Vgl. Euripid. Hekabe V. 554.

V. 45–46. Man hat sich vergeblich den Kopf darüber zerbrochen, was für ein *Feuer* hier gemeint sein möge. Hatte der Dichter, wie Einige glauben, den Scheiterhaufen des Adonis im Sinne, so ist es nach Mehlhorns Bemerkung sehr gegen die Natur, daß sich die Göttin so geschwind von der geliebten Leiche trennen konnte. Ganz anders handelt sie bei Bion (Idyll I.), wo überhaupt von einem Scheiterhaufen nicht die Rede ist. – Statt »*seine Liebe*« sagt der Griech. Text »die Eroten«, welcher Ausdruck mit der Vorstellung der oben agirenden Liebesgötter, von denen hier begreiflich ganz abzusehen ist, sehr ungeschickt collidirt: ein und dasselbe Wort wird zweifach, das eine Mal in eigentlicher, personaler Bedeutung, das andere Mal figürlich gebraucht. Sodann aber fragt sich erst noch, was es denn eigentlich war, das da verbrannt wurde, oder in welcher Form der Eber seine Sehnsucht in den Flammen sich verzehren ließ. Einige erklären ἔρωτας durch ἐρωτικοὺς ὀδόντας, die verliebten Zähne, sofern sie ihren Frevel büßen sollten (wobei man die Lesart τοὺς ἐρῶντας vorschlug); Andere lassen den Eber sich mit Haut und Haar in's Feuer stürzen, und diese Ansicht wird schon in Bayles DICTIONNAIRE CRIT., Artikel Adonis, empfohlen: »NOTEZ QU'UN TRÈS BON CRITIQUE M'A FAIT SAVOIR, QUE LA CORRECTION ὀδόντας POUR ἔρωτας N'EST POINT NÉCESSAIRE. LA VÉRITABLE EXPLICATION DE CES VERS, DIT-IL, EST QUE LE SANGLIER τῷ πυρὶ προσελθών, EN SE JETTANT DANS LE FEU, ἔκαιε τοὺς ἔρωτας, BRÛLA EN MÊME TEMS SES AMOURS. IL Y A NON SEULEMENT DE LA RAISON, MAIS DE LA FINESSE, À DIRE, QUE LE SANGLIER BRÛLÉ AUPARAVANT PAR SON AMOUR, AVOIT TROUVÉ À SON TOUR LE SECRET DE LE BRÛLER. POLICIEN* A BIEN FAIT VALOIR CETTE PENSÉE DANS L'EPIGRAMME QU'IL

---

* Politianus, ital. Humanist des 15. Jahrh., Freund des Pico von Mirandola.

FIT SUR PIC DE MIRANDE, QUI JETTA AU FEU SES VERS D'AMOUR. AJOUTEZ À TOUT CECI,
QU'IL EST BIEN DIFFICILE DE S'IMAGINER COMMENT L'AMOUREUX SANGLIER AUROIT PÛ
METTRE LES DENS AU FEU ET LES BRÛLER, SANS SE BRÛLER LUI MÊME«. So wichtig nahm
man die Erörterung zweier gedankenlosen Zeilen. Ohne Zweifel sind sie nichts
weiter als eine müßige, sinnstörende Zuthat, womit das Product eines mittel-
mäßigen Dichters durch die Hand eines zweiten, noch schwächeren vollends ver-
unziert wurde. Denn damit, daß der Eber, nachdem ihm Aphrodite verziehen,
ganz umgewandelt durch die Macht der Liebe, nunmehr der Göttin als steter
Begleiter nachfolgt, ist augenscheinlich das Gedicht zu Ende. Auch fehlen die
beiden Verse wirklich in einer Handschrift. – Zur Würdigung des Stücks im Ganzen aber gehört noch Folgendes.

Nach der alten Fabel stirbt Adonis auf der Jagd als Opfer der Eifersucht des
Ares, indem derselbe ein Wildschwein gegen den Liebling der Aphrodite sendet,
oder auch selbst in Gestalt eines solchen ihn tödtlich verwundet. Sehr spät erst
verfielen, wie Stark bemerkt, Dichter und Künstler auf eine andere Wendung des
Mythus, um dem unendlich oft behandelten Gegenstande neuen Reiz zu ver-
leihen. So ist es denn in unserm Stücke nicht mehr ein erboster Eber, der den
Jäger angreift: die Gewalt der Liebe vielmehr, die sich auch in den wildesten
Thieren erweise, soll hier versinnlicht werden. Deßhalb erscheint der Eber als
Hauptfigur in dem Gemälde, und der Dichter kann nicht schnell genug ihn auf
die Scene bringen. In einer wahrhafteren Darstellung wäre vor allem der heftige
Schmerz der Göttin bei der Leiche zu schildern gewesen; zu der neuen Erfindung
jedoch, wo das Thier redend eingeführt wird, hätte dieß allerdings übel gepaßt,
ihr Läppisches wäre damit nur um so stärker hervorgetreten. Übrigens ist es bei
dieser epischen Behandlung ein Fehler, daß die Verwundung des Adonis durch
das Thier als Todesursache nicht sogleich ausdrücklich berührt, nur ohne Weiteres gesagt wird: sie befahl den Eber zu bringen u.s.w. Dem Epigramm ist eine
solche Voraussetzung des Bekannten natürlich, und eben dieser Zug ist daher
mitbeweisend für Starks Behauptung, daß unserem Idyll ein Epigramm zu
Grunde gelegen, wie denn der Gedanke im Ganzen dieser Dichtart durchaus
gemäß ist. – Das Stück wurde früher dem Theokrit mit gleichem Unrecht wie
nachher dem Anakr. beigelegt, erscheint übrigens erst seit Warton in den verschiedenen Ausgaben dieser Lieder.

51

Während vorzügliche Kenner aus älterer und neuerer Zeit, wie Lefèbre, Longepierre, Ramler, Herder, dieser Dichtung die höchsten Lobsprüche ertheilen, wird
sie von Andern, wenigstens theilweise, minder günstig angesehen. Welcker behauptet – was wir nicht zugeben können – sie enthalte allzu viel Schmeichelhaftes
für Anakr., als daß er selbst der Verfasser sein könnte; Mehlhorn nennt das, was
die Taube V. 28–32 vorbringt, abgeschmackt und lächerlich, besonders das Be-
decken mit den Flügeln ($\sigma\upsilon\gamma\varkappa\alpha\lambda\acute{\upsilon}\pi\tau\omega$), welches im Gegentheil Levesque für die

naive Eitelkeit des Thierchens, das sich einbilde, seinen Gebieter völlig zu decken, sehr treffend findet. Der Übersetzer hat eine gar nicht üble Andeutung des Abschreibers im Heidelb. Codex (σνσκιάσω steht über dem Textwort) benützt. – Für einen Fehler in der Composition halten wir, daß nicht ausdrücklich irgend ein Punkt, Baum oder Gemäuer angegeben ist, wo sich die Taube niederläßt, so lange sie spricht.

Die Herkunft des Stücks anbelangend, so liegen, abgesehen von mehreren Indicien der Sprache, bestimmte Gründe vor, es dem Anakr. nicht zuzuschreiben. Für's Erste betreffen die Beispiele, die man von dem Gebrauch der Brieftauben im Alterthum hat, eine viel spätere Zeit und größtentheils die Römer (vgl. Älian. Verm. Erz. IX, 2. Plinius Naturgesch. X, 37.). Sodann ist diese Art zierlicher kleiner Gemälde der Muse Anakreons, wie überhaupt dem Geiste jener Zeit durchaus fremd. Es liegt, nach unserem Gefühl, selbst etwas Manierirtes in dem Ton des Gedichts, und jedenfalls geschieht dem Verfasser nicht Unrecht, wenn Stark ihm seinen Platz bei den Alexandrinern anweist.

52

Basilios, s. Nr. 19. Anm.

53

Die Erfindung wäre poetisch genug und Anakreons nicht unwürdig; seiner prosodischen Beschaffenheit nach aber kann ihm das Stück nicht zukommen. – Bei einem unserer deutschen Anakreontiker, J. P. Uz (bekanntlich ein schätzbarer Dichter und ganz moralischer Mann) kehrt dieses Thema mit witziger Steigerung wieder. Das kleine Gedicht ist »*der Traum*« überschrieben, es handelt sich darin von einer badenden Schönen und der Schluß heißt:

> Sie fing nun an, o Freuden!
> Sich vollends auszukleiden:
> Doch ach! indem's geschiehet,
> Erwach' ich und sie fliehet.
> O schlief' ich doch von Neuem ein!
> Nun wird sie wohl im Wasser sein.

54

Tereus, s. Nr. 3, V. 4. Anm.

In zwei Epigrammen der Griech. Anth. (A. PAL. V, 237. IX, 286) ist der gleiche Gegenstand behandelt; in dem einen, von Marcus Argentarius, folgendermaßen:

> Vogel, was raubst du den süßesten Traum mir, daß von dem Lager
> Pyrrhe's liebliches Bild eben im Flug mir entwich!

55

In der Zusammenstellung der Thiere: Stier und Pferd, Hase und Löwe, Fische und Vögel ist ein bemerkenswerther Contrast beobachtet.

V. 7. *Verstand.* In dem mehrdeutigen φρόνημα glaubten die meisten Aus-
5 leger eine Eigenschaft suchen zu müssen, die ausschließlich oder doch vorzugsweise dem Mann zukomme; als eine solche aber schlechtweg den Verstand zu
nennen schien den Frauen gegenüber ungerecht, und so das Ganze ein verfehltes
Compliment für sie; daher wurde das Wort sehr verschieden erklärt: als kriegerische Tapferkeit und Kunst; als Seelengröße, hoher Muth; als streng logisches
10 Denken. Mehlhorn will ungefähr wie Stephanus und Brunck: planmäßige Über-
legung, Berechnung, Besonnenheit, im Gegensatz zu dem mehr instinktmäßigen
Vermögen des weiblichen Geschlechts. Degen sagt: »den höhern Geist dem
Manne«. – Allein man sah hier nur den Wald vor lauter Bäumen nicht. Das einzig
Richtige ist offenbar der ganz zunächst gelegene Begriff *Verstand.* Darin ist einer-
15 seits alles Erfinderische, die ruhige Berechnung, List, Geistesgegenwart, so wie die
Schaffung künstlicher Waffen und deren zweckmäßiger Gebrauch enthalten;
andererseits wird der Verstand den Frauen bei dieser Austheilung nicht abge-
sprochen; sie mögen ihn mit Ausnahme der kriegerischen Anwendung in alle-
wege und gleich den Männern haben, er kommt aber für sie in jenen Fällen der
20 Gefahr, von welchen hier allein die Rede ist, wo es sich nur um tapfere Abwehr
oder um schnelle Flucht handelt, durchaus nicht in Betracht, sie brauchen ihn in
solchem Fall gar nicht, da ihnen ein weit wirksameres Hilfsmittel (zum wenigsten
der Männerwelt gegenüber) von der Natur verliehen ward.

Ganz nahe verwandt mit unserm Lied ist eine Stelle des sogenannten Pseudo-
25 phokylides (einer Griech. Gnomologie von Jüdisch-Alexandrinischer, wo nicht
christianisirender Färbung), V. 125ff. Bergk LYR. GR. PAG. 367; nach Binders Übers.:

Wehr gab Jedem der Gott: die Natur durch Lüfte zu fliegen
Hat er den Vögeln verliehn; Raschheit und Stärke dem Löwen;
Hörner, die selbst aufsprießen, den Stieren, und Stacheln den Bienen
30 Als angeborenen Schutz; Bollwerk ist die Sprache den Menschen.

56

V. 1–2. Auf diese Weise wurden die zur Rennbahn bei den Griechischen Fest-
spielen verwendeten Pferde markirt.

V. 3–4. Die *Parther,* ein kriegerisches Volk, ursprünglich im Osten und Süd-
35 osten des Kaspischen Meers. Das später sogenannte Parthische Reich erstreckte
sich vom Kasp. bis zum Indischen M., vom Euphrat bis an den Oxus.

Die Ächtheit dieses immerhin feinen und sinnreichen Stücks bezweifelte schon
Stephanus. Der Name Parther war zu Anakreons Zeit noch kaum von Geschicht-
schreibern und Geographen gekannt. Wir finden ihn bei Herodot (III, 93) nur unter

der Masse der den Persern unterworfenen Völkerschaften erwähnt. Wie konnte sich, fragt Stark mit Recht, ein so fremder Name in ein anspruchloses, populär gehaltenes Liedchen verirren? Es hätten die Perser, nicht aber die Parther genannt werden müssen. Ihre Erwähnung hier oder zunächst in dem Epigramm, aus welchem später dieß Lied hervorgegangen sein mag, weist auf die Zeit hin, wo 5 sich die Parther allen Nachbarvölkern und selbst den Römern furchtbar machten. Überdieß gemahnt das den Liebenden eingedrückte Zeichen an die Platonische Lehre, wonach die Leidenschaften mannigfaltige Spuren, Narben oder dergleichen in der Seele zurücklassen. Derselbe Glaube wird in folgendem Epigr. der Anthol. (A. Pal. V, 212) berührt. 10

Immer verweilt und tönt in den Ohren mir Flüstern des Eros;
 Thränen der Sehnsucht auch gleiten vom Aug' mir herab.
Rastlos wacht er am Tag, und rastlos wacht er die Nacht auch;
 Kenntliche Male vom Brand zeiget das liebende Herz.
Habt ihr, beschwingte Eroten, vielleicht wohl Flügel zum Kommen, 15
 Aber von hinnen zu fliehn fehlet den Schwingen die Kraft?

(Jacobs.)

VERZEICHNIS DER GEDICHTE
NACH ÜBERSCHRIFTEN UND ANFÄNGEN

Band Acht, Erster Teil, von Eduard Mörikes Werken und Briefen wurde im Jahr
1976 veröffentlicht. Das Buch gestaltete Professor Cari Keidei. Es wurde in der
Dante-Antiqua gesetzt und gedruckt von der Offizin Chr. Scheufele, Stuttgart.
Das Papier stammt aus der Papierfabrik Scheufelen, Oberlenningen / Württ.
Die Reproduktionen lieferte die Kunstanstalt Willy Berger, Stuttgart
Den Einband fertigte die Großbuchbinderei Ernst Riethmüller & Co., Stuttgart

ISBN 3 – 12 – 909280 – 3